АРТЕФАКТ & ДЕТЕКТИВ

Читайте романы
Натальи АЛЕКСАНДРОВОЙ
в серии «Артефакт & Детектив»:

АРТЕФАКТ & ДЕТЕКТИВ

Наталья АЛЕКСАНДРОВА

Золото Атлантиды

ЭКСМО
МОСКВА
2014

УДК 821.161.1-312.4
ББК 84(2Рос=Рус)6-44
А 46

Оформление серии *С. Курбатова*

Александрова, Наталья Николаевна.

А 46   Золото Атлантиды : роман / Наталья Александрова. — Москва : Эксмо, 2014. — 320 с. — (Артефакт & Детектив).

ISBN 978-5-699-75266-9

Когда гнев богов уничтожил Атлантиду, последние из оставшихся в живых жрецы сумели спасти величайшее сокровище — Орихалковую книгу, тысячу лет назад дарованную великими богами их предкам. Жрецы поклялись: они не пожалеют своих жизней, чтобы святыня Атлантиды была сохранена для будущих поколений... Марина всей душой ненавидела свою соперницу Камиллу, которая получала все, чего пожелает, — блестящую карьеру телеведущей, мужчин, падающих к ее великолепным ногам, — более того, наглая стерва умудрилась за спиной Марины спать с ее мужем. Этого Марина простить никак не могла! Но она совсем не ожидала, что ее ревность способна вылиться в криминальную авантюру. Камиллу с известным бизнесменом Борецким взорвали в автомобиле практически у стен телецентра. И теперь от Марины неизвестные бандиты требуют поделиться информацией, обнаруженной на флешке Камиллы...

УДК 821.161.1-312.4
ББК 84(2Рос=Рус)6-44

ISBN 978-5-699-75266-9

муглый худощавый человек неопределенного возраста с узкими немигающими глазами шел по кривой торговой улочке шумного южного города. Вокруг него текла непрерывная толпа туристов, из многочисленных лавчонок доносились зазывные голоса продавцов, предлагавших ковры и духи, восточные лакомства и сувениры.

Вдруг сильная рука схватила смуглого человека за плечо, втащила его в открытые двери сувенирной лавки.

Он попытался вырваться, хотел позвать на помощь, но к его лицу поднесли платок, смоченный остро пахнущей жидкостью. В глазах его потемнело, и смуглый человек потерял сознание.

Пришел он в себя довольно скоро. Впрочем, может быть, прошло и много времени — он не мог об этом судить.

Он сидел в глубоком кресле перед длинным столом, находящимся в большой полутемной комнате. По обе стороны от него за этим столом сидели люди, очень странные люди. Все они были облачены в яркие восточные одежды, лица их были скрыты масками. Масками зверей и птиц, фантастических сказочных чудовищ — масками древних богов.

— Где я? — проговорил смуглый человек хриплым, чужим голосом. — Кто вы? Что вам от меня нужно?

Ответил ему человек в маске хищной птицы.

— Ты среди друзей, — проговорил он сухим клекочущим голосом. — Точнее, среди соотечественников, соплеменников. Мы, как и ты, принадлежим к великому древнему народу. Когда-то наш народ обладал славой и могуществом, но боги отвернулись от нас, и сегодня о нас мало кто знает. Мы — члены верховного храмового совета, служители древних богов. Сегодня звезды расположились благоприятным образом, судьба благосклонна к нам. Мы можем вернуть нашему народу его былую утраченную славу...

Он замолчал, но тут же заговорил другой человек — в маске шакала.

— Ты избран. Звезды указали на тебя. Ты должен найти нашу древнюю, священную реликвию. И если это тебе удастся — ты станешь одним из нас, одним из членов совета, одним из вершителей судеб всего человечества. Для этого тебе придется много потрудиться, возможно, нарушить человеческие законы, но цель оправдывает средства. Запоминай все, что мы тебе скажем...

Смуглый человек с узкими холодными глазами снова стоял посреди шумной улицы. Толпа туристов обтекала его, кто-то недовольно проворчал то ли по-шведски, то ли по-норвежски.

Смуглый человек пытался понять, что с ним только что произошло. Было ли это на самом деле, или от жары и усталости с ним случился короткий обморок? В последнее время у него часто случались такие обмороки. Иногда они сопровождались галлюцинациями. Но никогда эти галлюцинации не были такими яркими, такими достоверными и правдоподобными.

Он слишком хорошо, слишком отчетливо помнил темную комнату и людей в масках древних богов. Он помнил их слова, помнил, какое важное дело они доверили ему.

И он понял, что выполнит то, что они ему поручили. Выполнит, чего бы это ни стоило...

Марина вышла из маршрутки и плюхнула чемодан прямо в лужу. Господи, скорей бы домой — принять душ, отдохнуть хоть немного.

Она представила, как сидит с чашкой кофе в гостиной перед открытым балконом и теплый ветерок слегка колышет шелковые занавески.

В городе утром шел дождь, это частое явление и летом. И сейчас над асфальтом вился легкий парок, сквозь облака просвечивало неяркое солнце, и опасные темно-фиолетовые тучи спешно уходили далеко, на запад.

Поездка была ужасной. И зачем она согласилась ехать в купе маминого соседа Валерки? Расшумелся, когда узнал, что Марина едет дневным. Да зачем тебе столько времени тратить, да столько денег за билет платить? Поедешь у меня в купе, всего одну ночь поспишь как королева. И мама его поддержала — нехорошо, мол, человека обижать, он к нам со всей душой. Опять же все в дороге не одна будешь.

Марина и согласилась. Ну, конечно, Валерка парень свой, и приставать к ней ночью у него и в мыслях не было. Но ходок он еще тот, и как выяснилось, у него шашни с разбитной проводницей из соседнего вагона.

Валерка нагло хохотнул — очень, говорит, удобно, далеко ходить не надо. Ужас, как Марине стало стыдно, потому что хорошо она знала Валеркину жену — тихую безвредную Катю. Теперь придется за собой следить, чтобы не проболтаться.

Валерка устроил ее в купе и ушел до утра, а ей велел сидеть тихо и не отзываться на стук. Знал, что будут пассажиры скандалить. И правда, сначала шумела в вагоне пьяная компания, и совались они в купе то за стаканами, то за полотенцами, а после, когда уже окончательно распоясались, стали стучаться остальные пассажиры. Так что ночка у Марины выдалась беспокойная. А утром явился Валерка, как сытый кот, и еще и денег с нее взял не так чтобы мало за такую, с позволения сказать, поездочку.

Так что сейчас она только и мечтает о покое. Хорошо, что у нее много времени, она и звонить не будет Антону, он ждет ее лишь к вечеру. А сейчас одиннадцатый час всего, впереди длинный свободный день.

Марина вытащила чемодан из лужи, при этом он забрызгал ей новые кроссовки, но она не обратила внимания на такой пустяк.

Если пройти между домами, то будет быстрее, однако там, кажется, что-то копали, и теперь, после дождя, можно влипнуть в глину... Марина вытянула шею и тут же непроизвольно метнулась за угол. Пока она была в отъезде, канаву зарыли и засыпали то место песком. И вот на этом песочке резвился пекинес Зои Петровны по кличке Дюша. Это был кошмар их с Тимкой жизни.

Дюша терпеть не мог детей. Причем всех, начиная от младенцев грудного возраста и кончая четырнадцатилетними оболтусами, что тусуются во дворе. Не имело значения, пытался ли ребенок его погладить или просто в стороне проходил мимо. Дюша кидался на детские коляски, самокаты и велосипеды, сбивал с ног девчушек на роликах, прыгал с лаем на мамочек, которые хватали своих детей на руки. Надо сказать, что дело обычно кончалось перепачканной одеждой и порванными колготками, по причине малых размеров Дюша не мог нанести взрослым большой урон. Но детей он напугать мог.

Дом у них был относительно новый, люди поселились в нем приличные, поэтому никто мерзкую собачонку не прибил, все жаловались исключительно словесно. Зоя Петровна же, обычно вполне вменяемая тетка, становясь на защиту своей собаки, совершенно теряла человеческий облик.

У Марины с ней тоже случился конфликт, когда Дюшка с лаем выскочил из-за угла и Тимка от неожиданности упал с самоката. Разодрал ногу до крови, испачкал новые джинсы. Марина не любит ругаться, но тогда они крупно поговорили с Зоей.

Все же многочисленные жалобы подействовали, и теперь Зоя Петровна выгуливала свое мохнатое чудовище в стороне от дорожки и детской площадки. И все равно встречаться с ней не хотелось.

Марина обошла дом с другой стороны и вышла прямо к своему подъезду. Никто не встретился ей у лифта.

Она долго копалась, доставая ключи, потом открыла дверь и вкатила чемодан. Прихожая у них была маленькая — только вешалка помещалась и стойка для обуви. Это Марина так настояла, когда ремонт в новой квартире делали, чтобы, как войдешь, сразу снять все уличное и дальше идти уже в чистых тапочках. Тимка тогда был маленький совсем, по полу ползал, все в рот тянул. И дверь из прихожей закрывалась плотно, чтобы он туда и не совался.

Марина перевела дух — наконец-то она дома, скинула легкую куртку, расшнуровала кроссовки и босиком шагнула в маленький коридорчик перед кухней.

В кухне было грязновато, в раковине кисла грязная посуда, причем не вчерашняя, как машинально отметила Марина. Ну да, ее не было три дня, вот как раз... Она подавила привычное удивление — неужели даже посудомойку ему лень заправить, но радость от возвращения домой все перевесила. С этим она разберется потом, впереди длинный свободный день.

Между кухней и гостиной не было у них двери, только полукруглая арка. И вот, войдя в кухню, Марина услышала странные звуки. Кто-то ахал, охал и визжал. Еще был какой-то ритмичный скрип и стук. Сердце мгновенно остановилось, а потом покатилось вниз. Что это? Кто здесь, в пустой квартире? Воры? Их грабят?

Но тут визг перешел в крик, которому вторил мужской голос. Голос ее мужа Антона. Все ясно. Неясно только, отчего такой стук и грохот.

Здравомыслящая часть ее натуры приказывала Марине немедленно уходить из квартиры. Причем как можно тише, чтобы ее не заметили. Ну, нету ее здесь, не вернулась еще от мамы, к вечеру лишь поезд прибудет. И все забыть — не была, ничего не слышала, ничего не видела.

Но кто в такой ситуации слушается здравого смысла? И Марина, кляня себя, сделала несколько шагов в сторону арки. И увидела голого Антона, его мускулистую спину, покрытую потом, и все, что ниже. Вот как, стало быть, в семейную постель он свою девку не привел, постеснялся. Устроились в гостиной на диване.

Она спохватилась, что эти двое могут ее увидеть, но куда там, они были так увлечены процессом! Лица его партнерши не было видно, и Марина снова приказала себе немедленно уходить из квартиры, чтобы не допустить скандала. Но ноги сами шагнули в сторону, откуда, как она знала, можно было увидеть в зеркальной дверце шкафа все, что происходит на диване. И, в частности, лицо этой девки.

Когда она увидела это лицо, запрокинутое, искаженное, с закушенной губой, но все же невероятно знакомое, Марине показалось, что пол уходит у нее из-под ног, как на корабле при сильной качке. Кроме того, было такое ощущение, что ее с размаху ударили под дых. Хотя ее никогда не били, но дыхание перехватило, и Марина шлепнулась бы на пол, если бы не оперлась о стену.

Комната перестала кружиться перед глазами, и шум в ушах пропал, потому что Марина неосознанно заблокировала все чувства. Теперь в голове была лишь одна мысль: бежать! Бежать отсюда как можно быстрее и незаметнее.

Она смогла сделать несколько шагов назад и даже порадоваться, что босиком, что эти двое ничего не услышат. И дверь в прихожую сумела прикрыть за собой неслышно.

На миг сознание покинуло ее, и она очнулась, сидя на полу. Нет, нужно взять себя в руки, она подумает обо всем этом потом, в безопасном месте. Только вот где оно, это безопасное место?

Торопясь, она натянула носки и кроссовки, сдернула с вешалки куртку. Взяла чемодан в руки, чтобы колеса не стучали по плитке. Так, вроде бы в прихожей все как было. Хотя они ничего не заметят, муж — потому что мужчина, они вообще никаких мелочей не замечают, а эта... эта слишком самоуверенна, ей наплевать на всех людей ниже ее.

Марина не стала ждать лифта, а спустилась по лестнице, не замечая тяжести чемодана. Внизу в подъезде была небольшая кладовка, там держали коляски, детские велосипеды, а также ящик со всевозможными песочными принадлежностями, чтобы не таскать грязь в квартиры.

Марина открыла дверцу своим ключом, отодвинула пластмассовый грузовик, затем сломанный самокат, протиснулась мимо детских колясок и запихнула свой чемодан за клетку соседей Барабановых. Клетка была куплена для попугая — двухэтажная, с разными прибамбасами. Попугай прошлой осенью улетел на улицу, и безутешные хозяева пристроили клетку сюда, дескать, смотреть на нее — сердце разрывается, а вещь дорогая, выбросить жалко.

Никто не встретился ей во дворе. Повезло, усмехнулась она. Врагу лютому не пожелаешь такого везения! Она села в первую попавшуюся маршрутку — все равно куда, лишь бы подальше отсюда.

Через некоторое время дома вокруг оказались незнакомые, Марина проехала еще немного и сошла возле парка. Погода была хорошая, в парке гуляли молодые мамы с детками — не очень много, потихоньку все из города разъезжались на лето. Марина села на пустую скамейку и закрыла лицо руками.

Вот так. Вот, оказывается, как все обстоит. Вот такие вот дела.

Казалось бы, все как в плохом анекдоте — приезжает жена не вовремя и застает мужа с любовницей. Все бы ладно, в конце концов, со всяким может случиться. Хотя... они женаты семь лет, и ни разу Антон не давал ей повода сомневаться...

Вранье, тут же поняла Марина, все это вранье, просто она ему доверяла. Ну, не ревнивая она женщина, спокойная в этом плане. Не принюхивалась к мужу, вернувшемуся поздно, не обшаривала его карманы, не рылась в телефонных сообщениях. Успокаивала себя мыслью, что вся жизнь его на виду.

У него были друзья. Старые, школьные друзья. У кого их нет, говорят люди, все мы в школе учились.

Так, да не так. Эта компания была особенной. Обычно бывшие одноклассники встречаются сначала часто, каждый год, потом лет через пять, потом через десять. Соберутся в ресторане, выпьют, похвастаются своими успехами и достижениями — и разойдутся, чтобы забыть друг друга до следующего раза.

Компания ее мужа дружила всегда. Как пришли они в пятый класс в новую школу, так и образовали свой круг. Пять человек, трое мальчишек и две девчонки. Так и дружили всю жизнь, никого в свой круг не пуская, исключая, конечно, жен и мужей. Ну, притворно вздыхал Антон, от вас-то куда денешься.

С окончания ими школы прошло без малого двадцать лет, ну да, им сейчас по тридцать пять, как раз недавно отмечали день рождения Рябоконей. У них и день рождения в одном месяце.

И всегда эти пятеро вместе были. Ты это не тронь, говорил Антон, это у нас навсегда, я с ними познакомился, когда тебя еще и знать не знал. И вообще, жен много, а друзей мало. Ну, это он так шутит.

Точнее, она думала, что шутит. До сегодняшнего дня.

Вот так вот. Кроме Антона были в компании Костя Рябоконь и Женька Плавунец, разумеется, ему сразу же дали кличку Жук. Жук Плавунец, очень подходит. Костик, Антон рассказывал, как сел в пятом классе за одну парту с Верочкой, так и просидел до окончания школы. И поженились они через год, едва восемнадцати лет дождались. С тех пор вместе.

В школе всегда всем клички придумывают, так у этих и кличка одна на двоих. Веру зовут Ряба, а его — Конь. Это Жук у них такой остроумец, Камилла ему подпевает.

Впрочем, что это, Камилла никому никогда не подпевала, это у нее все по струнке ходили.

Вот и к делу подошли. Дошли до Камиллы.

Это имя у нее было по тем временам редкое. Говорила всем в школе, что бабушка у нее была из Франции, вот и назвала внучку по-своему. Врала, конечно, но эти дурачки до сих пор верят. Верят, что Камилла у них особенная, хоть и зовут между собой Милкой.

Милка, она особенная, говорил Антон как-то, когда они ехали с каких-то общих посиделок, она, знаешь, от всех вас, женщин, отличается. У нее аура.

А Марина тогда и не спросила, что он имеет в виду, не хотелось Камиллу обсуждать. А муж все остановиться не может.

Камилла — это, говорит, в нашей компании просто бриллиант. Она, говорит, удачу и счастье привлекает, как магнит. Она далеко пойдет, большим человеком станет рано или поздно. А Марина тогда не выдержала и говорит, что лучше, мол, попозже. Здорово Антон на нее разозлился, обиделся всерьез. Ты, говорит, этого не тронь, я с ней знаком в три раза дольше, чем с тобой. А дружба — это надолго.

И она, дура, поверила, про дружбу-то. Ясно теперь, какая у них дружба — на диване в ее гостиной. И не в первый раз они это устраивают. Уж больно по-хозяйски эта дрянь там разлеглась.

Снова предстала перед глазами ужасная сцена, и Марина застонала в голос. Хорошо, что рядом никого не было.

Она отняла руки от лица и попыталась успокоиться. Хотелось упасть на дорожку и кататься по ней с воем. Или биться головой о скамейку. Или вон об то дерево.

Что делают люди в таких случаях? Рыдают, рвут на себе волосы, бьют посуду? Наверно, хорошо бы покурить, но она, Марина, не курит. И не пьет ничего крепче вина, да и то редко. Такая вся из себя положительная, верная жена и хорошая мать, хозяйка опять же замечательная. Вот поэтому муж умирает с ней от скуки и завел себе отличную любовницу. У которой аура. И что там еще?.. Она умна, красива и во время секса орет, как мартовская кошка. Вот поэтому он с ней и...

Не может быть, заговорил у Марины внутри спокойный здравый голос, не может быть, она бы заметила, когда их роман только начинался. Такие вещи женщина заметит раньше мужчины, когда влюблен, он меняется.

А ничего и не было, тут же возразила она самой себе. Не было никаких особенных перемен, муж правильно говорил, он с этой Камиллой знаком давно. И спали они наверняка тоже давно, еще когда он Марину и не встретил. Так с тех пор и продолжали это делать — старые друзья, с позволения сказать.

И дальше будут продолжать в том же духе. Всем хорошо, все довольны, жена-дура ничего не узнает. А если и узнает, что она может сделать? Ты это не тронь, скажет муж, я с ней знаком в три раза дольше, чем с тобой...

Вот что он в ней нашел, хотелось бы знать? Ну, интересная, конечно, эффектная, успешная, как теперь говорят. Хотя какой уж там особенный успех? Работает на заштатном канале, ведет пару передач. Или у мужиков от баб в телевизоре совсем крышу сносит? Все на нее только в телевизоре любуются, а он с ней спит... Тьфу, гадость какая!

Это ты из зависти, тут же услышала Марина внутренний голос, потому что Камилла — хозяйка жизни, все у нее есть, все мужчины у ее ног, любого она может заполучить, и работа у нее, и внешность, энергия через край бьет, всего она добьется. А у тебя — только семья, ребенок, квартира, а на работу и то эта Камилла устроила. Ну да, на тот же телеканал старшим помощником младшего дворника.

Марина как вышла замуж семь лет назад, так почти сразу и забеременела. Эти, в компании общей, еще ее жалели. Мужики похохатывали, Антона по плечу хлопали — ну, мол, ты, старик, даешь! Женщины тоже индифферентно держались. У Рябоконей детей нет, Вера с мужем науку двигают, с Лидой, тогдашней женой Женьки Плавунца, они и познакомиться толком не успели, она вскоре с Женькой развелась и в компании больше не появлялась. Камилла ничего не сказала, она вообще Марину не замечала. Не напоказ, а так просто. Ни разу ей ничего плохого или грубого не сказала — зачем? Марина ведь внимания никакого не стоит, ничего собой не представляет — к чему ее замечать?

У самой Камиллы детей нет — куда там, ей карьеру нужно делать. Далеко пойдет, больших успехов добьется. Ага, если не споткнется. С большой высоты и падать опасно, это все знают. Но пока что никакой особенно высоты Камилла не достигла.

А тогда не дождалась Марина поздравлений, лишь взгляды сочувствующие. Вот этого она никогда не понимала — как вся эта компания относится к детям. Дескать, они только жить мешают, ни к чему это все. У Лиды вроде бы ребенок был, девочка, непонятно, отец теперь видится с ней или нет, во всяком случае, Женька никогда о ребенке не говорит.

Родила Марина в двадцать шесть лет — не в восемнадцать же. До этого работала в небольшой фирме менеджером, пока в декрете сидела, фирма разорилась, всех и уволили. Отсидела дома, как положено, три года, а Тимка в садик первый год плохо ходил, вечно то насморк, то кашель — куда уж тут на работу устраиваться. Потом квартиру они купили, нужно было ремонтом заниматься. А в прошлом году Марина сунулась в пару мест — либо фирма какая-то подозрительная, либо оклад мизерный. Вот и пришлось к Камилле обратиться, она на своем канале словечко замолвила, Марину и взяли.

Должность у нее — помощник звукооператора, а на самом деле ею все дыры затыкают. Микрофоны на гостей навешивает, стулья приносит, воды там, чаю... и так далее, девочкой на побегушках, в общем. С Камиллой они редко сталкиваются, она — звезда, высший сорт, ей с Мариной и говорить-то не пристало.

И что теперь делать? Как дальше жить? Сделать вид, что ничего не было?

Снова у нее перед глазами встала та ужасная, отвратительная сцена на диване, и Марина вздрогнула, а потом затряслась в ознобе, так что проходящая мимо старушка взглянула с подозрением и на всякий случай ускорила шаг.

— Я не смогу, — сказала Марина вслух, — я не смогу этого забыть никогда!

Развод? Но что это даст? У нее нет приличной работы, и Тимке на будущий год в школу, а мама далеко, кто будет его водить, если она станет гробиться в каком-нибудь магазине по двенадцать часов? Да еще придется терпеть придирки начальства и хамство покупателей.

И квартиру придется делить, и уж тут Антоша покажет себя во всей красе. Что-то ей подсказывает, что он не сильно расстроится от ее решения. Он не слишком привязан к Тимке, относится к нему неплохо, но не сумасшедший отец. Так что разлуку с сыном он переживет, а ее, судя по всему, он вообще никогда не любил и не ценил. Но нужно все же признать, что все это время он их содержал. И жили они безбедно, квартира куплена на деньги мужа, так что он постарается выделить ей какую-нибудь однушку на краю света, и тем, скажет, будь довольна. Там небось ни магазинов, ни школы приличной нету. А он без них заживет припеваючи — вон, того же Женьку Плавунца взять, после развода девиц меняет как перчатки, отдыхать по четыре раза в год ездит.

Опять же Камилла при Антоше останется, можно будет не скрываться. Куда ж она денется, если они с пятого класса дружат? Ты это не тронь, я с ней знаком был, когда тебя и знать не знал... Вот так вот.

Получается, что развод — это для Марины не выход. И отвадить эту дрянь от дома тоже никак не получится — они ведь компанией все время вместе. Каждую неделю встречаются, а уж летом-то и подавно. То за город на шашлычки, то в ресторан, то еще куда-нибудь. Антон поэтому и велит ей на все лето Тимку к бабушке отвозить, чтобы никто не мешал развлекаться на всю катушку.

И сколько же женщин из-за детей и денег терпят измены мужа? Нужно успокоиться и смириться.

На скамейку уселась толстая старуха и злобно покосилась на Марину. Потом достала мобильный телефон и заговорила с какой-то Люсей, причем орала так, что с соседнего дерева испуганно вспорхнула стайка воробьев. Марина побрела по аллее, сгорбившись и волоча ноги. Потом вышла на улицу и направилась куда глаза глядят. Люди, косясь, обходили ее, пока какой-то подвыпивший мужик не налетел с ходу и не обругал неприличными словами.

Марина очнулась и отступила в сторону. И оказалась перед витриной магазина, где отражалось вовсе что-то уж несусветное — потертые джинсы, грязные кроссовки, куртка, хотя на улице тепло, все в летнем, а она, как бомжиха, в куртке, да еще и рукав чем-то измазан. Ну, в поезде, конечно, и так хорошо было, у Валерки в вагоне грязь.

А теперь ясно, отчего люди косятся. Да еще и физиономия у нее жуткая. Волосы растрепаны, глаза не накрашены — ужас.

Она торопливо прошла два квартала до торгового центра, там в туалете умылась и кое-что наспех набросала на лицо. Глядя на себя в зеркало, Марина решила, что пустить это дело на самотек она никак не может.

«Ты такая успешная и самоуверенная? Мужчины падают вокруг тебя пачками? У тебя впереди большое светлое будущее? Ну-ну, это мы еще посмотрим. На самом деле ты просто жадная, наглая стерва. Ты хочешь забрать себе все — успех, деньги, даже чужих мужей. Как бы не подавиться».

Марина вдруг осознала, что ужасно хочет есть, просто до одури. На часах без малого двенадцать, а она рано утром выпила в поезде только чашку отвратительного чая. Валерка, подлец, даже печенья не дал, а в чай, наверно, соду добавляет, чтобы темный был. Ох и жулик!

Она поднялась наверх и нашла относительно приличное кафе. Завтраки еще не кончились, и она заказала омлет с грибами, большую чашку кофе с молоком и слоеную булочку с маком. К омлету принесли теплый багет и розеточку масла с укропом. Марина ела и продолжала мысленный монолог.

«Я не стану бороться с тобой за своего мужа, это ни к чему не приведет, да и смысла большого в этом нет. Я отвечу тебе твоим же оружием. Раз ты отобрала у меня моего мужа, то я отберу твоего. Так будет справедливо. Я вообще отберу у тебя все — работу, успех, удачу. А стало быть, и деньги. И вот тогда посмотрим, что станется с твоей замечательной аурой. И будут ли мужчины смотреть на тебя с вожделением. И кому ты вообще будешь нужна».

Мимо стеклянных дверей кафе прошла женщина, чем-то похожая на Камиллу, — высокая яркая шатенка, волосы пышные. И Марина увидела, как ненавистная Камилла щурится презрительно — что ты, серая мышка, мелкая мошка, можешь мне сделать? Да тебя никто вообще не замечает, в упор не видит!

«Это мы посмотрим, — отвечала Марина. — Иногда очень полезно быть невидимой, незаметной. Никто меня всерьез не принимает, никто не опасается».

Допивая кофе, она утвердилась в своих планах. На работе надо действовать по обстоятельствам, уж если будет возможность подгадить Камилле, она эту возможность ни за что не упустит. А вот как быть с ее мужем?

Вот интересно, у Камиллы есть муж. То есть все понятно, такой женщине без мужа никак нельзя, статус не тот. Муж у нее вроде второй, во всяком случае, Марина только этого знает.

И если вспомнить цитату из старого фильма, то кто у нас муж? А никто в компании не знает, потому что тихий он человек, незаметный. Как-то и не вспомнит Марина, разговаривала ли она с ним когда-нибудь. Так, пару раз словами перебросится — привет, как дела? Женушка-то его всегда в центре внимания, а он смирно сидит в уголке, книгу читает или в ноутбук свой уставится. В общих разговорах участие не всегда принимает. Кто же он по профессии?

Марина задумалась. Кажется, что-то с историей связано. Вроде книгу какую-то пишет или работу научную. Надо думать, денег мало получает, сидит на шее у женушки своей обеспеченной.

Однако что-то тут не так, что-то не вяжется. Не такой человек Камилла, чтобы вот так просто посадить себе на шею никчемного мужа. Что-то в нем, очевидно, есть. И сейчас Марина вспоминает, что держится с ним Камилла не нагло. Подшучивает, слегка покровительственно говорит, но не унижает при посторонних. Стало быть, сумел человек себя поставить. Это любопытно. Кто же он такой, что такую законченную стерву сумел как-то обуздать? То есть рога-то она ему наставляет, это Марина своими глазами видела. А вот интересно, он знает? Нет, наверное, мужчины ничего не замечают.

Впрочем, вздохнула Марина, не ей об этом говорить. Она сама в этой ситуации выглядит полной и законченной дурой. Если бы не увидела все своими глазами, если бы не застала своего муженька с этой... этой стервой, то сейчас готовила бы ему борщ и котлеты. Чтоб ему теми котлетами подавиться!

Итак, как можно соблазнить мужа Камиллы? Да не просто в постель заманить пару раз, а так сделать, чтобы он о своей женушке и думать забыл. Хотя бы на время.

Что-то Марине подсказывает, что человек он непростой, не поведется, если она с ним станет кокетничать и глазки строить. Не тот случай, да и у нее вряд ли получится. Не привыкла она так себя вести, нет соответствующего опыта. Стало быть, нужно заинтересовать его для начала разговорами. О чем мужчина может говорить бесконечно? О себе, любимом. А этот, надо думать, о своей работе.

— Еще что-нибудь? — это официантка подошла неслышно.

— А? — Марина взглянула на часы, оказывается, она уже час здесь просидела. — Спасибо, ничего не нужно.

«Что я делаю? — думала она, ожидая счета. — Собираюсь соблазнить совершенно постороннего мужчину, которого я и знать не знаю, он мне и не нравится совсем! Это ужасно, нужно бросить эту затею, это... это аморально».

И тут же возмутилась. А спать с чужим мужем морально? А приводить в семейный дом чужую бабу морально? И может быть, морально трахаться с ней на диване в гостиной?

Это чтобы в постели духами ее не пахло, догадалась Марина, во всяком случае, не потому, что мужу стыдно семейную постель осквернять. Так что ни о какой морали в данном случае не может быть и речи. Она не сможет забыть эту сцену, если не попытается отомстить. Раз они так, то и у нее руки развязаны.

Значит, с чего мы начнем? Мужа Камиллы зовут Георгий, она называет его Гошиком, а мужская часть компании Жорой. И сейчас вспоминает Марина, что он едва заметно поморщился, когда Жук хлопнул его как-то по плечу и обозвал Жоржиком. Но не стал заедаться, спокойный, значит, человек и умный, потому что Женька тогда здорово набрался.

Вот как раз удачно обстоятельства складываются, Женька вернулся из очередной поездки и послезавтра приглашает всю компанию в ресторан за городом — новый какой-то, говорит, открыли, очень мило там. Вот там и познакомимся с Георгием поближе, для начала выясним, какое же уменьшительное имя ему подходит.

Фильм был такой старый шпионский: «Как вас теперь называть?»

Да уж, Марина усмехнулась, выходя из торгового центра, теперь у нее самой на работе будет шпионский фильм.

Она прошаталась по городу до четырех часов, а потому так устала, что решила все же идти домой. Муж все равно на работе, не узнает, когда она явилась.

Выходя из чулана под лестницей, она столкнулась с Зоей Петровной, которая удивленно вытаращилась на чемодан. Марина буркнула что-то нелюбезное, тут пекинес Дюша залился лаем, и Зоя сосредоточилась на своей собаке.

Дома был обычный кавардак, как всегда бывало, когда Марина в отъезде. Ее муж и порядок — две вещи несовместимые.

На кухне в раковине по-прежнему кисла грязная посуда. Не удосужился помыть, стало быть, совестью не мучается. Ясно, привык уже к полной безнаказанности. Марина нашла в ванной темный волос этой стервы, и диван пахнул ее отвратительными терпкими духами. Нет, ну совершенно обнаглели!

Антон нарочно явился с работы поздно, чтобы она успела прибраться и приготовить ужин. Он рассеянно потрепал ее по плечу и сказал, что много работы, с утра до вечера был в офисе. Марина поскорее отвернулась, чтобы он не видел ее лица.

Они поели в молчании, потом муж отправился в Интернет, а она пошла спать, от души желая, чтобы этот ужасный день кончился как можно быстрее.

На работе был постоянно действующий сумасшедший дом.

Записывали утреннее ток-шоу. Шло оно уже давно, рейтинги были невысокие, так что начальство подумывало о том, чтобы его закрыть. Но не было на примете ничего подходящего, так что пока кое-как держались.

Марина с трудом закрепила микрофон на талии очередной гостьи. Собственно, талии как таковой не было, оттого простое дело шло с таким трудом.

— Ну, готовы? — прибежала редактор Соня. — Раз, два, три, четыре... слушай, а где пятый гость?

— Не знаю, только эти тут были...

— Такая тетка беспокойная... все ей не так... — Соня оглядывалась по сторонам.

— У нее грим потек, — встряла в разговор та самая полная гостья, — она сказала, что в таком виде ни за что не появится.

— Мариночка! — взмолилась Соня. — Мне еще инструктаж проводить, сбегай, поищи тетку эту! Ты тут вроде закончила.

— Ладно...

Марине и самой хотелось пробежаться по коридорам, узнать новости. Кроме того, у нее была теперь главная задача — навредить Камилле. Так что поход в гримерку будет очень кстати.

Марина вошла в гримерку.

В кресле перед зеркалом сидела Камилла, до подбородка укрытая розовым фартуком, над ней колдовала Инга Альбертовна, худощавая подтянутая светлоглазая эстонка неопределенного возраста. Из всех гримеров только Инга с ее невозмутимым прибалтийским характером могла переносить бесконечные придирки Камиллы.

Марина сделала шаг назад. Ясно же, что, кроме Камиллы, никого здесь больше нет — ни гостей, ни сотрудников, она никого бы не потерпела. Характер у Камиллочки сволочной, ведет себя соответственно своему звездному статусу. Вот и сейчас Камилла, приоткрыв правый глаз, прошипела:

— Что ты возишься? Сколько можно? У меня эфир через десять минут, а ты еще не закончила...

— Не волнуйтесь, Камиллочка, — спокойно ответила Инга, методично работая пуховкой. — Вот здесь еще немножко припудрим, и все будет отлично... глазки прикройте, а то пудра попадет!

Камилла прикрыла глаза. Инга Альбертовна склонилась над ней, сосредоточенная на своей работе. И тут Марина увидела брошенную на стуле раскрытую сумку Камиллы. В этой сумке на самом виду лежал белый пластиковый пузырек.

Марина узнала этот пузырек. Это было лекарство от аллергии, с которым Камилла никогда не расставалась.

У нее была аллергия на пыльцу растений, на кошачью шерсть, на цитрусовые, на шоколад и еще на множество других вещей и явлений. Когда наступала весна и зацветали первые цветы, Камилла непрерывно чихала и ходила с красными глазами.

То есть это было раньше, в юности. Понятно, что при ее профессии такая болезнь очень мешает, и Камилла методом проб и ошибок подобрала какое-то немецкое лекарство, которое ей очень помогало. Лекарство можно было купить только в Германии, про это все в их компании знали. Как раз недавно Костя Рябоконь ездил в командировку в Мюнхен и привез Камилле несколько упаковок.

Перед каждым выступлением в прямом эфире, особенно в сезон цветения, Камилла непременно закапывала в нос пару капель этого чудодейственного средства, чтобы подстраховаться от неожиданной аллергической реакции.

Марина сделала осторожный шаг в сторону сумки, скосила глаза в зеркало.

Камилла по-прежнему сидела с закрытыми глазами, Инга тоже была занята и не смотрела по сторонам.

И тогда Марина быстрым незаметным движением вытащила пузырек из сумки, скрутила крышечку. Затем она достала из своего кармана крошечный флакончик своих любимых духов (нежный цветочный аромат, самое то) и капнула несколько капель в пузырек Камиллы. Затем одним движением закрыла пузырек и бросила его в сумку.

Она едва успела вернуться на прежнее место.

Камилла открыла глаза:

— Все, все, мне пора бежать!

— А я как раз закончила! — Инга оглядела ее лицо профессиональным взглядом и сняла фартук. — Все отлично, Камиллочка, вы выглядите бесподобно!

Камилла что-то недовольно фыркнула, подхватила сумку и вылетела из гримерки. Марину она не заметила, как, впрочем, и Инга Альбертовна, которая склонилась над своими пуховками и кисточками. Марина тихонько выскользнула из гримерки и тут увидела растерянную тетю среднего возраста, которая ошалела от шума и беготни и заблудилась в длинных коридорах.

— Вы на утреннее ток-шоу? — коршуном налетела на нее Марина. — Так идемте быстрее, вас там обыскались!

Она протащила гостью по запутанным коридорам, сдала с рук на руки дежурному редактору Соне, а сама побежала в другую студию, где работала Камилла.

Та уже сидела за столом в студии — как всегда, собранная и невозмутимая.

— Сколько осталось до эфира? — спросила она ведущего оператора Андрея.

— Сорок секунд, — ответил тот, сверившись с главным монитором.

Камилла достала из сумки пузырек с лекарством, запрокинула голову, капнула в левую ноздрю, в правую... на ее лице проступило удивление и растерянность, однако она машинально закрыла пузырек, убрала его в сумку и снова выпрямилась.

— Десять секунд, — начал обратный отсчет Андрей, — девять... восемь... семь... шесть...

С лицом Камиллы происходило что-то странное. Глаза ее покраснели и начали слезиться, рот приоткрылся, на щеках выступили красные пятна, она шумно и часто задышала...

— Пять... четыре... три... два... один... эфир!

Включилась камера, на главном мониторе появилась Камилла. Она вымученно, натянуто улыбнулась и проговорила гнусавым простуженным голосом:

— Здравствуйте! В эфире передача «Главные события дня» и я, Камилла Нежда...

Договорить свою фамилию Камилла не смогла — она громко чихнула, и еще раз, и еще...

— Быстро, рекламную паузу! — зашипел у нее за спиной дежурный выпускающий редактор Олег.

Камера моментально переключилась на рекламу, а Олег напустился на Камиллу:

— Ты что, не могла заранее сказать, что простужена? Эфир запорола...

Камилла пыталась что-то ответить, но вместо этого не переставая чихала.

— Быстро приведите Чайкину! — кричал Олег. — Камилла, да выйди наконец из студии!

Камилла, не переставая чихать и кашлять, выбралась из-за стола. Почти не разбирая дороги, она пошла к двери — и здесь буквально нос к носу столкнулась с Варей Чайкиной, молодой провинциальной девицей, которая только год как пришла на канал и делала карьеру всеми допустимыми и недопустимыми способами. Надо сказать, выглядела она неплохо — явно на всякий случай поработала с гримером. Хотя в ее возрасте гример без надобности...

Чайкина окинула Камиллу торжествующим взглядом, и Камилла отчетливо поняла: теперь ее очень трудно будет оттащить от места ведущей этой передачи! Она вцепится в него зубами, а хватка у нее почище, чем у бультерьера!

— Твоя работа? — прохрипела Камилла между двумя приступами мучительного кашля.

— О чем это вы, Камилла Сергеевна? — проворковала Чайкина самым невинным голосом. — Ах, вы об этом! Я думаю, у вас это просто возрастное! Рано или поздно это со всеми случается!

— Чайкина, быстро на место! — закричал Олег. — До эфира двадцать секунд!

Камилла полным ненависти взглядом посмотрела на наглую провинциалку. Ненависть так переполнила ее, что от этого даже прекратился кашель.

Разумеется, она не заметила Марину, которая внимательно следила за ней из дальнего конца студии. На губах ее играла торжествующая улыбка. Что на свете может быть приятнее мести? Это тебе не с чужим мужем на диване кувыркаться!

Марина тут же опомнилась и сделала равнодушное лицо. Не нужно, чтобы Камилла видела ее торжествующей. Хотя Камилла ее и не заметит, ей не до того...

Ресторан, куда пригласил их Жук, Марине не очень понравился. Довольно далеко добираться от города, и чувствовалось, что место, как говорится, не насиженное, не обжитое. Помещение было слишком большое и оттого неуютное.

Назывался ресторан «Сладкий перец». В дверях их приветствовал хозяин заведения — высокий лысоватый мужчина с таким мрачным выражением лица, как будто только что узнал, что у него умерла богатая тетя, а наследство оставила другому племяннику. Или, может, хозяин переел этого самого перца, что в названии.

Какие-то у них с Женькой были отношения, потому что тот хлопал его по плечу и называл душой. «Душа моя», — это было Женькино любимое выражение.

Мрачного хозяина не оживило даже появление Камиллы. Она, как всегда, выглядела отлично, видно, полностью оправилась от нанесенного Мариной ущерба. Что ж, это только первый шаг, терпения у Марины хватит надолго.

Муж настоял, чтобы они ехали на машине — дескать, он пить не будет, потом ее довезет. Марина знала, что все будет не так, что за руль придется сесть ей. Она не любила водить, но поздно вечером, когда машин мало, сможет доехать спокойно.

Когда выпили и поели, компания оживилась. Впрочем, им и так всегда друг с другом было весело и легко.

Так Марина думала раньше. Теперь же, после того, что узнала, она смотрела на них другими глазами. И заметила, что Камилла более нервная, чем обычно. Ну, это естественно, эту передачу ей теперь не вести. Варвара Чайкина — девушка с характером, и ручки у нее загребущие, как у снегоуборочной машины, если схватит — то уже ни за что не упустит. Кстати, нужно завтра у секретарши Сашеньки выяснить, что шеф по этому поводу думает.

Антон болтает о чем-то с Камиллой, шутит, обнимает ее, в щечку целует. Они и раньше так себя вели, только Марина думала, что это по дружбе. С другой стороны Женька Жук подскочил, тоже в эту стерву вцепился.

«Вот что они все в ней находят?» — в который раз с тоской подумала Марина.

И тут же встрепенулась. Так выходит, что и Женька с этой Камиллой спал? А что, все может быть, она теперь во все поверит. Школьные друзья, чтоб их совсем...

Женька привел девочку новую. Зовут Леночка, молодая совсем. Как увидела Камиллу, так и смотрит на нее восхищенно, еще одна дурочка, обожающая телевизор.

Сначала-то пыталась с Мариной заговорить. Скучно ей, никого здесь не знает, а с Верой Рябоконь у нее точно общих тем не найдется. Некрасива Верочка, что и говорить. Может, науку и двигает, а за собой совсем не следит. Волосики жиденькие в хвост едва скреплены, очки вроде бы дорогие, а совсем ей не идут. Ни в салон красоты не ходит, ни на фитнес, ни в СПА, какие могут быть у этой Леночки с ней темы для разговора? Сидит Ряба, что-то на салфетке рисует, не иначе умные мысли записывает, чтобы не забыть. Даже странно видеть ее без мужа, вечно эти Рябокони вдвоем, как близнецы, неразлейвода.

А вот и вторая половина Верочкина появилась. Костя возник в дверях и огляделся. В зале народу мало, только их компания шумная. Камилла ненатурально громко смеется, мужчины ей вторят, Леночка эта подошла, хихикает. А Рябоконь встал в дверях и ни с места. Уставился на этих четверых, точнее на Камиллу, она всегда все взгляды притягивает. И в глазах его стоит самая настоящая тоска. Причем лютая, от такой тоски люди вешаются.

Вот как. И тут Камилла умудрилась отметиться. Марина скосила глаза на Веру. Та что-то писала на салфетке, склонившись низко над столом. Все-таки эти ученые чокнутые!

Зал был просторный, но душновато, мощности кондиционера не хватало на такое большое помещение. Марина взяла стакан с водой и вышла подышать на террасу. Вечер тихий и теплый, на террасе было бы неплохо, если бы побольше растений и скамеек. Теперь же на единственной лавочке уже кто-то сидел. Она подошла ближе и с радостью увидела, что это муж Камиллы Георгий. На ловца, как известно, и зверь бежит.

— Присаживайся! — улыбнулся Георгий. — Здесь не так душно.

Марина поставила свой стакан рядом с его, тоже с водой, и присела рядом.

— Нравится тут? — спросил он.

— Не очень, — честно ответила Марина, — скучновато как-то.

— Угу, — он кивнул, соглашаясь.

— Все собираюсь спросить, — решилась Марина, — тебя как вообще уменьшительно звать? Знаю, что имя Жора тебе не нравится.

— Ага, и Гоша тоже, — усмехнулся он и стал серьезным, — мама Герой называла. И в школе тоже... — он поморщился, и Марина совершенно правильно поняла, что он не собирается вдаваться сейчас в воспоминания. И так хватает здесь школьных друзей.

«Знал бы он, — подумала Марина, — а может, он знает?»

Она искоса взглянула на своего собеседника. Спокойный такой, приятный мужчина. Вежливый, скромный, обходительный. Казалось бы, что у них с Камиллой может быть общего? А вот, поди ж ты...

— Твои родители живут в Петербурге? — спросила она для продолжения разговора.

— Они умерли, — он отвернулся, — погибли в автокатастрофе, когда мне двенадцать лет было.

— Прости...— непроизвольно она погладила его по руке, — я не знала... А как же ты потом?

— Я с дедом жил, — он оживился, — дед у меня академиком был. Академик Георгий Андреевич Успенский, не слыхала? Учебник у него есть, все студенты по нему учатся.

— Извини, — она опустила глаза, — не слыхала.

Тут Георгий вспомнил, что жена этого наглова того мужика Антона вроде бы вообще без образования. Работает не то секретаршей, не то продавщицей. А он тут начал дедом-академиком хвастаться. Противно, прямо как эти, Камилкины друзья, только и знают, что выпендриваться, меряться достижениями.

— Мы с дедом неплохо жили, — заговорил он задумчиво, — летом он меня в экспедиции брал. Он ведь историк и археолог, пока помоложе был, все время ездил, как они говорят, в поле. Потом уж, как болеть начал, тогда перестал. Но работал много, писал, исследования какие-то проводил. Учеников у него было множество, все собирались, из других городов приезжали, почти все время у нас кто-то жил. Квартира большая, одну комнату так и выделили для гостей.

Марина начала кое-что понимать. Пару раз были они дома у Камиллы. Огромная квартира на Мойке, балкон с кариатидами, эркер с видом на реку и комнат не то четыре, не то пять. Ремонта вроде бы толком нет, но старинная мебель и картины производят впечатление.

— Это та квартира, где мы как-то были? — спросила она как можно равнодушнее.

— Ну да, с детства я там жил, — ответил Георгий, не почувствовав в ее словах подвоха, — с ребятами в прятки играли, места много. Один раз кариатидам этим, что на балконе, усы масляной краской пририсовал, чуть вниз не сорвался. Дед тогда здорово разозлился, в основном за меня испугался, но виду, конечно, не подал.

Георгий усмехнулся и добавил:

— А кариатиды эти очень похожи были на двух сестер, что у нас в подъезде жили на первом этаже, так дед их так и звал: Полина Ивановна, та, что справа, и Галина Ивановна, по другую сторону.

— Забавно, — улыбнулась Марина и, чтобы беседа не иссякла, задала следующий вопрос: — А где ты побывал с экспедициями?

— Ох, много где! Дед ведь изучал древнюю шумеро-аккадскую культуру. Следы ее находят на территории Ирака. Или еще были мы на Дильмуне, это остров такой в Персидском заливе.

— Интересно...

Открылась дверь, и на террасу выкатилась шумная компания школьных друзей. Но прежде чем Камилла обратила свой взгляд на Георгия, Марина успела встать со скамейки и отойти на приличное расстояние. Так, на всякий случай, чтобы никто их вместе не видел. Антон-то ничего не заметит, да и все мужики тоже, они только на Камиллу пялятся, а вот у этой глаз острый, она все видит.

Но нет, и не посмотрела в сторону мужа, а ее, Марину, вообще не заметила. Нельзя быть такой самонадеянной, это чревато серьезными последствиями.

В дверях туалета Марина столкнулась с Верой. Та прошла мимо, не сказав ни слова, не кивнув даже. Эта тоже ее не замечает, скажите пожалуйста, какие мы все из себя высокомерные! Хоть бы губы накрасила. Впрочем, ей это не поможет.

Марина вымыла руки, а когда выбрасывала бумажное полотенце, заметила в корзинке скомканную салфетку из ресторана — по краям хоровод из веселых красненьких перчиков. И вспомнила, как эта Ряба старательно что-то на ней записывала, не иначе формулы химические. Или доказательство теоремы. А теперь вот выбросила за ненадобностью. Не получилось, значит, доказательства. Мозгов не хватило.

Преодолевая брезгливость, Марина вытащила из корзинки салфетку и развернула. И от неожиданности выронила ее из рук. Потому что на всем поле было много раз записано твердой рукой: «Ненавижу! Ненавижу! Ненавижу!»

«Все ясно, — думала она, ведя машину по пустому городу, — ясно, что Камилла в своем муже нашла: огромную квартиру в центре. И даже ремонт толком не сделала, ничего не вложила. А вот он, неужели Георгий такой же тщеславный, как все они, польстился на знаменитость? И вот еще интересно, кого это Вера Рябоконь так сильно ненавидит? Мужа своего или Камиллу? Потому что больше некого. Неужели эта дрянь и с Костиком спала? Да что же это такое, никак ее не остановить...»

Муж спокойно похрапывал на заднем сиденье, и Марина решила выбросить из головы всю эту компанию школьных друзей и сосредоточиться на дороге.

За полчаса до обеденного перерыва Марина заглянула в приемную босса. По дороге она чуть ли не нос к носу столкнулась с Камиллой. Та шла к выходу со студии с каким-то незнакомым мужчиной. Крупный, представительный мужик с густыми, слегка вьющимися светлыми волосами. Все ясно, окучивает очередного спонсора. Все на канале знают, что шеф Камиллу за это и держит, что она спонсоров умеет находить. Не то чтобы их очаровывает, а привлекает своей энергией и напором. Хотя кто ее знает, какие у нее методы?

Марину Камилла, конечно, не заметила. Кто она такая — копошащееся где-то внизу насекомое!

Но некоторые насекомые очень больно жалят... Марина опустила глаза и отступила в сторону, чтобы эти двое не смели ее напрочь.

Секретарша босса Саша сидела зеленая, как листовой салат, со страдальческим выражением лица. Причину ее страданий Марина поняла сразу: в приемной невыносимо пахло краской.

— Представляешь, босс велел срочно перекрасить коридор и холл, — пожаловалась секретарша. — К нему сегодня приезжает Назимов, и ему кто-то сказал, что тот не выносит любые оттенки красного, он от них буквально звереет, выходит из себя, вот босс и велел срочно перекрасить все в зеленый цвет... Говорят, у Назимова все в офисе зеленое, даже компьютеры...

— Назимов из «Нефтетрейда»? — уточнила Марина.

— Ну да, какой же еще! Босс с ним почти уже договорился о рекламной кампании, сегодня у них решающий разговор... сам-то он куда-то на полдня уехал, а мне приходится дышать краской!

— Не понимаю, сейчас много хороших красок, есть почти без запаха... и как же он в такой атмосфере собирается принимать Назимова? Они же все отравятся!

— Да в этом все дело — это какая-то специальная краска, которая очень быстро сохнет. Через час она уже высохнет, помещение проветрят, и к приходу начальства все будет в ажуре. А что я тут загибаюсь, это никого не волнует...

В это время на Сашином столе зазвонил телефон. Она снова страдальчески поморщилась, взяла себя в руки и сняла трубку.

— Да, Никита Андреевич... поняла, Никита Андреевич... передам, Никита Андреевич...

Саша повесила трубку и повернулась к Марине:

— Представляешь, босс звонил, велел передать Камилле, что встреча с Назимовым переносится на пять часов.

— Так что — Камилла тоже будет на этой встрече? — неприятно удивилась Марина.

— Именно! Босс планирует сделать ее лицом этой рекламной кампании! Добилась Камиллочка чего хотела!

— Это мы еще посмотрим... — пробормотала Марина вполголоса.

— Что ты говоришь? — переспросила ее Саша и снова сняла телефонную трубку.

— Ты Камилле собираешься звонить?

— Да, а что?

— Ну... подожди, не звони сейчас.

— А в чем дело? — в Сашиных глазах загорелся интерес.

— Да девчонки из костюмерной говорили, что она куда-то с хахалем уехала. Приехал к ней какой-то интересный мужик, и она слиняла. Так что сейчас ей лучше не звонить, весь кайф ей собьешь.

— Да мне-то какое дело! Шеф велел передать... Ну надо же, когда она успела? Только что сюда заходила с этим... как его... где-то визитка его валяется. Еще злилась очень, что босса не застала. Так ты говоришь, она с ним... или это другой кто...

— Ну, ты же знаешь, какая она мстительная! Затаит на тебя зло... подожди часок, время еще есть. А пока пойдем, кофейку выпьем, а то ты совсем зеленая!

Хорошо быть маленьким человеком — никто тебя всерьез не принимает, никто не опасается. По этому поводу Марина была в прекрасных отношениях с секретаршами, костюмершами и вообще всеми работниками студии.

— Ой, о чем ты говоришь! — Саша замахала руками. — Я тут сижу как прикованная. Не дай бог какой-нибудь важный звонок пропущу! В туалет и то выскочить некогда!

— Ну, если надо — я могу за тебя подежурить, — предложила Марина.

— Ой, правда? Ну, я быстро... — И Саша вылетела из приемной.

И почти тут же снова зазвонил телефон.

Марина сняла трубку.

Звонил босс.

— Вы передали Неждановой о переносе сегодняшней встречи? — осведомился он сухо.

Все на студии знали, что босс не узнает голосов по телефону, и сейчас он уверен, что разговаривает с Сашей. Разубеждать его Марина не стала.

— Нет, Никита Андреевич... — Марина изобразила голосом смущение и неуверенность.

— Что значит — нет? — раздраженно переспросил босс.

— Вы понимаете... она просила никому не говорить... но я ей все непременно передам... позже...

— Что — не говорить? — босс повысил голос. — Что значит — позже? Что вы там лепечете? Что вы мнетесь?

— Дело в том, Никита Андреевич, что к ней... к Неждановой... приехал какой-то мужчина, и они вместе уехали... и телефон она выключила... но она через час вернется, и я ей обязательно передам... Ой! Она ведь просила никому не говорить...

— Черт знает что! — рявкнул босс и бросил трубку.

Едва дождавшись возвращения Саши, Марина покинула приемную и проскользнула в коридор, который вел к холлу. На двери перед входом в этот коридор висела табличка «Осторожно, окрашено». За этой дверью действительно работала бойкая девица в заляпанном краской комбинезоне. Она уже заканчивала перекрашивать стены в жизнерадостный ярко-зеленый цвет. Запах краски здесь был просто непереносимый, малярша работала в респираторе.

— Вас срочно просил зайти завхоз! — сказала Марина, поравнявшись с маляршей.

— Что еще ему понадобилось? — фыркнула та, снимая респиратор.

— А я знаю? — Марина пожала плечами. — Просил зайти и сказал — срочно!

— У них все срочно! — проворчала девица, однако поставила кисть в банку с водой, вытерла руки и отправилась на поиски завхоза. Марина знала, что поиски эти будут долгими — главным свойством завхоза Иосифа Ивановича была его неуловимость. Его так и называли на студии — неуловимый Джо.

Едва малярша свернула за угол, Марина взяла одну из банок с краской и спрятала ее в кладовку. Туда же она отправила и табличку, которую сняла с двери.

После обеда Марина наведалась в костюмерную. Костюмерша Лиля сидела перед банкой с черничным вареньем и задумчиво смотрела на ложку. Лиля была беременна, и вся студия была в курсе этого ее состояния. Впрочем, не заметить его было сложно.

— Как самочувствие? — вежливо осведомилась Марина.

— Издеваешься, да? — огрызнулась костюмерша. — Вот думаю, примет организм чернику или нет... сперва думала, что примет, а вот теперь сомневаюсь...

Она вдруг побледнела, перекосилась и бросилась прочь, прикрывая рот рукой.

Марина проводила ее взглядом и открыла стенной шкаф с запасной одеждой. В этом шкафу хранились кое-какие тряпки дикторов и ведущих на случай непредвиденных осложнений. Среди этих вещей Марина сразу же нашла костюм Камиллы. Хороший костюмчик, дорогой, итальянский, у нее все тряпки дорогие и модные, что есть, то есть, одеваться Камиллочка умеет.

С непередаваемым удовольствием Марина взяла банку с вареньем и аккуратно выложила несколько ложек на бледно-оливковый итальянский костюм. Эффект получился поразительный.

Закрыв шкаф, Марина поставила варенье на место и отправилась восвояси, по дороге приветливо кивая всем встречным.

— Привет, Маришка! — крикнул на бегу оператор Андрей. — Хорошо выглядишь!

— Мариночка, зайди к нам, там тебе торт оставлен! — прощебетала, пролетая мимо, редактор Соня. — У меня сегодня день рождения, торт хороший, фруктовый!

Проходящий мимо немолодой сотрудник из отдела культуры кивнул в ответ и подумал, что встречная молодая женщина выгодно отличается от остальных — спокойная, приветливая, симпатичная внешне и совсем нет вульгарности. И как же ее зовут... нет, не вспомнить, склероз проклятый замучил совсем...

После обеда Марина занималась своими текущими делами и уже после четырех снова заглянула к Саше.

И правда, краской в приемной больше не пахло. Саша сидела на своем рабочем месте и сосредоточенно красила ядовито-розовым лаком ногти на левой руке.

— Ну что, передала Камилле про перенос встречи?

Саша поставила лак на стол, полюбовалась ногтями и только тогда ответила:

— Ага, она сказала, что находится в комитете по средствам массовой информации, но на встречу обязательно успеет. В комитете! — Саша фыркнула. — С мужиком она была, я тебе точно скажу!

Она уже совершенно забыла, что именно от Марины услышала утром эту сенсационную информацию, и с удовольствием поделилась ею с подругой.

— Откуда ты знаешь? — спросила Марина, стараясь продемонстрировать неподдельный интерес.

— Ну, такие вещи по голосу всегда понять можно! — авторитетно проговорила Саша.

— А шеф вернулся?

— Ага, как только краска выветрилась — тут же появился, сидит ждет Назимова! — Саша небрежно кивнула в сторону кабинета и скорчила физиономию.

— Что-то Камилла опаздывает. — Марина взглянула на часы. — Уже без двадцати пять...

— А вот это уже меня не волнует. Я ей передала, все остальное — ее заботы. — И Саша принялась за другую руку.

Определенно у секретарши Камилла не пользовалась авторитетом.

Покинув приемную, Марина снова свернула в коридор, где перекрашивали стены. Работа давно уже была закончена, и запах краски выветрился. За углом, перед входом в кладовку, стояла сложенная стремянка.

Чувствуя себя шпионкой или террористкой, Марина вытащила из кладовки банку с краской и табличку с надписью «Осторожно, окрашено». Положив то и другое в большую матерчатую сумку, она прошла ко входу на студию, где за стойкой перед несколькими мониторами скучал охранник Витя.

Не успела она заговорить с охранником, как дверь распахнулась, и вошел высокий подтянутый мужчина в дорогом солидном костюме. Марина узнала известного бизнесмена Назимова. Его все в студии знали, уже давно шли разговоры о том, что канал получит большой заказ на рекламу. Да не просто ролик, а серию передач. Назимов подошел к вертушке, чуть заметно нахмурился и проговорил:

— Моя фамилия Назимов...

— Да, прошу вас! — Витя угодливо привстал. — Никита Андреевич вас ждет! Вас проводить?

— Сам найду! — И Назимов зашагал по коридору.

Марина выскользнула из-за угла, подошла к охраннику:

— Вить, а что, Камилла еще не вернулась? Шеф беспокоится... у него в пять совещание, на котором она обязательно должна быть, а уже без семи минут...

— А тебе-то что? — Охранник покосился на Марину, потом перевел взгляд на один из мониторов. — А вот и она, как раз приехала, так что вовремя успеет...

Витя как мужчина Камиллой восхищался. Если бы она его замечала при встрече, он бы ее вообще боготворил.

Марина взглянула через его плечо на экран и увидела, что Камилла подошла к двери лифта на первом этаже.

Ничего не сказав охраннику, она вернулась в коридор.

Отсюда к кабинету шефа вели две двери: главная, через большой холл, где размещались разные выставки и проходили презентации, и еще одна, через боковой коридорчик, которым почти никогда не пользовались. Марина повесила на главную дверь табличку «Осторожно, окрашено», а сама скользнула во второй коридор. Перед самой дверью она прислонила к стене стремянку, на ее верхнюю ступеньку поставила открытую банку с краской. Потом вывернула лампочку из бра, так что коридор погрузился почти в полную темноту.

Проделав все это, Марина спряталась за дверью кладовки, откуда все было видно: она не могла пропустить зрелище, которое так тщательно подготовила.

Прошло чуть больше минуты, и за дверью послышались приближающиеся шаги. По резкому, энергичному стуку каблуков Марина узнала Камиллу.

Та на мгновение задержалась перед развилкой, прочла предупреждение на табличке и толкнула вторую дверь.

Войдя в полутемный коридор, чертыхнулась, шагнула вперед...

И тут стремянка покачнулась, и с верхней ступеньки упала банка.

Краска расплескалась по коридору, но большая ее часть попала на одежду и волосы Камиллы.

Камилла издала дикий вопль, затем из ее уст посыпались такие ругательства, каким позавидовали бы портовые грузчики.

Марина осторожно выглянула из своего укрытия.

Камилла стояла перед дверью с непередаваемым выражением лица. Весь ее костюм был залит жизнерадостной зеленой краской, волосы тоже позеленели и слиплись, несколько зеленых клякс красовались на щеках и на подбородке.

— А что, — прошептала Марина еле слышно, — в этом что-то есть! Говорят же, что Назимов любит все зеленое... может быть, зеленая ведущая ему тоже понравится!

Прислушавшись к себе, Марина осознала, что это — один из самых приятных моментов в ее жизни. А ведь это еще не конец! Впереди будет еще масса удовольствий!

В этот драматический миг зазвонил мобильный телефон Камиллы.

Судя по всему, это звонила Саша, чтобы узнать, где находится Камилла и успеет ли она на совещание.

С трудом справившись с яростью, Камилла проговорила:

— Передай Никите Андреевичу, что я буду через пять минут!

Спрятав телефон, она бросилась в костюмерную.

«Упорная женщина, — не могла не восхититься Марина, — удар держит, что твой боксер. Али Мухаммед!»

И крадущимися шагами отправилась вслед за Камиллой в костюмерную.

Камилла ворвалась туда, как цунами врывается в сонный курортный поселок.

Увидев ее, Лиля испуганно залепетала:

— Ой, что это с вами...

— Только слово еще ляпнешь — сотру в порошок! — рявкнула Камилла. — Быстро принеси какой-нибудь растворитель!

Лиля забыла о своем самочувствии. Через секунду она принесла флакон растворителя. Камилла принялась оттирать краску от лица и волос. С лицом она кое-как разобралась, правда, от растворителя кожа покрылась красными пятнами. С волосами дело обстояло гораздо хуже — они превратились в зеленые сосульки, и все попытки Камиллы оттереть их от краски привели к тому, что у нее на голове образовалось зеленое воронье гнездо.

— Черт! — рявкнула Камилла. — Ничего не получается... дай какой-нибудь платок или шарф...

Она обвязала голову шарфом, посмотрела на себя в зеркало... и еще больше перекосилась.

— Нет, все равно пойду! — сказала она, ни к кому не обращаясь, и подошла к шкафу с одеждой. Открыв его, нашла свой запасной костюм... и снова затряслась от ярости. Прекрасный костюм нежно-оливкового цвета покрывали художественные черно-лиловые разводы. Сочетание цветов было поразительное.

Повернувшись к Лиле, Камилла ткнула той в лицо перемазанный вареньем костюм и заорала:

— Ты, сволочь, что устроила? Что ты сделала с моим костюмом? Да я тебя сегодня же на улицу вышвырну! Да ты больше никакой работы не найдешь, будешь улицы подметать!

Лиля, которая до этого молча сносила ее придирки, подбоченилась и бросила в ответ:

— А вот фигушки! Никуда ты меня не уволишь, я беременная! По судам затаскаю! Ты мне за моральный урон огромные деньги заплатишь, и на работе меня восстановят! И плевала я на твой костюм, так тебе и надо, выдра зеленая!

Камилла в бешенстве замахнулась на Лилю с самым своим зверским выражением лица, так что Марина в дверях забеспокоилась и решила вмешаться. Будь что будет, но беременную Лильку надо спасать, как бы чего не вышло.

В это время снова подал голос Камиллин телефон. Снова звонила секретарша босса.

— Никита Андреевич спрашивает... — начала она.

— Иду! — рявкнула Камилла.

Она вытащила из шкафа первую попавшуюся кофточку (которая оказалась велика ей на два размера) и какую-то юбку (в которую она, наоборот, еле втиснулась), бросила в зеркало еще один злобный взгляд и помчалась в кабинет директора.

Случайно попавшиеся в коридоре сотрудники испуганно жались к стенке.

Секретарша Саша ахнула и проводила ее изумленным и ошарашенным взглядом, но даже не попыталась остановить. Камилла влетела в кабинет и с порога проговорила:

— Никита Андреевич, извините, я...

Шеф, увидев в дверях форменное чучело с головой, замотанной красным шарфом, из-под которого выбивались слипшиеся зеленые пряди, в первый момент лишился дара речи. Затем он сглотнул и машинально проговорил:

— Разрешите представить вам Камиллу Нежданову, нашу ведущую... ведущую...

— Что? — Назимов приподнялся со своего места и побагровел. — Вы хотите, чтобы это... это... было лицом нашей рекламной кампании? Да никогда в жизни!

— Но... — проблеял шеф, — но...

— Господин Назимов, — Камилла решительно отодвинула шефа, — позвольте, я объясню.

— Простите, — решительно сказал Назимов, на этот раз фирменный напор Камиллы не произвел на него никакого впечатления, — мне не нужно ничего объяснять, я и так все вижу. И способен сам принять решение, не слушая ничьих советов и объяснений. Но у меня правило: никогда не принимать решений второпях. Поэтому сейчас я скажу только, — он демонстративно отстранился от Камиллы, сморщив нос, потому что от нее невыносимо несло краской, — я скажу, Никита Андреевич, что ваша кандидатура мне совершенно не подходит. Об остальных деталях поговорим позже.

И, не прощаясь, он вышел из кабинета.

Марина перехватила Сашу в коридоре. Та, не отвечая, махнула рукой в сторону курилки. Марина свернула за ней, и в ответ на предложенную редактором Соней сигарету покачала головой.

— Ой, девочки! — закричала Сашка, забыв затянуться. — Ой, у нас такое было!

Они внимательно выслушали обстоятельный рассказ Саши, как Камилла явилась на совещание в ужасном виде, как Назимов ушел, едва ли не хлопнув дверью, и как опомнившийся босс долго возил Камиллочку мордой об стол за то, что сорвала важнейшие переговоры. Ведущую-то мы найдем, орал шеф, брызгая слюной, хоть полгорода перешерстим, но найдем. Незаменимых у нас нет. Но дело в том, захочет ли Назимов с нами теперь иметь дело...

— А она что? — спросила Соня, жадно затянувшись и стараясь не пропустить ни слова.

— Оправдывалась, конечно, говорила, что ее на студии кто-то подставляет, нарочно гадит... А шеф тогда еще пуще разъярился — я, орет, в этих ваших бабьих дрязгах разбираться не желаю! Это, орет, твое дело — с коллективом отношения налаживать! Меня это не касается! Ну, я тогда потихоньку убежала, а то Камиллочка выйдет, ни за что мне не простит, что я все это слышала.

— Так ей и надо! — решительно сказала Соня, которая, Марина знала, не так давно получила от Камиллы нагоняй в таких выражениях, что и вспомнить противно. — Никто ей сочувствовать не станет, все ее терпеть не могут! А вот очень интересно, кто это ей подгадил? Неужели Варька Чайкина постаралась? Хотя ее на рекламу к Назимову вряд ли возьмут, не та у нее весовая категория...

«Никто ничего не узнает, — думала Марина, — табличку «Окрашено» я убрала, оставленную краску свалят на маляршу, а она отлается — сразу видно, девица бойкая, тертая, всякого в жизни повидала. Завхоза, как всегда, не найдут. А про костюм Камилла и не вспомнит, так что Лильке ничего не грозит».

— Ты что молчишь? — Соня тронула ее за руку.

— Надо быть добрее, — строго сказала Марина, — что мы, в самом деле, все на одного?

— Это ты потому так говоришь, что она тебе ничего плохого не успела сделать, — сказала Соня с обидой, — ты, Маринка, человек неконфликтный, с Камиллой не пересекаешься...

«Знали бы вы...» — грустно подумала Марина.

Впрочем, сегодня у нее было хорошее настроение.

Возвращаясь с работы, Марина заскочила в супермаркет, потому что в холодильнике было пусто, пока она отсутствовала, муж не удосужился съездить за продуктами, хоть и обещал. И вот, когда она уже выходила с полными тяжелыми сумками, то в дверях столкнулась с женщиной, которая показалась ей знакомой. Та тоже посмотрела внимательно и остановилась.

— Марина... — неуверенно сказала она.

— Ой, Лида! — Марина засмеялась. — Я тебя и не узнала сразу, богатой будешь!

Она пригляделась и увидела, что на бывшую жену Женьки снизошло нечто большее, чем богатство. То есть одета она была неплохо, довольно дорого и со вкусом, и сумка известной фирмы, но дело не в этом.

Лида выглядела отлично, и что-то такое было в ее глазах, что Марина назвала бы счастьем. Да, Лида выглядела счастливой и довольной жизнью.

К чести Марины, ни ростка зависти не проросло в ее душе. Они не успели подружиться тогда, когда Лида была замужем за Женькой, но симпатизировали друг другу.

Люди проходили мимо, толкались, и Лида предложила:

— Зайдем в кафе, поговорим?

Марина хотела было сказать, что ей некогда, что муж дома голодный ждет, но тут же оборвала себя — подождет, с голоду не помрет, не тот человек.

Они зашли в кафе здесь же, в супермаркете, взяли по чашке кофе и пирожному.

— Как ты? — задала Марина дежурный вопрос.

— Боюсь сказать... — Лида светло улыбнулась, — но вроде бы хорошо... не сглазить бы...

— Все хорошо и будет, — убежденно сказала Марина.

— А ты, как я посмотрю, не очень, — медленно сказала Лида, — уж не подумай, что я гадости говорю...

— Что, так заметно? — упавшим голосом спросила Марина.

— Мне заметно, потому что беда-то у нас с тобой общая, — вздохнула Лида, — знаешь, из-за чего я с Плавунцом развелась?

— Догадываюсь, — тихо проговорила Марина.

— Вот так вот. Как замуж вышла, все радовалась, до чего у них компания хорошая, все вместе, не скучно им друг с другом, всегда есть о чем поговорить. И с Камиллой этой... — Лида поморщилась, видно, до сих пор противно было вспоминать, — с Камиллой мы вроде как подружились. Она тогда еще не такая звездная была, попроще, помоложе. Мне даже нравилась энергия ее, напор. И что мужики вокруг нее вьются, привлекает она их, что-то в ней было особенное...

— Аура, — усмехнулась Марина.

— Ну да, — вздохнула Лида и продолжила, помолчав: — Ну, что с другими она вольно себя ведет, это мне неважно. А что с моим Женечкой целуется при встрече, обнимается, по-хозяйски его оглаживает, так что тут сделаешь? Старые друзья, может, у них так принято.

Тогда у меня дочка маленькая была, как раз мы в новую квартиру переехали. Так они все у нас собирались. Антон твой приходил, Рябокони, Камилла с мужем. Ее муж был старше ее, режиссер-документалист с телевидения, он ее туда и пристроил. И вот как-то была я у мамы с Янкой в субботу, заночевали мы там. А утром приезжаю, стала уборку делать и нашла Камиллину сережку.

— На диване? — снова усмехнулась Марина.

— Ага. У нее сережки были старинные, говорила, что от бабушки достались. Изумрудик маленький, а вокруг сколочки алмазные. И главное, я точно знаю, что в пятницу встречались мы на какой-то презентации, и сережки эти на ней были! Ну, что тут можно подумать, только одно.

— И что ты?

— Да ничего. Спрятала сережку, поплакала в ванной. Ладно, думаю, хоть бы какая посторонняя девка, а то подруга, можно сказать. Сколько времени у меня дома провела, сколько кофе моего выпила, сколько тряпок моих перемерила!

В общем, мужу ничего не сказала, стала я к этой компании присматриваться. И поняла, что все это у них не вчера началось, что Камилла эта... в общем, со всеми она спит, никого пропустить не может. Такая у нее натура. Если с кем попало там, на телевидении, то сплетни пойдут, а с близкими друзьями можно, они не подведут. И началось это у них еще со школы, так она их скрутила. Антон твой тоже...

— Да знаю я, — вздохнула Марина, — имела случай убедиться.

— В общем, продержалась я год, врагу не пожелаю такого года! — Лидия отхлебнула остывший кофе. — Похудела, пожелтела вся, мама даже забеспокоилась, на обследование меня записала. И за этот год все про них узнала, по глазам научилась определять, когда и где они с этой Камиллой встречаются. И вот как-то лежу утром, а вечером в ресторан с ними всеми идти. И чувствую, что не могу больше их видеть, повешусь или из окна выброшусь. И даже не потому, что мужа ревную, к тому времени и любовь у меня вся прошла. А просто невозможно так жить!

«Как я тебя понимаю...» — подумала Марина.

— Ведь они все друг перед другом выделываются! Врут всем и себе тоже! Дружба у них, да они вокруг этой Камиллки вертятся. Ну что в ней такого особенного?

Лида раздраженно отодвинула пустую чашку.

— В общем, разбудила я Женьку, да все ему и выложила, пока решимость не прошла. Так, мол, и так, говорю, не могу больше.

— А он что?

— А он, знаешь, у меня не полный чурбан был, все-таки юрист, должен в людях разбираться. Отпираться не стал — что, говорит, время тратить. Ты, говорит, права, не получится у нас ничего. И честно так говорит: это сильнее нас. Милка — она особенная, тянет меня к ней. Знаю, что с Антоном она тоже, и с Костей там какая-то история была. Он с тех пор с такой тоской на нее смотрит. Прости, говорит, я больше никогда не женюсь, чтобы никакую другую женщину несчастной не сделать. У Антона, говорит — другая позиция, если, говорит, не на Камиллке жениться, то все равно на ком.

— Вот спасибо! — не выдержала Марина.

— Уж извини за прямоту, — спохватилась Лида.

— А потом что было?

— Да ничего. Взяла я Янку и ушла к маме. Потом уже разобрались мы с квартирой и деньгами, тут я на Женьку не в обиде. Я к чему все это рассказываю? — заторопилась Лида. — Беги от них! Беги как можно скорее! Иначе это все твою жизнь разъест похуже ржавчины! Потом и собирать нечего будет! Потому что Камилле этой человека растоптать — раз плюнуть. Первый ее муж после развода пить начал, отовсюду его погнали, кажется, даже умер в полной нищете. Так что уходи ты пока не поздно! Вижу, что смириться с таким положением вещей не сможешь.

— Пока об этом не думала... — протянула Марина, — но, наверно, ты права. Ладно, учту твои советы. А сейчас пора мне...

«Вот как, — думала Марина, таща сумки с продуктами, — стало быть, если не на Камилле, то все равно на ком жениться. Взял Антоша девчонку обычную, из провинции, некапризную, небалованую, нетребовательную — чем не жена? Жить не мешает, хозяйством занимается. А делать ничего не умеет, работы приличной не найдет, так что будет сидеть тише воды ниже травы... Все так и есть».

Дома, однако, никого не было, так что она успела приготовить ужин и сделать кое-что по хозяйству.

Муж пришел поздно, и Марина против воли подумала, не утешал ли он Камиллу. Впрочем, нет, Камиллочка небось зализывает раны в одиночестве, не хочет показаться несчастной. Как же — успешная красавица, далеко пойдет! А тут вся в краске. И проект накрылся, послал ее Назимов далеко... И шеф добавил.

Но после разговора с Лидой Марина не чувствовала больше радости от содеянного. Ну что такого? Даже если выбросят Камиллу вообще с канала, все равно Антон от нее не отвяжется. Хотя... как знать?

Но дело-то в том, что она, Марина, похоже, мужу своему не нужна. А если так...

Марина задумалась, нужен ли он ей. Вроде бы хорошо она к нему относилась, замуж выходила по любви. Или думала так. Вот кого она любит безумно, так это Тимку. А папочка и к сыну относится довольно равнодушно. В этой компании школьных друзей детей не любят.

Она легла, едва в замке заскрипел ключ, и неожиданно заснула крепко, не услышав, как муж жадно ест картошку с мясом прямо из кастрюли. Едва ли у него это получилось бы, если бы она присутствовала на кухне.

Утром она разогрела остатки ужина. В квартире было относительно чисто и витал аромат свежезаваренного кофе. В ванной громко шумела вода и слышался немелодичный голос мужа. Он любил петь в ванной по утрам, беда в том, что у него совершенно не было музыкального слуха.

Зазвонил его мобильник, номер был незнакомый, и Марина постучала в дверь ванной.

— Антон, телефон! Вдруг что важное?

Он выскочил, затягивая полотенце на бедрах, схватил мобильник и прошлепал босыми ногами на кухню, оставляя за собой мокрые следы. Марина нахмурилась, но ничего не сказала.

Муж закончил разговор, хотел положить мобильник, но тот выскользнул из мокрой руки и упал на пол.

— Черт! — муж нагнулся резко, полотенце свалилось, и Марина совсем близко увидела его голую мускулистую спину и то, что ниже. В том же ракурсе, что и тогда...

Она рванулась в туалет, не сумев удержать тошноту.

— Маруська, эй! — Муж стучал в дверь. — Тебе плохо?

И, увидев ее бледное лицо:

— Ты не беременная?

— Да отстань ты! — закричала Марина. — Хоть бы про ребенка спросил: как он там?

И вдруг окончательно озверела:

— Забыл, что у тебя сын есть? С глаз долой — из сердца вон? И не смей звать меня Марусей, противно!

— Точно, беременна, — огорчился муж, — ты проверься, а то поздно будет аборт делать.

«Убила бы! — в бессильной ярости подумала Марина. — И тебя, и эту стерву Камилку!»

Прошло недели две. За это время компания встречалась несколько раз. Ездили на шашлыки в выходные, были на презентации дорогих сортов виски, куда пригласил Женьку с друзьями благодарный клиент. Были на даче у Рябоконей — старый дом и огромный участок, заросший кустарником и крапивой.

По наблюдению Марины, Камилла после истории с краской полностью оправилась — была, как всегда, полна энергии и новых идей. Хотя, по рассказам Саши, отношения с шефом у нее испортились, потому что Назимов все же разорвал их предварительное соглашение и, по слухам, обратился к конкурирующему каналу.

Все же Камилла оставалась ведущей цикла передач. Ту, куда вместо нее взяли Варвару Чайкину, все равно собрались закрывать — дескать, такой формат устарел, нужно что-то более современное. Кроме того, некоторые активные телезрители писали, что ведущая неправильно ставит в словах ударения и путается в падежах. Это при том, что не говорит от себя, а читает текст на экране...

Стояла чудесная погода, и Марина не то чтобы успокоилась, но перестала воспринимать случившееся так близко к сердцу, смогла немного отстраниться. Она наврала мужу, что ходит по врачам, и он оставил ее в покое в смысле секса.

Пережить постоянные сборища школьных друзей ей помогали беседы с Георгием. Герой, как она теперь его называла. При ближайшем знакомстве он оказался приятным человеком — спокойный, неглупый, с чувством юмора, хороший рассказчик. Он рассказывал ей забавные случаи из тех археологических экспедиций, где участвовал вместе с дедом, про свой любимый предмет — историю. Признался, что был молодым самонадеянным дураком, когда в свое время не захотел специализироваться на шумеро-аккадской культуре, не захотел продолжить дело своего деда — дескать, все подумают, что он сам ничего не может, прячется за широкой спиной академика.

— Дед тогда обиделся, но вида не подал, он гордый был человек и чужое мнение уважал.

— А где же ты работаешь? — задала Марина естественный вопрос.

— Специализировался на истории России восемнадцатого века, работаю в историческом архиве.

И, заметив, что Марина невольно поморщилась — что за работа в архиве, во всяком случае для мужчины, одна пыль веков, — подмигнул и рассказал, чем он зарабатывает на жизнь, поскольку зарплата его и правда невелика.

— Составляю на заказ родословные. Вот обращается ко мне человек, просит узнать, кто были его предки. Фамилия у него хорошая, дворянская, но корни давно утеряны. Сама понимаешь, столько всего в стране произошло, особенно за последние сто лет. Вот я ищу записи старые, упоминания. Церковные книги очень помогают, дворянские родословные книги, да много документов есть.

— А если окажется, что никакой он не дворянин, тогда что?

— В корень смотришь, — усмехнулся Георгий, — тогда по обстоятельствам, от клиента зависит. Иному лучше и соврать, чтобы неприятностей не иметь. Пускай человек гордится, кому от этого хуже?

Ей нравилось его слушать. Голос негромкий, приятный, речь немного старомодная, без всяких сленговых и грубых словечек, но живая. В его рассказах герои древней истории выглядели реально существующими людьми.

Так, римский диктатор Гай Юлий Цезарь был, оказывается, лысый, оттого и носил все время лавровый венок, чтобы лысину прикрыть. А царица Елизавета Петровна любила, чтобы ей перед сном не меньше получаса чесали пятки.

Великий полководец генералиссимус Суворов вставал очень рано и, будучи в походе, самолично проезжал по лагерю и будил солдат криком петуха.

Император Наполеон ел очень быстро, все подряд, одновременно из нескольких тарелок — суп, жаркое, десерт. Запихивал все это в себя в течение десяти минут и бежал заниматься государственными делами.

А деятель времен Французской революции 1789—1799 гг. Марат, оказывается, был заколот в ванне вовсе не потому, что принимал ее после встречи с любовницей. У него была серьезная болезнь кожи, поэтому, чтобы избавиться от зуда, он вообще все время проводил в ванне — и работал, и принимал посетителей.

Слушая Георгия, Марина невольно думала, что, если бы в школе им рассказывали хоть что-то живое и интересное об этих исторических личностях, тогда их можно было бы представить себе воочию. И — как знать? — возможно, она заинтересовалась бы, стала бы читать, потом захотела бы учиться дальше. И не работала бы в зачуханной фирмочке по продаже кондиционеров, и не познакомилась бы с Антоном, когда он пришел заказывать большую партию.

И не вышла бы за него замуж. И не застала бы его на диване с Камиллой.

Конечно, все может быть... Но тогда она не встретилась бы с Георгием. С Герой.

Осознала эту мысль Марина не сразу. Разъезжаясь с дачи Рябоконей, уславливались встретиться через три дня. У Женькиной девицы Леночки, оказывается, намечался день рождения, она приглашала в новый ночной клуб.

— Я не смогу, — пробормотала Марина, — у нас корпоративная вечеринка.

Она сказала это просто так, потому что поймала себя на мысли, что жалеет, что не увидится с Герой. Он еще многое должен ей рассказать, и вообще их беседы придавали ей сил. В своих разговорах они по негласному соглашению не касались никого из присутствующих. Марина не расспрашивала его о том, как они познакомились с Камиллой, хотя невольно задавала себе вопрос, отчего сошлись такие разные люди. Он тоже не касался ее семейной жизни, может быть, почувствовал, что ей это неприятно?

Зато с интересом слушал ее рассказы о Тимке, какой он большой и умный ребенок и как она по нему скучает.

Так что сейчас она сказала, что не сможет пойти, просто машинально. Станут они из-за нее переносить встречу, как же...

Но ее услышали.

— Ой, я тоже не смогу! — спохватилась Камилла. — Спасибо, Маринка, что напомнила!

Вот как, оказывается, ее все-таки замечают! Марина поскорее отвернулась, чтобы никто не видел ее лица.

Поход в ночной клуб отложили, несмотря на то что Леночка надула губки.

В коридоре возле лестничной площадки Марина увидела секретаршу босса Сашу и костюмершу Лилю. Лиля с задумчивым видом лизала леденец на палочке. Саша читала ей нотацию:

— Ты не знаешь, какую дрянь они кладут в эти леденцы! Это же сплошная химия! Тебе, в твоем положении, нельзя все подряд в рот тащить...

— А что я могу поделать, если организм требует! Вот прямо слышу, как он говорит — хочу чупа-чупс...

— Ну, если требует... — сдалась Саша.

— Это ладно, я со своим организмом как-нибудь разберусь, — продолжила Лиля, подозрительно разглядывая леденец. — Вот действительно серьезный вопрос: что надеть на корпоратив? У нас же годовщина канала на носу, а я из всех платьев выросла...

— Можешь особенно не заморачиваться, — фыркнула Саша. — Шеф сказал, что дела идут плохо, денег нет, и в этом году мы не будем снимать ресторан.

— То есть как это — не будем? — возмутилась Лиля. — Каждый год отмечали годовщину, а теперь вдруг не будем?

— Ой, да тебе-то не все ли равно? Ты же ничего не пьешь, почти ничего не ешь... что тебе за радость от корпоратива?

— Дело в принципе! Годовщина есть годовщина, ее полагается отмечать, это закон природы... тем более что пять лет — это круглая дата. Ну, не то чтобы совсем круглая, но, скажем, овальная... а вообще-то ты права, редкостная гадость! — Лиля поморщилась и выбросила леденец в мусорное ведро.

— Не волнуйся, отметим мы эту несчастную годовщину! — успокоила ее Саша. — Только не в ресторане, как в прошлом году, а прямо здесь, на студии.

— Вот радость-то! — скривилась Лиля и повернулась к Марине. — Это значит, мы будем на побегушках! Если бы в ресторане, так там все обслуга делает, а ты только ходишь в красивом платье и с прической, а если здесь — значит, нас заставят. Бутерброды порезать, фрукты почистить, напитки разлить... а мне, может, противно на эту еду смотреть! У меня, может, организм не принимает...

— Не беспокойся, — заверила ее Саша. — Тебя никто не тронет, мы вот с Мариной вполне управимся.

На следующий день все уже только и говорили о грядущем корпоративе. Каналу действительно исполнялось пять лет, по этому поводу шеф с тяжелым вздохом выделил из своего скромного бюджета некоторую сумму на напитки, закуски и оформление. Кто-то из персонала заикнулся о том, чтобы пригласить ведущим известного шоумена, но тут шеф зашипел, как рассерженная кобра:

— Еще этому идиоту деньги платить? Вы знаете, сколько он берет за проведение корпоратива! Да у нас в своем коллективе полно ведущих! Вот Валентин Васильевич проведет!

Валентин Васильевич был пожилой дядечка с внешностью сытого кота, который читал на канале прогноз погоды.

В день годовщины все сотрудники пришли на студию нарядные и оживленные. У Марины настроение было совсем не праздничное, но она взяла себя в руки, надела лучшее платье, уложила волосы в парикмахерской. Мастер, правда, хмурилась, качала головой и твердила, что волосы в плохом состоянии — не иначе Марина перенесла сильный стресс. Марина только отмахнулась — не хватало еще о своих неприятностях трепаться в парикмахерской!

Во всех ее несчастьях был один положительный момент: от переживаний она похудела, и платье сидело отлично. Она и сама это видела, но лучшее доказательство предоставила ей Альбина из бухгалтерии, которая, встретив Марину в коридоре, перекосилась, будто съела лимон без сахара, и сказала ей какую-то гадость.

Студия была украшена шариками и цветами, в холле расставили столы, из динамиков раздавалась жизнерадостная музыка, совершенно не соответствующая Марининому настроению. Впрочем, как выяснилось, на нее у начальства были другие планы. Ее вызвал к себе завхоз Иосиф Иванович и сказал, что она, как новый и молодой сотрудник, должна будет немножко помочь в проведении праздника — как и говорила Лиля, порезать бутерброды, почистить фрукты, разлить напитки...

Марина не стала особенно возражать (а смысл?) и включилась на пару с Сашей в производственный процесс.

Впрочем, как выяснилось, кроме этих несложных обязанностей ее ждало еще одно малоприятное занятие.

По случаю праздника на студию приехала жена шефа Вероника — крупная, шумная, яркая блондинка, на голову выше мужа. Саша, покосившись на нее, вполголоса сказала, что Вероника безумно ревнует своего неказистого мужа, поэтому ходит на все праздники, чтобы держать руку на пульсе.

Увидев Марину, которая несла поднос с бутербродами, Вероника остановила ее повелительным жестом и потребовала:

— Принеси мне минеральной воды без газа!

Марина хотела возмутиться, сказать, что она не официантка, но перехватила умоляющий взгляд шефа и отправилась за водой. Не успела она принести воду, как Вероника отправила ее в приемную за шарфом, потом за телефоном... в общем, ей некогда было вздохнуть, не говоря уже о том, чтобы чего-нибудь съесть или выпить.

Через час Марина дико устала от беготни, от громкой музыки и от бесконечных требований супруги шефа. Воспользовавшись паузой (Вероника танцевала с ведущим новостной программы), она выскользнула из холла, где набирал обороты корпоратив, бессмысленный и беспощадный, как все такие праздники. Она остановилась в полутемном коридоре возле пожарного выхода и пожалела, что не курит — сейчас сигаретка помогла бы ей успокоиться и снять стресс.

Не успела она додумать до конца эту мысль, как дверь в дальнем конце холла хлопнула и в коридоре появилась женская фигура.

Марине не хотелось ни с кем общаться, не хотелось объяснять, что она делает одна в темноте, и она юркнула за искусственную пальму. Когда-то эта пальма стояла в кабинете шефа, но он потребовал, чтобы это безобразие убрали и выбросили, но завхоз, которого задушила жаба, переставил пальму в коридор.

Отсюда, из-за пальмы, коридор хорошо просматривался, и Марина увидела, что к ней приближается Камилла. Она порадовалась, что спряталась, — вот уж с кем ей точно не хотелось сейчас разговаривать!

Камилла между тем остановилась в нескольких шагах от пальмы и поднесла к уху мобильный телефон.

— Это я, — проговорила она приглушенным голосом, — да, я подготовила материал... по-моему, получилось неплохо... да что там — неплохо, это будет просто грандиозно! Ничего подобного ни у кого нет! Да, я все записала на флешку, она у меня здесь. Сегодня? В десять часов? Хорошо, договорились, я выйду в десять...

Закончив разговор, Камилла сложила телефон и вошла в свою комнату. Там она провела не больше минуты и снова появилась в коридоре. В одной руке у нее была косметичка из синей замши, в другой — какой-то маленький блестящий предмет. Приглядевшись, Марина поняла, что это — компьютерная флешка.

Камилла засунула флешку в косметичку, застегнула сумочку на молнию и вернулась в холл. Когда она открыла дверь, в коридор выплеснулся шум корпоратива, крепкий коктейль из музыки, смеха, громких голосов.

Дверь закрылась, и в коридоре снова наступила настороженная тишина. Оставшись одна, Марина задумалась о том, что она только что видела и слышала.

Нет, все же Камилла непотопляема! Только что у нее случились один за другим два серьезных прокола, но она уже снова на коне, снова готовит какой-то грандиозный проект. Интересно, с кем она сейчас разговаривала? Судя по тому, что звонила тайком, из коридора, это кто-то со стороны... может быть, она подстраховывается и за спиной шефа ведет переговоры с кем-то из его конкурентов? Может быть, она тайком готовит для себя «запасной аэродром»? А что, вполне возможно, на этом канале отношения у нее с начальством здорово испорчены, не простит ей шеф уход Назимова.

Вот бы узнать, с кем она говорила!

И тут Марина поняла, что вполне может это сделать. Ведь Камилла встречается со своим таинственным собеседником сегодня, в десять часов. Значит, можно подкараулить ее возле выхода и посмотреть на этого человека.

Сама-то Марина вряд ли его узнает — она в мире телевидения недавно, еще никого здесь не знает. Но можно тайком сфотографировать его на мобильный телефон, а потом показать кому-нибудь. Например, Саше. Секретарша шефа знает очень многих важных людей, она наверняка сможет его опознать...

И тут в голове у Марины мелькнула еще одна мысль.

Она ведь может не только узнать, с кем встречается Камилла. Она может выяснить, что за грандиозный проект та готовит. Больше того — она может помешать его осуществлению, может еще раз сорвать планы Камиллы! Для этого нужно только одно — стащить у Камиллы флешку, о которой она говорила!

Конечно, это будет непросто, но игра стоит свеч...

В конце концов, она же решила отомстить этой стерве, так что не стоит отказываться от этого плана только потому, что она теперь симпатизирует Георгию. Ведь она решила методично отобрать у Камиллы все: работу, хорошее отношение начальства, успех, карьеру. И мужа. Правда, эту часть плана будет исполнить трудновато, потому что Георгий ей нравится. Он хороший человек и неправильно будет использовать его. Ну да ладно, об этом потом.

Марина вернулась в холл.

Тут она чуть не оглохла от музыки и гула голосов.

Едва она появилась, к ней подскочила Саша.

— Куда же ты пропала? — проговорила она с обидой. — Я тут одна просто зашиваюсь, с ног падаю! Принеси еще бутербродов, а то все съели... ты меня слышишь?

— Да, сейчас... — пробормотала Марина, взглядом отыскивая среди гостей Камиллу.

Та в дальнем конце холла о чем-то разговаривала с шефом.

Марина пошла через толпу, машинально отвечая на улыбки знакомых, стараясь держаться непринужденно.

Она была уже в двух шагах от Камиллы, как вдруг ее ухватили за плечо жесткие пальцы и раздался громкий, визгливый, ввинчивающийся в мозг голос Вероники:

— Долго я должна ждать? Кажется, я не просила ничего особенного, всего лишь бокал шампанского, но я жду его уже минут сорок!

— Не знаю, лично у меня вы ничего не просили, — огрызнулась Марина.

— Мне без разницы, кто мне принесет шампанское! — верещала Вероника. — Важно, чтобы его наконец принесли, пока я еще не состарилась! Никита! — она завертела головой в поисках мужа. — Как ты распустил свой персонал! Это просто кошмар!

Шеф, который по-прежнему разговаривал с Камиллой, повернулся к жене и страдальческим голосом произнес:

— Дорогая, ты видишь, я занят...

— Да, я вижу, что для тебя твои девки важнее жены!

— Дорогая, ну зачем ты так... — шеф нашел взглядом Марину и нахмурился: мол, сделайте же что-нибудь!

Марина вздохнула и полным смирения голосом проговорила:

— Не волнуйтесь, сейчас я принесу ваше шампанское!

— Я надеюсь, это случится еще в этом году! — процедила Вероника. — И смотрите, чтобы никакого полусладкого! Настоящее шампанское — это только брют!

«Чтоб на тебя от этого шампанского икота напала!» — подумала Марина.

Марина отправилась к буфету, без проблем нашла там бокал брюта и вернулась.

За время ее отсутствия диспозиция несколько изменилась — шеф стоял перед женой в позе нерадивого ученика, выслушивающего нотацию. Камилла танцевала с парнем из рекламного отдела. Ее сумка лежала на стуле. Проходя мимо, Марина скосила глаза.

Сумка была полуоткрыта, и в ней виднелась синяя замша косметички.

— Ну, вот твое шампанское! — примирительным тоном проговорил шеф.

— Лучше поздно, чем никогда! — Вероника схватила бокал, пригубила и поморщилась. Повернувшись к Марине, она прошипела: — Вам никто не объяснил, что шампанское полагается подавать охлажденным?

— Глобальное потепление, — огрызнулась Марина и быстро ретировалась.

Она вернулась к стулу, на котором лежала сумка Камиллы.

Остановившись, она огляделась по сторонам и убедилась, что на нее никто не смотрит. Все были заняты своими обычными делами — девицы хихикали, обсуждали тряпки и кокетничали, мужчины в углу говорили о машинах и рыбалке.

Все-таки в каком-то смысле хорошо быть маленьким, незаметным человеком. Ты чувствуешь себя гораздо свободнее, чем богатые и знаменитые, каждый шаг которых на виду, каждое слово которых повторяют и перевирают.

Марина встала боком к стулу, опустила руку и быстрым движением вытащила косметичку.

Она хотела сразу же достать из косметички флешку и положить косметичку на место, но тут увидела направляющуюся к ней Сашу. Ей ничего не оставалось, как незаметно сунуть косметичку в кадку с каким-то большим уродливым растением с крупными волосатыми листьями. Это растение пришло на смену искусственной пальме, что убрали из кабинета шефа, но тот опять закапризничал, сказал, что у него при взгляде на волосатые листья катастрофически портится настроение. Учитывая, что шеф был лыс, как колено, ему поверили, и завхоз переставил растение в холл.

— Я же тебя просила принести бутербродов! — с обидой в голосе проговорила Александра. — Ведь это кошмар какой-то, как они едят! Я одна не успеваю...

— Да, я сейчас... — Марина бросилась на кухню и на несколько минут забыла про Камиллу и ее проект.

Разделавшись с бутербродами, она вернулась на прежнее место, подошла к кадке, куда спрятала косметичку, чтобы довести дело до конца, но в этот самый момент подскочила Камилла, схватила свою сумку и быстро зашагала прочь.

Марина проводила ее взглядом, закусив губу.

Сейчас Камилла заметит пропажу косметички и вернется... И что тогда будет? Как выяснилось, Камилла все-таки ее замечает, так что она непременно вспомнит, что Марина крутилась поблизости... могут быть неприятности.

Но Камилла ничего не заметила, она спешила уйти.

Взглянув на часы, Марина поняла причину этой спешки: было уже без нескольких минут десять, у Камиллы оставалось совсем немного времени до встречи с неизвестным собеседником...

Марина спрятала косметичку обратно в кадку и пошла следом за Камиллой, чтобы довести свой план до конца и сфотографировать того, с кем та встретится.

Камилла спустилась на первый этаж в лифте, вышла на крыльцо. Марина сбежала по лестнице, спряталась за колонной, откуда хорошо просматривался вход в здание, и приготовила телефон, чтобы сфотографировать встречу.

Стрелки подошли к десяти.

На улице перед входом остановилась большая черная машина, но из нее никто не вышел. Камилла торопливо сбежала вниз по ступеням, дверца машины открылась, и Камилла села рядом с водителем.

Марина разочарованно вздохнула: ей не удалось не только сфотографировать незнакомца, но даже увидеть его!

Оставалось утешаться тем, что флешка у нее, а значит, Камиллу ждет очередной прокол. Правда, у нее наверняка осталась копия и она сумеет восстановить флешку, но сегодня настроение у нее будет здорово подпорчено...

С этими мыслями Марина провожала взглядом загадочную черную машину.

Машина подъехала к перекрестку, остановилась перед светофором. Марина хотела уже вернуться, пока никто не заметил ее отсутствие на корпоративе, и шагнула к двери.

В это время красный сигнал светофора сменился на зеленый, черная машина тронулась...

И произошло что-то удивительное и страшное.

Вместо того чтобы проехать через перекресток, машина подпрыгнула, как резиновый мячик, внутри нее вспыхнуло ослепительное багровое пламя, затем машина разлетелась на десятки пылающих кусков. И только после этого раздался оглушительный грохот взрыва.

Марина стояла на крыльце как громом пораженная. Она в изумлении глядела на пылающие обломки, которые меньше минуты назад были роскошной черной машиной. Машиной, внутри которой находилась Камилла...

Марина не могла поверить, что это было на самом деле, что это случилось у нее на глазах.

Не может быть. Это какой-то кошмар, фильм ужасов или, скорее, боевик. Вот именно, машина взорвалась совсем так, как показывают в кино. Нет, этого не может быть. Вот только что Камилла села в эту машину — как всегда, деловая и энергичная, собранная и готовая к борьбе — и где она сейчас?

Марина обхватила себя за плечи, потому что внезапно почувствовала жуткий холод. Холод смерти.

Да, она всей душой ненавидела Камиллу за то, что та ей сделала, а еще больше за то, как презрительно, свысока смотрела на нее, за то, что считала ее человеком не то что второго, а какого-нибудь десятого сорта, но желала ли Марина ей смерти?

Конечно нет. Ей хотелось бы увидеть Камиллу поверженной, униженной, растоптанной, утратившей свою вечную самоуверенность, но мертвой, да еще погибшей такой страшной смертью, разорванной на куски...

Нет, этого не представить.

Внезапно Марина осознала, что рядом с ней на крыльце столпились люди, которые смотрят туда же, куда и она, — на пылающие обломки машины.

Должно быть, участники корпоратива услышали взрыв и высыпали на улицу, чтобы своими глазами увидеть, что произошло. Среди этих людей она узнала Сашу. Секретарша что-то говорила Марине, что-то спрашивала у нее, но Марина не слышала ее голоса, она вообще ничего не слышала, как будто была отделена от мира толстым звуконепроницаемым стеклом. Должно быть, она оглохла от взрыва...

Марина тряхнула головой — и невидимое стекло лопнуло, раскололось на тысячу кусков, и все звуки разом обрушились на нее: гул пламени горящей машины, приближающееся завывание сирены, возбужденные голоса людей, и среди них — голос Саши, которая снова и снова спрашивала ее, тряся за руку:

— Ты слышишь меня? Ты в порядке? Почему ты молчишь? Скажи хоть что-нибудь!

— Да, да, я в полном порядке! Во всяком случае, куда лучше, чем Камилла, — машинально ответила Марина.

— Камилла? — переспросила Саша, и в глазах у нее неожиданно вспыхнуло жадное любопытство. — Так в этой машине была Камилла? Ты уверена?

— Ну да, она только что села в нее, и тут...

— А чья это была машина?

— Понятия не имею, — честно ответила Марина. — Я не видела, кто был за рулем...

— А как ты-то здесь оказалась?

— Да просто вышла передохнуть, глотнуть свежего воздуха. У меня голова разболелась от духоты и шума...

Саша хотела еще что-то сказать, о чем-то спросить Марину, но в это время к месту катастрофы подъехали сразу две машины — огромная ярко-красная пожарная машина и куда более скромный автомобиль «Скорой помощи».

Первыми высыпали на мостовую пожарные, в своих громоздких защитных костюмах похожие на инопланетян. Они принялись поливать горящие обломки пенными струями. Огонь возмущенно зашипел и погас. Пожарные растащили в стороны куски машины, пробрались внутрь, долго там возились.

Тут же рядом с ними возникли люди в белом, с носилками. На эти носилки погрузили что-то черное, бесформенное, страшное, даже отдаленно не напоминающее человека, накрыли простыней, откатили к «Скорой».

Толпа зрителей сдавленно ахнула. Потом вся процедура повторилась еще раз.

«Скорая» уехала, пожарные еще какое-то время заливали пеной обломки, затем вернулись в свою машину. Только один из них еще несколько минут возился среди обломков, потом и он отошел в сторону. В руках у него был какой-то обгорелый предмет. Приглядевшись к нему, Марина поняла, что это — сумка Камиллы. Пожарный осмотрелся по сторонам, повернул голову к крыльцу...

И вдруг Марине показалось, что их глаза встретились.

Этого никак не могло быть — ведь лицо пожарного было закрыто защитной маской, но тем не менее ее не покидало чувство, что он смотрит прямо ей в глаза...

Она вздрогнула и на мгновение опустила веки, а когда снова открыла глаза, возле обломков машины никого не было.

Зато рядом с ними появилась машина полиции.

Шустрые молодые люди окружили обугленные обломки, о чем-то оживленно разговаривая. Среди них выделялся один — нескладный, огромного роста, с большими руками и ногами, которые двигались независимо от него, как будто жили своей собственной, самостоятельной жизнью. Потом этот верзила подошел к крыльцу, заговорил с сотрудниками студии.

Поговорив с одним-двумя, он подошел к Марине.

— Капитан Севрюгин, — представился полицейский и чуть заметно прищурился, разглядывая девушку. — Мне сказали, что вы видели, как это произошло.

В голосе его был не вопрос, а утверждение.

— Да, видела... — неохотно проговорила Марина и зябко поежилась: перед ее глазами снова встала ужасная сцена.

— И что же конкретно вы видели?

— Я видела, как подъехала машина, как Камилла спустилась по ступеням и села в нее...

— Камилла? — переспросил мужчина, сверяясь со своими записями. — Вы имеете в виду Нежданову?

— Да, ее... она села, машина сразу тронулась, остановилась на светофоре и тут же...

— ...и тут же взорвалась, — закончил за нее полицейский.

— Ну да... — подтвердила Марина.

— Вы не видели человека, который сидел в машине?

— Нет. Он не выходил, только открыл дверцу.

— И еще один вопрос. Как вы оказались здесь, на крыльце, в самый момент... в самый момент этого происшествия?

— Я вышла передохнуть, подышать свежим воздухом, — повторила Марина версию, которую перед тем изложила Саше. — Понимаете, у нас был корпоратив, годовщина канала...

— Я в курсе, — сообщил полицейский.

— Ну вот, а я была вроде как на подхвате, разносила, подавала... знаете, как это бывает, то туда посылают, то сюда, одному срочно нужно шампанского, другому — бутерброд, ни минутки на месте не посидишь... ну, я устала, решила выйти, а тут как раз Камилла выскочила... ну, дальше вы все знаете.

— Да, конечно, но мне хотелось бы услышать все еще раз, в вашем изложении.

Марина снова повторила то, что видела.

Капитан слушал ее, что-то записывал в потрепанный блокнот, изредка бросая на нее подозрительные, как ей казалось, взгляды. Она решила на всякий случай говорить поменьше, только отвечать на конкретные заданные вопросы.

Когда девушка закончила свой рассказ, капитан спросил:

— Значит, того человека, который был за рулем этой машины, вы не видели?

— Нет, — честно повторила Марина. — Вообще-то, вы меня об этом уже спрашивали.

— Действительно, спрашивал. — Капитан закрыл свой блокнот и отошел в сторону.

В помещении студии был жуткий беспорядок — повсюду валялись раздавленные бутерброды, осколки бокалов. Было такое чувство, что тут пробежало стадо испуганных бизонов. Сотрудники бестолково тыкались во все углы, кто-то курил прямо здесь, в холле. Пахло дымом и отчего-то тухлыми яйцами. Среди всех бродил завхоз Иосиф Иванович с огнетушителем в руках.

Чтобы занять себя чем-то, Марина принялась собирать мусор в бумажный пакет — сил не было смотреть на это безобразие. К ней присоединилась бухгалтер Альбина.

— Собрать все, да и уйти поскорее, — бормотала она, — по горло сыта я этим корпоративом.

Прибежала заплаканная Сашка.

— Ну как же это, как же... — причитала она. — Какой ужас... а я-то еще про нее...

— Помолчи! — сказала Альбина, не разжимая губ. — Поменьше болтай! Начнется теперь на студии свистопляска — кто ее, да за что, да были ли враги. А кто у нее в друзьях-то ходил, хотела бы я знать...

«Это уж точно», — подумала Марина.

Явился шеф — весь красный, раздраженный, его замучили расспросами, за каким чертом его сотрудница села в машину крупного бизнесмена Борецкого. Хозяина машины выяснили очень быстро, по номеру.

— Ну, тогда от нас отстанут, — шепнула Альбина, — это, стало быть, его кто-то взорвал, а Камилла просто не в той машине оказалась.

Тут выскочила из кабинета, как чертик из табакерки, жена шефа Вероника. Шеф отмел ее движением руки и удалился.

— Принесите мне коньяку! — сказал Вероника, схватив Марину за рукав. — Мне нужно срочно снять стресс, а то давление повысится.

— Отвали! — Марина вырвала свою руку. — И так за весь вечер достала уже!

Вероника от изумления широко открыла рот и уставилась на Марину как баран на новые ворота. Марине до нее не было никакого дела.

Домой их с Сашей подвез оператор Андрей, им было по пути.

В тот же вечер, точнее, уже ночью в кабинете начальника полиции собралось несколько человек.

— Итак, что мы имеем? — Начальник оглядел своих подчиненных усталым взглядом хронически не высыпающегося человека. — Мамлеев, что у нас с машиной?

— Пробили по номеру, машина принадлежит Борецкому.

— Тому самому Борецкому? — в голосе начальника прозвучало крайнее неудовольствие.

— Тому самому, — подтвердил Мамлеев, — Виктору Борецкому, владельцу компании «Анкор», председателю чего-то там, генеральному директору и еще черт знает кому.

— В общем, очень большой шишке! — тоскливо проговорил начальник. — Как сейчас выражаются — випу... И что — он сам находился в этой машине?

— Экспертиза еще не завершена, но пока все говорит за то, что это он. Конечно, труп очень обгорел и нельзя быть до конца уверенным, пока не получим его карту из стоматологии и не произведем сравнение...

— Значит, он... — Начальник снова тяжело вздохнул. — Значит, мы с вами имеем резонансное дело, со всеми вытекающими, извиняюсь, последствиями...

— У меня один вопрос, — подал голос капитан Севрюгин.

— Только один? — переспросил начальник. — Надо же! У меня гораздо больше!

— Почему он сам был за рулем машины? — проговорил Севрюгин, делая вид, что не заметил сарказма. — Обычно такие шишки ездят с личным шофером...

— «Обычно»! — передразнил его начальник, скривившись. — В нашей работе, Севрюгин, вообще очень много, извиняюсь, необычного. А насчет твоего вопроса —

я думаю, Севрюгин, тут имеет место романтический, извиняюсь, аспект.

— Какой? — удивленно переспросил Севрюгин.

— Ты эту Нежданову видел?

— Там особенно не на что смотреть. Натуральное барбекю... одни уголья!

— Я имею в виду прижизненные фотографии.

— А, да... интересная была женщина.

— Вот именно. Так что, скорее всего, у них с Борецким был, извиняюсь, роман. А проще говоря — связь. Так что вполне понятно, почему он сам был за рулем: не хотел посвящать шофера в свою, извиняюсь, интимную жизнь. Так что, Севрюгин, не задавай глупых вопросов, а лучше ищи ответ на самый главный вопрос — кто этого Борецкого порешил. А для этого ты должен ответить на другой вопрос... знаешь на какой или тебе, извиняюсь, подсказать?

— Кому выгодно... — неохотно проговорил Севрюгин.

— Вот именно! Кому выгодна смерть Борецкого? А для этого тебе, Севрюгин, придется перешерстить его бизнес-интересы, выяснить, какие у него были конкуренты, извиняюсь, и соперники, кому была выгодна его смерть...

— Вы же знаете — я в таких делах не очень разбираюсь... — тоскливо проговорил Севрюгин.

— А придется! — начальник обвел подчиненных взглядом и проговорил, с трудом скрывая зевоту: — Все, по домам! И чтобы завтра у меня уже были какие-то подозреваемые!

Домой Марина вернулась после полуночи. В прихожей она столкнулась с мужем. Антон стоял серый, с перекошенным лицом и надевал ботинки. Увидев Марину, еще больше перекосился, как будто ожидал увидеть кого-то другого.

— Куда это ты собрался посреди ночи?

Антон отшатнулся, посмотрел на нее, как на привидение, и проговорил чужим срывающимся голосом:

— Ты... ты... ты еще спрашиваешь? Да ты хоть знаешь, что сегодня случилось?

— Еще бы мне не знать! Ты не забыл, что я работаю на студии? А вот ты откуда узнал?

— Из новостей...

— Ах, ну да... — Марина поняла, что телевизионщики никак не могли пропустить такую сенсацию. Слетелись на запах крови и смерти, как мясные мухи...

— А куда это ты собрался посреди ночи?

— Не твое дело... — Антон покачнулся, с трудом удержав равновесие. Марина принюхалась и почувствовала, что от него сильно пахнет спиртным.

— Как это — не мое? Ты не забыл — мы с тобой пока что женаты!

— Да уж, забудешь об этом!

— Так куда ты собрался, да еще в пьяном виде?

— Я не пьян... — Антон отодвинул ее с пути, протиснулся к двери. — Ты что — не понимаешь? Я должен был снять стресс... я потерял подругу... друга... близкого друга...

Марина хотела сказать ему, кого он на самом деле потерял, но с большим трудом удержалась.

Антон вышел из квартиры, хлопнув дверью, раздался звук подъехавшего лифта.

Марина посмотрела ему вслед и поняла, что ей на самом деле наплевать, куда он отправился и что с ним будет. Хотя и так все ясно — небось к Женьке Плавунцу намылился, будут они пить до утра и завивать свое горе веревочкой. Остались одни, сиротинушки горькие, погорельцы несчастные!

Тут Марина вспомнила, как пожарные вытащили из сгоревшей машины что-то жуткое, обугленное, не похожее на человека, и невольно содрогнулась.

Она приняла душ, легла спать и, к собственному удивлению, заснула. Ей даже приснился сон — длинный, удивительно яркий. В этом сне она поднималась по широким каменным ступеням к огромному золотому храму, перед входом в который стояли две статуи фантастических животных — драконы с львиными головами...

На следующее утро Марина встала по будильнику.

Мужа рядом с ней не было, но он обнаружился на диване в гостиной — спал одетый, с опухшим красным лицом.

Марина посмотрела на него с каким-то странным брезгливым безразличием.

«Ни за что не стану его будить!» — подумала она и отправилась на работу.

Там царило мрачное оживление.

Камиллу на студии никто не любил, но теперь все считали своим долгом продемонстрировать скорбь, говорили громкими фальшивыми голосами, какая она была талантливая, какая замечательная, какие большие надежды подавала. Кто-то уже повесил на стену в холле большую фотографию в траурной рамке, рядом с фотографией стояли темно-красные розы.

Марина пыталась работать, но у нее все валилось из рук. Впрочем, в такой день это никого не удивляло, все слонялись по студии и бесконечно обсуждали вчерашнюю трагедию, начальство безуспешно пыталось бороться с таким настроением. Перед обедом к ней забежала Саша, сказала, что сотрудники собирают деньги на венок. Марина деньги дала, но спросила:

— А что, с похоронами уже определились? Назначили день?

— Какое там! — Саша сделала круглые глаза. — Но мы решили заранее собрать, а там как получится...

Оставшись одна, Марина прислушалась к себе, попыталась разобраться в собственных чувствах. И не нашла в своей душе ничего, кроме растерянности и опустошения.

Она в который раз подумала, что вовсе не желала Камилле смерти. Марина хотела, чтобы Камилла пережила то, что сама она испытала, увидев их с Антоном, хотела увидеть ее посрамленной, униженной, сломленной — но не мертвой...

День пролетел незаметно среди суеты и бесконечных пустых разговоров.

В седьмом часу Марина собралась, вышла на улицу, побрела к метро. Она шла медленно — ей вовсе не хотелось домой, не хотелось видеть Антона, разговаривать с ним...

Люди вокруг нее спешили по своим делам, обтекали ее, как река обтекает застрявшую на отмели корягу, некоторые недовольно на нее косились.

Вдруг в сумке у нее зазвонил мобильный телефон. Марина остановилась, достала его, взглянула на дисплей. Номер на нем был незнакомый. Она нажала кнопку, поднесла телефон к уху, но ничего не услышала.

— Кто это? — спросила настороженно.

В это время рядом с ней раздался оглушительный рев мотора. Из-за угла вылетел мотоциклист в закрывающем лицо зеркальном шлеме, делающем его похожим на инопланетянина, на полном ходу пронесся мимо Марины и вырвал у нее сумку.

Марина опешила от неожиданности, покачнулась, с трудом удержалась на ногах, выронила мобильный телефон. Мобильник ударился об асфальт и разлетелся на несколько частей. Вокруг Марины столпились люди, кто-то смотрел на нее с сочувствием, кто-то — с любопытством, все громко обсуждали происшествие.

— До чего дожили! — говорила худенькая старушка с голубыми завитыми волосами. — Прямо на улице сумки отнимают! А все потому, что понаехали всякие...

Крупная женщина с огненно-рыжими волосами и громким уверенным голосом допытывалась у Марины, как она себя чувствует и не кружится ли у нее голова, коренастый лысый дядька спрашивал, не заметила ли она номер мотоцикла.

Молодой парень в черной кожаной куртке поднял телефон, собрал его, вставил аккумулятор, протянул Марине:

— Кажется, работает!

Марина машинально поблагодарила его, огляделась, пытаясь понять, где она находится. Рыжая тетка взяла ее за руку, стала считать пульс. Марина вырвала руку, пробормотала:

— Я в порядке, в порядке...

Сквозь толпу к ней протиснулся долговязый парень.

— Ваша сумка? Он ее выбросил за углом!

Марина схватила сумку, заглянула в нее.

В сумочке осталась ее косметика, пропуск, проездной и кое-какие мелочи, пропал кошелек, банковская карточка, самое главное — ключи от дома.

Зеваки постепенно утратили к ней интерес и разошлись. Последней ушла рыжая тетка, напоследок взяв с Марины слово, что та сегодня же сходит к врачу. Самое позднее — завтра.

Марина доплелась до метро, доехала до дому, сунулась в сумку за ключами, но тут же опомнилась и позвонила в дверь.

Антон открыл почти сразу, как будто ждал ее звонка. Однако увидев его, Марина поняла, что он не ждал ее, а снова собрался куда-то уходить. При виде жены лицо Антона вытянулось.

— Это ты? — протянул он недовольно. — Ты что звонишь? У тебя же есть ключи!

— У меня вырвали сумку, — мрачно проговорила Марина, — ключи украли...

— Я поеду к Жуку, помянем Камиллу. Марина поняла, что муж не слушает ее, и повторила:

— Ты понял? У меня на улице вырвали сумку, украли ключи. Придется поменять замки.

— Сумку? — Антон уставился на нее. — Что ты несешь? Вот же твоя сумка!

Марина постаралась взять себя в руки. С удивительным терпением она проговорила:

— Он почти сразу выкинул сумку, взял из нее кошелек, карточку и ключи. Сумку нашли поблизости. Карточку я, конечно, заблокирую, а замки придется поменять. Я была бы тебе очень признательна, если бы ты этим занялся...

— Вот еще! — Антон побагровел. — Нет у меня времени! Растяпа! Как тебя угораздило?

— Говорю же тебе — у меня на улице вырвали сумку! Я ничего не могла поделать!

— Ты будешь терять ключи, а я должен тратить свое время... ты вообще понимаешь, что я сейчас чувствую? Я потерял близкого человека, а ты вяжешься ко мне со своей ерундой!

— Близкого человека? — повторила Марина его слова. — Да уж, я знаю, насколько близкого!

— Да что ты знаешь! — крикнул Антон. — Что ты можешь знать? Ты — пустое место, ноль без палочки! Ты не представляешь, какой она была! В ней было столько жизни... Вам всем до нее — как до неба! Ты лучше заткнись, ничего не говори, а то...

— А то — что? — не выдержала наконец Марина. — Что ты сделаешь? Что еще ты можешь мне сделать? Ты это не тронь, — передразнила она мужа, — я с ней с самого детства знаком, сто лет почти... Знаю я, какое это знак...

Марина остановилась на полуслове, потому что муж залепил ей здоровенную пощечину. Так, что клацнули зубы и голова едва не отвалилась.

Марина отлетела от двери и сползла по стене на пол. Не взглянув на нее, муж выскочил из квартиры, как пробка из бутылки.

Марина с трудом поднялась, опустилась на пуфик в прихожей и мрачно уставилась в стену перед собой.

И с этим человеком она прожила семь лет! Больше того — с этим человеком она собиралась прожить всю жизнь! Как она раньше не замечала в нем этих качеств — грубости, лживости, душевной черствости...

Хотя, конечно, не стоило с ним заедаться сегодня. Хамил он всегда, но ни разу не поднимал на нее руку. Ладно, сейчас нужно успокоиться и приложить к щеке лед, а потом уж она подумает, что делать дальше.

Решив больше не вступать с мужем ни в какие разговоры, она сунулась на кухню за льдом, потом посмотрела на себя в зеркало. Щека распухала на глазах, какая же скотина Антон!

Вдруг, непонятно почему, она вспомнила Георгия — и странным образом на душе у нее стало светлее.

Как же так, подумала Марина, она даже не вспомнила о нем за эти сутки, ей даже не пришло в голову позвонить ему, выразить сочувствие, поддержать... ведь Камилла была его женой, это так просто не зачеркнешь, какие бы сложные отношения их ни связывали...

Она достала свой мобильный телефон, порадовалась, что он не достался вору, и хотела набрать номер Георгия, но тут телефон зазвонил. Отчего-то Марина вообразила, что это Георгий сам позвонил ей. Номер был незнакомый, но ведь раньше они никогда не перезванивались. Марина почувствовала неожиданное волнение. Она нажала кнопку, поднесла телефон к уху и проговорила:

— Я сама хотела тебе позвонить...

— Вот как? — раздался в трубке незнакомый насмешливый голос. — Это интересно...

— Кто это? — опомнилась Марина.

— Но ты же хотела мне позвонить, значит, знаешь, кто я... — Из трубки донесся хриплый надтреснутый смех.

— Я ошиблась. Кто вы? Что вам нужно?

— Мне нужно то, что ты взяла у Камиллы! — резко проговорил незнакомец. — Ты поняла? Если не отдашь — тебе придется об этом серьезно пожалеть!

Марина хотела что-то ответить, но из трубки уже неслись короткие сигналы отбоя.

Марина сидела в прихожей, тупо глядя в стену и пытаясь разобраться в происходящем.

Кто это звонил и что этому человеку нужно? Ясно, что он не ошибся номером, хотя она готова поклясться, что никогда раньше не слышала этот голос.

Он хочет, чтобы она отдала ему то, что взяла у Камиллы. То есть ту флешку, которая лежала в синей косметичке...

Только тут Марина вспомнила, что оставила косметичку Камиллы в кадке с тем самым уродливым волосатым растением, которое так невзлюбил шеф.

Но откуда этот человек может знать, что она стащила флешку у Камиллы?

Он — кто-то из своих, кто-то из сотрудников студии? Он видел, как Марина вытащила косметичку из сумки, но не заметил, как она спрятала ее в кадку?

Вдруг Марина вспомнила подозрительного пожарного...

Перед ее внутренним взором снова встала та сцена — человек в защитном комбинезоне, с обгорелой сумкой в руках. Марине тогда еще показалось, что он смотрит на нее...

Тут до нее дошла еще одна очевидная мысль.

Тот мотоциклист, который вырвал у нее сумку... наверняка он не случайно выбрал именно ее из сотен прохожих. Конечно, ему был нужен не ее тощий кошелек, не ее банковская карточка, на которой денег кот наплакал. Ему была нужна флешка Камиллы! Он думал, что найдет ее у нее в сумке.

И еще Марина поняла, что этот мотоциклист только что звонил ей. Или сам, или кто-то, на кого он работает.

Однако этому человеку очень нужна флешка Камиллы! Настолько нужна, что он не остановился перед ограблением...

И вдруг ее словно окатили ледяной водой.

Не только перед ограблением!

Этот человек не остановился даже перед убийством, перед убийством двух человек — ведь наверняка это он заминировал черную машину, в которую вчера села Камилла!

Но вот странно: если бы флешка действительно была в сумке Камиллы, она была бы безнадежно испорчена огнем... Что-то тут не то... что-то не так...

Тут она спохватилась, что если немедленно не приложить к щеке лед, то завтра можно на работу не ходить, ее на проходной просто не узнают.

До трех часов она делала примочки и встала с больной головой, зато опухоль на щеке спала и синяка вроде бы не должно быть. Муж ночевать не явился, да и черт с ним.

Марина пришла на работу одна из первых и сразу же направилась в холл, где два дня назад проходил корпоратив. По холлу медленно двигалась уборщица Зульфия с пылесосом. Казалось, что она выгуливает большую, утробно ворчащую собаку.

Марина остановилась, бросила взгляд на кадку, в которой спрятала косметичку Камиллы. Взять косметичку на глазах уборщицы она не решалась и сделала вид, что изучает доску объявлений.

Зульфия ходила кругами и недовольно бормотала себе под нос:

— И ходят, и ходят... и мусорят, и мусорят... а убирать все мне... после этого... после ко-ператива столько грязи осталось, как будто здесь не теле-виденье, а базар...

К счастью, в это время в холл заглянула Саша и позвала Зульфию в кабинет шефа. Уборщица снова недовольно забормотала, но взяла пылесос под уздцы и покатила прочь.

Едва холл опустел, Марина коршуном бросилась к кадке.

К счастью, косметичка была на месте. Сунув ее в заранее приготовленный пластиковый пакет, Марина вернулась в свою комнатку, там стояли весьма обшарпанный стол и шкаф, где хранились микрофоны и разные мелочи.

Здесь она закрыла дверь изнутри и только тогда заглянула в косметичку.

Внутри, кроме золотистого тюбика помады, пудреницы и туши для ресниц, оказалась та самая флешка. Марина вставила ее в свой компьютер. Ей не терпелось узнать, из-за чего погибла Камилла.

Однако ее ожидало разочарование: флешка не пожелала открываться, она потребовала ввести пароль.

Марина попыталась догадаться, какой пароль могла выбрать Камилла.

Многие люди выбирают в качестве пароля имена своих собак и кошек, дни рождения детей, но у Камиллы не было ни детей, ни домашних животных. Марина попробовала ввести дату рождения самой Камиллы (благо, она ее хорошо знала), но компьютер сказал ей, что пароль неверный, и дал еще две попытки.

Марина задумалась.

Кто ее знает, что Камилла могла использовать в качестве пароля...

Собственную девичью фамилию? Но она под ней и живет, так что в качестве пароля фамилия не годится... Какую-нибудь важную дату из своей биографии? Но ее можно забыть, можно ошибиться с цифрами...

И тут Марина вспомнила, как Камилла, слегка выпив, хвасталась, что носит одежду самых разных марок, но вот белье — только итальянской фирмы «Бинетти».

— Это мой маленький женский секрет! — проговорила она со смехом.

Марина тогда еще удивлялась, отчего мужики — Жук с Антоном — так ржут, что тут смешного? Поздно до нее все дошло...

Она набрала на клавиатуре слово «Бинетти» — и компьютер сообщил, что пароль принят.

На экране компьютера появились ярлыки текстовых и видеофайлов. Они были подписаны какими-то сокращениями, на нескольких файлах стояли даты: 1986 и 1987.

Марина была удивлена: не такой Камилла человек, чтобы интересоваться событиями тридцатилетней давности. Она часто повторяла, что жить нужно не прошлым, а будущим. С другой стороны, чтобы сделать какие-то выводы, надо посмотреть на эти файлы...

И она открыла первый из видеофайлов, помеченных восемьдесят шестым годом прошлого века.

На экране появились выцветшие и дрожащие кадры: какой-то южный городок, пыльная площадь, смуглые люди в длинных арабских рубахах и поношенных халатах, верблюды, ослы, разбитые, видавшие виды машины. На какое-то время камера остановилась на задумчивой морде верблюда — печальные глаза старого философа смотрели на мир с выражением разочарования и скорби, губы двигались, что-то пережевывая. Потом в кадре появился грузовичок с брезентовой крышей, возле кабины — молодая женщина с веселым веснушчатым лицом и забранными в хвост светлыми, выгоревшими на южном солнце волосами. Она показала язык, рассмеялась и полезла в кабину.

Наверняка это была старая любительская съемка, сделанная пленочным киноаппаратом. Но сейчас такую старую пленку можно запросто перевести в цифровой формат и записать в компьютерный файл.

Тем временем изображение на экране сменилось.

Перед камерой стремительно проносились невысокие, выжженные солнцем холмы, бесконечная равнина, поросшая низким колючим кустарником, время от времени попадались пересохшие ручьи. Вдалеке, на горизонте, виднелись пальмы — то ли настоящие, то ли порожденный жарой мираж.

Изображение дергалось и подпрыгивало: должно быть, снимали из машины, едущей по бездорожью.

Скоро эти кадры закончились. Теперь на экране был пологий каменистый склон. У основания холма стоял уже знакомый грузовичок, рядом двое людей восточного вида разбивали палатку. Потом в кадре снова появилась уже знакомая Марине веснушчатая женщина. На ней была выгоревшая брезентовая куртка, голова повязана платком. Она улыбалась, показывала какой-то каменный обломок. Лицо ее светилось от счастья, и внезапно Марина поняла, что эта женщина смотрит в глаза любимого человека.

Марина подумала, что сейчас этой женщине должно быть лет шестьдесят или чуть больше. Интересно, как сложилась ее жизнь? Прожила ли она ее с тем, на кого с такой радостью, с такой любовью смотрит на этой старой пленке?

И еще Марина подумала: зачем понадобились Камилле эти старые любительские кадры? Уж чем-чем, а сентиментальностью она никогда не отличалась, вряд ли ее могли заинтересовать воспоминания тридцатилетней давности, тем более — чужие воспоминания...

Изображение на экране тем временем снова сменилось.

Теперь Марина увидела высокого, немного сутулого мужчину, который стоял в неглубокой яме и медленно, осторожно работал лопатой, очищая от глинистой почвы какой-то каменный обломок. Мужчина выпрямился, обернулся. Марина увидела его лицо.

Ему было лет пятьдесят. Густые седеющие волосы, светлые глаза, словно тоже выжженные безжалостным южным солнцем, волевой подбородок. Он не был красив, но в его лице, во всей его фигуре чувствовались скрытая сила, воля и характер.

Мужчина улыбнулся — и Марина поняла, что улыбка адресована той самой молодой веснушчатой женщине, которую она видела на прежних кадрах.

И еще ей почему-то казалось, что этот мужчина относится к своей спутнице гораздо спокойнее, чем та к нему, он всего лишь позволяет любить себя...

Хотя какое значение имеют чувства этих двух людей, чувства тридцатилетней давности?

Изображение снова сменилось.

Теперь камера показывала каменную плиту, покрытую клинописью и рисунками.

На этих рисунках были изображены люди с удлиненными миндалевидными глазами, с выбритыми наголо головами, в длинных одеяниях, покрытых сложными геометрическими узорами. Эти люди участвовали в разных сценах — шли ровными рядами, ощетинившись копьями, наверняка это был военный поход; гнали связанных пленных, захваченных в этом походе; по сходням поднимались на парусные корабли. Иногда на рисунках появлялись и другие люди — круглолицые, курчавые, в коротких одеждах.

На этом видеофайл закончился. Следом за ним шел фрагмент текста.

Марина открыла его и увидела письмо.

«Многоуважаемый Вадим Алексеевич! Не сочтите меня назойливым, но я хотел бы вернуться к нашему прежнему разговору. Вы наверняка помните, как три года назад мы с Вами обсуждали возможные истоки шумерской культуры. Тогда я предположил, что основы своей культуры шумеры могли получить от другого, более древнего и высокоразвитого народа. На что Вы вполне резонно возразили, что этот предполагаемый народ должен был оставить какие-то заметные следы своей материальной культуры и самого своего существования. В противном случае это не больше чем домыслы, до которых серьезный историк не должен опускаться. Тогда я должен был с Вами согласиться: в распоряжении истории и археологии нет никаких заслуживающих доверия доказательств существования развитой культуры, предшествующей шумерской, — если не брать в расчет известные упоминания в «Диалогах» Платона. Впрочем, к этим упоминаниям академическая наука относится скептически.

Однако я не оставлял своих попыток найти какие-то следы древней высокоразвитой цивилизации и летом прошлого года организовал экспедицию в одно из предполагаемых мест, где можно найти такие следы. Вы, конечно, знаете, что шумеры считали своей прародиной остров Дильмун в Персидском заливе. Сейчас этот остров входит в состав самого маленького арабского государства — королевства Бахрейн.

Мне удалось добиться разрешения на поездку в Бахрейн и проведение там археологических раскопок, но в серьезном финансировании мне было отказано. Поэтому в поле я поехал почти без помощников — только со своей аспиранткой Максимовой. Вы знаете ее по работе в Институте народов Ближнего Востока. Должен сказать Вам, что результаты наших исследований были более чем обнадеживающими. Мы нашли несколько каменных плит с высеченными на них рисунками и клинописью. На рисунках изображены два отчетливо различающихся типа людей — один тип хорошо знаком археологам, это плотные круглолицые люди с курчавыми волосами. Именно так обычно изображали себя шумеры.

Другой тип — люди более хрупкого телосложения, с удлиненной формой черепа и миндалевидными глазами. Я условно назвал их «Люди А». Кроме физических различий, «Люди А» отличаются от шумеров выбритой головой и более длинной, богато украшенной одеждой, что несомненно говорит о высокой культуре.

Кроме того, изображения «Людей А», как правило, крупнее, чем соответствующие изображения шумеров, а Вы, несомненно, знаете, что на древних изображениях такая разница в масштабах говорит об их более высоком социальном статусе.

Еще одна интересная особенность этих рисунков заключается в том, что вместе с «Людьми А» изображены животные, напоминающие ископаемых саблезубов, или махайродов. Сам этот факт говорит о большой древности изображений, поскольку в обозримом историческом прошлом махайроды уже вымерли.

Как я Вам уже сообщил, кроме рисунков мы нашли несколько клинописных надписей. Эти надписи внешне напоминают шумерскую и аккадскую клинопись, но не совпадают ни с той, ни с другой, представляя собой какую-то более древнюю разновидность клинописного текста. Я начал работу по расшифровке этих надписей, но пока мне не хватает имеющегося материала.

Сама по себе эта находка дает основание для пересмотра традиционных взглядов на происхождение шумерской культуры. Однако Вы знаете, как скептически научная общественность относится к моим идеям о древней цивилизации, предшествовавшей шумерской, поэтому будущим летом я надеюсь провести еще одну экспедицию в Бахрейн, с тем чтобы найти дополнительные доказательства своей теории. Возможно, мне удастся найти также новые клинописные тексты, которые помогут в расшифровке древней клинописи.

Пока же надеюсь, что Вы непредвзято отнесетесь к моей работе и постараетесь пересмотреть традиционные представления о происхождении шумерской культуры...»

На этом текст закончился. Подписи под ним не было.

Марина задумалась.

Она не сомневалась, что автор письма — тот самый светлоглазый мужчина, которого она видела на любительских кадрах, а веснушчатая женщина — его аспирантка Максимова. И на этой старой пленке зафиксирована их экспедиция в Бахрейн. И этих двоих связывают не только научные интересы. Но почему эти старые файлы так интересовали Камиллу, а судя по событиям последних дней — не ее одну? Что в них скрыто такое важное?

Вполне возможно, ответ на все эти вопросы содержится на этой же флешке!

Марина открыла следующий файл, но там был совсем другой текст.

— Земля! — Молодой матрос свесился из корзины, прикрепленной к верхушке мачты, и радостно замахал руками. Шамик бросился вперед, на нос корабля, встал на цыпочки, вытянулся как мог и вгляделся в горизонт. Сперва он ничего не увидел — ничего, кроме тусклой бирюзы полуденного моря. Тусклой бирюзы, которая уже надоела мальчику за последние дни плаванья. Но вдруг из этой бирюзы вынырнула слепящая золотая точка. Шамик заморгал от этого блеска, протер глаза, вгляделся — и увидел, что на горизонте сияет золотая звезда. Сияние ее становилось все ярче и ярче, глазам больно было его терпеть.

Вокруг Шамика столпилось уже много людей: свободные от вахты матросы, бородатые шумерские купцы, рослые загорелые солдаты из свиты отца, желтолицый писец-эламит. Все смотрели на поднимающуюся из моря золотую звезду и тихо, восторженно переговаривались между собой.

— Что это? — спросил Шамик знакомого матроса.

— Это — Посейдонис, столица Атлантиды! — ответил тот тихо и взволнованно. — Город людей, подобных богам! Столица мира!

Корабль мчался навстречу золотому сиянию. Паруса были наполнены попутным ветром, словно сам Посейдон, бог морей, спешил привести их в свой город.

Сияние золотой звезды немного померкло, и стал виден поднимающийся из морских глубин остров. Словно огромная жемчужина, всплывала Атлантида.

Шамик не сводил с нее глаз.

С самого раннего детства он столько слышал об этом удивительном острове, о его владыках, могущественных, как боги, о чудесах, которые здесь на каждом шагу. Он слышал, что у атлантов есть говорящие звери и колесницы, которые ездят без лошадей, летучие цветы и поющие ручьи, слышал, что атланты живут тысячу лет и умеют, не повышая голоса, говорить с другом, находящимся в тысяче стадиев. Неужели совсем скоро он увидит все эти чудеса?

Корабль мчался вперед — и теперь уже можно было различить берега острова, покрытые изумрудной зеленью садов, среди которой прятались белоснежные дома атлантов. И далеко, в самом центре острова, возвышался ослепительно сияющий золотой дворец, дворец царя Атлантиды, увенчанный огромной золотой звездой, звездой, которую мореходы видели издалека...

Чернобородый капитан поднялся на мостик, отдал хриплым голосом команды — и матросы бросились выполнять их: свернули большой парус, сложили его к основанию мачты. Корабль начал сбавлять ход. Теперь он шел под малым парусом.

Берег острова становился все ближе и ближе. Вот впереди появился вход во внешнюю гавань — две башни из белого камня по сторонам широкого прохода. От одной из этих башен отплыла низкая длинная лодка, устремилась навстречу кораблю. Шамик увидел смуглых гребцов, ритмично погружавших весла в воду под музыку флейты, богато одетого человека на носу, рядом с ним — несколько воинов в сверкающих золотом панцирях.

Лодка приблизилась к кораблю, матросы сбросили веревочную лестницу, по ней воины ловко, как обезьяны, вскарабкались на борт корабля, следом за ними поднялся знатный человек в богатых одеждах.

Шамик смотрел на него во все глаза — ведь это наверняка был один из атлантов, один из людей, подобных богам! Одежда его была проста, но красива, лицо исполнено величия.

Пассажиры корабля сгрудились на носу. Из своей каюты вышел отец Шамика — непривычно важный, торжественный в своем расшитом золотом парадном одеянии, остановился перед атлантом. По обе стороны от него встали воины.

Атлант заговорил на непонятном, певучем и звучном языке.

Тут же вперед вышел толмач-египтянин, почтительно склонился и начал переводить.

— Я — Арганид, верный слуга владыки атлантов, поставленный им над береговой стражей. От имени моего великого владыки я вопрошаю: кто вы такие и с какой целью прибыли в великую Атлантиду, центр и светоч мира?

— Я — Урук аш-Шамаш, — ответил атланту отец Шамика. — Я князь и военачальник, посланник великого царя Шумера Агаш-Шана. Я прибыл к владыке мира, царю Атлантиды, чтобы передать ему дары моего царя и заверить владыку в том, что шумеры сохранят верность Атлантиде до тех пор, пока солнце светит нам в небесах!

Атлант снова заговорил, и толмач торопливо, старательно перевел его слова:

— Привет тебе, Урук аш-Шамаш, да будет мир и благоденствие в твоем доме! Я позволяю тебе провести свой *корабль во внутреннюю гавань Посейдониса. Тебе и твоим людям будет предоставлено жилье. Я немедленно сообщу владыке мира, царю Атлантиды Гаару, да будут дни его бесконечны, о твоем прибытии, и владыка решит, когда он примет тебя.*

Отец Шамика поблагодарил начальника береговой стражи и приказал своим слугам передать ему дары. Это были дорогие эламские ткани и золотые браслеты, изготовленные мастерами горной страны Урарту. Хотя Шамику показалось, что эламские ткани — простая дерюга по сравнению с одеянием атланта, а золото браслетов — тусклая медь рядом с блистающими панцирями его солдат. Тем не менее атлант принял дары с подобающей благодарностью и покинул корабль шумеров, оставив на борту опытного лоцмана, который должен был провести его во внутреннюю гавань.

Марина хотела открыть следующий файл, но тут она услышала, что в дверь ее комнаты стучат.

Она выключила компьютер, спрятала флешку в карман и только после этого открыла дверь.

На пороге стоял завхоз студии Иосиф Иванович. Его густые брови были насуплены, лицо выражало гнев и раздражение.

— Ершова, ты что это заперлась? Ты что тут делаешь? — Он подозрительно оглядел комнату. — Я тебя уже полчаса ищу! Ты вообще работать намерена или хочешь деньги за просто так получать, за имитацию деятельности?

— Извините, Иосиф Иванович, я вообще-то запасной микрофон чинила. — Марина показала на разложенные на столе детали. — А стук не услышала, потому что была в наушниках...

— Начальство всегда нужно слышать, хоть в наушниках, хоть в набрюшниках! — строго проговорил завхоз. — Бросай сей же час свой микрофон, нужно в холле порядок навести, освободить место для презентации нового ток-шоу!

— Ну, опять мной все дыры затыкают! — проворчала Марина для порядка и пошла за завхозом в холл.

Она не торопилась домой с работы. Что ее там ждет? Пьяный или злобный с похмелья муж. Дома нечего есть, так что он будет, конечно, недоволен. А у нее нет ни малейшего желания готовить ему еду и вообще заниматься хозяйством. Если на то пошло, у нее нет ни малейшего желания вообще видеть его физиономию.

Марина вспомнила, что они так и не поменяли замки. Она зашла в магазин, купила один замок, а насчет второго толковый продавец посоветовал поменять только вкладыш. Это легко, любой человек это сможет сделать.

Сумка была тяжелой, и Марина подумала, что эту бы мотоциклист так просто не утащил. Машину взять, что ли? Не толкаться же в метро с этакой тяжестью. Что такое, все она должна сама делать, этот боров и не почешется, только пьет да гуляет!

Марина осознала, что ужасно, просто нечеловечески устала. Что с того самого дня, когда она вернулась раньше срока и застала на своем диване мужа с этой... все-таки она невероятным усилием воли удержалась от неприличного слова, с того самого дня она находится в непрерывном напряжении. Некому рассказать обо всем, не перед кем выплакаться, пожаловаться некому!

«Бросить все и уехать к маме, — подумала она, — Антон только рад будет, мы с Тимкой ему не нужны совсем.

И что потом? У них в маленьком городке жизнь несладкая, вправе ли я лишать ребенка всего?»

Она тяжко вздохнула и остановилась, поставив тяжелый пакет с замком прямо на асфальт, до того оттянул руки.

Как раз рядом было кафе, и в стеклянном окне Марина увидела вполне уютный зал и столики с мягкими диванами. И совсем близко, по ту сторону окна, сидел кто-то удивительно знакомый.

Женщина. Некрасивая, вся какая-то встрепанная. Перед ней стоял бокал вина. Она смотрела прямо перед собой, поставив локти на стол. Прямые нечесаные волосы свисали на щеки неопрятными прядями. Вот неверной рукой она подняла бокал и выпила вино одним глотком. Волосы откинулись назад, и Марина в полном изумлении узнала в женщине Веру Рябоконь.

Та махнула рукой, подзывая официантку, и, надо думать, заказала еще вина, на что официантка неодобрительно покачала головой. Вера настаивала, Марина увидела ее распахнутый в крике рот, и в поле зрения появился накачанный парень с широкими плечами. Он решительно положил руку Вере на плечо.

Марина решила, что нужно вмешаться, а то накостыляют еще Рябе по шее, потом полицию вызовут, на работу сообщат, а у нее небось там строго — научное учреждение. Она решительно открыла дверь кафе.

— Что здесь происходит? — как можно тверже спросила она.

— Вы ее знаете? — Под Марининым взглядом парень убрал руку с Вериного плеча.

— Допустим, — Марина отодвинула стул и села, — у нее проблемы с оплатой?

— Ты? — спросила Вера, тряся головой. — Откуда ты взялась?

— Так в чем дело? — повторила Марина. — Дама отказывается платить? Или буянит?

— Она просит еще вина, а ей уже хватит, — сказала официантка, мигнув охраннику, чтобы испарился, — у нас приличное заведение, хозяин пьяных не любит.

— Ладно, тогда принесите ей кофе покрепче, а мне что-нибудь поесть.

— Что ты тут делаешь, Вера? — спросила Марина, когда официантка отошла.

— Радуюсь, — ответила Вера, мрачно глядя перед собой. — Праздную. Только вот что? Сама не знаю.

— Ты радуешься смерти Камиллы? — уточнила Марина.

— Да! И только посмей сказать что-нибудь о том, что про покойников не говорят плохо! — выпалила Вера.

Принесли кофе, Вера жадно отхлебнула, поморщилась от горечи и поглядела более осмысленно.

— Господи, как же я ее ненавидела... — заговорила она, — всю жизнь, ведь всю жизнь она мне поломала. Ты ведь что думаешь? Компания школьных друзей, всегда вместе, так им хорошо, школьная дружба на всю жизнь и так далее...

— Да знаю я все про Камиллу, знаю, чем она с чужими мужьями занималась, так что ты уж не пересказывай, душу не береди! — посоветовала Марина.

— Ах, вот как... Давно ты узнала?

— Недавно...

— Тогда тебе легче. А я вот пятнадцать лет мучаюсь...

— Пятнадцать? — недоверчиво переспросила Марина.

— Не веришь? Вот слушай, — Вера с отвращением оттолкнула от себя чашку, — кофе у них гадостный, ужас просто.

Марина хотела сказать, что Вера забыла положить сахар, но решила не перебивать.

— Значит, пришли мы в пятый класс в новую школу. Да и сели с Костиком за вторую парту. У меня зрение плохое, вдаль не вижу, а он росту маленького, худенький такой, хлипкий. С мальчишками мяч не гонял, спортом не занимался — все с книжками сидел. Ну и я такая же. Так мы с ним и просидели до окончания школы за одной партой. Неразлейвода, в общем. У меня и подруг не было — все с ним. Легко нам было, хорошо, с полуслова друг друга понимали. — Вера вздохнула.

Официантка принесла Марине спагетти. Томатного соуса там было явно многовато. Видно, и впрямь кухня в этом заведении не на высоте.

— Закончили мы школу, в институт поступили, хотели вместе науку двигать, — продолжала Вера, глядя в сторону, — ну и решили пожениться. Что еще делать, если жить друг без друга не можем? Просто симбиоз какой-то. И дальше все так же продолжается — всюду вместе, не скучно нам, легко.

— А потом? — спросила Марина, незаметно поглядев на часы.

— А потом я забеременела. Сначала расстроилась: нам по двадцать лет, ни денег, ни квартиры, еще учиться сколько нужно. Косте пока не сказала — думаю, схожу к врачу, тогда уж объявлю. А чувствовала себя неважно — тошнит, голова болит. И пару встреч школьных друзей пропустила, Костя один ездил. Там Камиллочка его и окрутила — так просто, мимоходом. Переспала где-то на даче раз или два... — Вера низко склонила голову.

— Да не вспоминай ты! — не выдержала Марина. — Этак можно вообще заболеть!

— Да что уж теперь... и так все внутри выгорело, нечему там болеть...

Марина посмотрела на склоненную голову, на неровный пробор в некрашеных волосах. В душе шевельнулась жалость, которую она тут же подавила. У всех свои заморочки, всем Камилла успела навредить, и каждый должен справляться с этим в одиночку. Такова жизнь.

— Твой-то видишь, какой осторожный... столько лет с Камилкой, а ты только сейчас узнала, — продолжала Вера. — А мой идиот влюбился в нее без памяти. Так она его поразила — в самое сердце, в самую душу. Никогда такой женщины не видел, а кого он видел-то, кроме меня? — Вера жестко усмехнулась. — Сам же, кретин, мне про это рассказывал, в себе удержать не сумел. Да и не хотел ничего скрывать, честный мой... Короче, Камилке его неземная любовь оказалась без надобности — он ведь ей тут же руку и сердце стал предлагать. Пожалела она, что с ним переспала, он ведь прилип к ней как банный лист, под окнами стоял, дурак несчастный. Еле отвязалась, объяснила все прямо, он домой пришел весь черный. Это недели две продолжалось, я от всех событий забыла, что беременна. Куда уж тут разговор заводить, дело к разводу идет. Ну, короче, от всех стрессов началось у меня кровотечение прямо в институте. Кости рядом не было — он все за Камилкой бегал. Отвезли меня на «Скорой» в больницу дежурную, там коновалы что-то не то сделали, да еще орали, что это я сама себе выкидыш устроила. Провалялась я в больнице долго, потому что еще инфекцию какую-то занесли. И выписали меня с диагнозом — «больше, милочка, детей не будет». Это врачиха напоследок с такой ухмылочкой сообщила злорадной. Муженек мой, конечно, прощения просил, извинялся, я, говорит, тебя ни за что не оставлю. Все же привязан ко мне был, опять же, совесть не совсем потерял.

— А чего же ты его не бросила?

— Любила... — вздохнула Вера, — даже не то чтобы... просто мы за столько лет срослись, как сиамские близнецы. Все у нас общее было, понимаешь? Как по живому-то резать! Ну, стали жить. Пока в себя пришла, пока лечилась, а потом стала понимать, что вроде бы мы срослиеся, да мертвые. У него Камилка душу выжгла, а у меня — вся эта история с ребенком. И хотя у нас все нормально, работаем вместе, не ссоримся, а только как увижу я, с какой тоской он на нее смотрит, так сразу ненависть меня заливает, так бы и убила ее своими руками! Пробовала его отвадить от школьных друзей — не получается. Если, говорит, я ее хоть изредка видеть не буду, то умру. Так и жили пятнадцать лет.

— Ужас какой! — вздохнула Марина. — А теперь что будет?

— Не знаю, — Вера подняла на нее глаза, — только ничего не помешает мне радоваться ее смерти. И если положено за это наказание, то я его уже отработала. Пятнадцать лет каторги. Надо было его бросить еще тогда, да вот сил не хватило.

— А Костя небось с Жуком и Антоном пьет, Камиллу оплакивает?

— Надо думать, у Женьки он, — равнодушно ответила Вера, — а мне что делать — понятия не имею.

— Уж во всяком случае, не напиваться в паршивом кафе! — Марина отодвинула недоеденные спагетти. — Ведь побить могут! У тебя отпуск когда?

— Да у меня целых два неотгулянных, могу хоть сейчас взять!

— Бери любую путевку и езжай к морю, — посоветовала Марина, — одна езжай, там отдохнешь и во всем разберешься. И в парикмахерскую обязательно сходи, стрижку сделай и очки... очки эти жуткие выброси!

– Да? – Вера сняла очки. – Оправа дорогая, сказали – модная...

Марина только вздохнула, потом записала Вере телефон своего парикмахера и вызвала такси.

Капитан Севрюгин вошел в кабинет начальника, когда все уже собрались, протиснулся на свободное место, положил большие руки на колени. Ему хотелось стать маленьким и незаметным, но при его двухметровом росте это было очень трудно.

– Опаздываем, Севрюгин! – недовольно проговорил шеф. – Плохо еще у нас с дисциплиной! Ну, кажется, теперь все пришли, мне можно начинать? Никто не возражает? – Он оглядел присутствующих недовольно, затем взял со стола газету и помахал ею в воздухе, будто отгоняя мух. – Все это читали?

Подчиненные помалкивали, и шеф продолжил:

– Если кто не читал, я в двух словах расскажу, что здесь написано. Написано здесь, что мы с вами не умеем работать. Что у нас с вами резонансное убийство, а мы не мычим, извиняюсь, не телимся! И я тут в кои-то веки согласен с прессой! Вы же знаете, какой дикий шум поднимается в средствах, извиняюсь, массовой информации, когда дело касается кого-нибудь из этой братии — журналистов, телевизионщиков? Они нам не дадут, извиняюсь, покоя! Так что надо работать! Севрюгин! Есть у вас хоть какие-то зацепки в этом деле?

– Какие зацепки? – тоскливым голосом протянул Севрюгин. – Это же заказное убийство! В машину заложили взрывное устройство иностранного производства. Явно работал профессионал, и он уже наверняка где-то далеко...

— «Заказное убийство»! — передразнил его начальник. — Вам бы, Севрюгин, только бы, извиняюсь, ярлык повесить и успокоиться!

— Я не успокоился... — тоскливо проговорил капитан. — Я из-за этого дела ночей не сплю...

— Я вам, Севрюгин, пока что, извиняюсь, не давал слова! — пророкотал начальник. — Ночей он не спит! Ночью, извиняюсь, спать надо! А днем, извиняюсь, работать!

Севрюгин хотел было сказать, что днем он работает, но вовремя удержался, промолчал.

— И вот что я вам скажу, — продолжил начальник, убедившись, что его внимательно слушают. — Отчего это вы зациклились на версии заказного убийства?

— Так взрывное устройство... — занил Севрюгин. — Явно ведь профессионал работал... так что у нас подозреваемых нет...

— «Взрывное устройство»! — передразнил его начальник. — А вы над другими версиями поработайте! Потерпевшая по этому делу была женщина молодая, интересная, и при этом замужняя. Почему бы вам не рассмотреть версию убийства на почве ревности?

— Ревности? — машинально переспросил Севрюгин.

— Вот именно — ревности! — повторил начальник. — Что я, за вас всю работу, извиняюсь, должен делать?

— На почве ревности... — повторил капитан, словно пробуя это слово на вкус.

— Вот именно! Тогда у вас и подозреваемый сразу появится, потому что при таких убийствах у нас кто первый подозреваемый?

— Муж, — не задумываясь, выпалил Севрюгин.

— Вот именно — муж или любовник! Так что работайте, Севрюгин, работайте!

— Но как же взрывное устройство... — опомнился вдруг капитан. — В случае бытового убийства оно обычно не применяется...

— «Обычно не применяется»! — передразнил его начальник. — Вы, Севрюгин, лучше бы меня поблагодарили за то, что я вашу работу делаю, а вы вместо этого упираетесь как, извиняюсь, осел! Сейчас, Севрюгин, за деньги не то что взрывное устройство — корабль, извиняюсь, космический купить можно!

Георгий Успенский подошел к библиотечной стойке и поздоровался с пожилой библиотекаршей. Лицо его было непроницаемо.

— Здравствуйте, Георгий Александрович! — женщина взволнованно привстала, поправила аккуратно подкрашенные волосы: как-никак перед ней был крупный историк, внук знаменитого академика. — Чем могу вам помочь?

Георгий немного расслабился — она не знает. Эта интеллигентная женщина не смотрит телевизор. Или смотрит, но понятия не имеет, что трагически погибшая телевизионная ведущая Камилла Нежданова — его жена. Точнее, была его женой. А теперь то, что от нее осталось, лежит в морге, и даже похоронить ее не разрешают. Только сегодня он звонил следователю, и тот ответил, что ничего не может сделать — в интересах, дескать, следствия, не можем пока дать разрешение. Ох уж эти их интересы следствия!

Он безумно устал — от звонков, от расспросов, от показного сочувствия, от лиц знакомых, которые при встрече делают фальшиво-скорбные мины. У них с Камиллой был разный круг знакомых, не считая ее школьных друзей. Ну, эти горюют отдельно, он никогда не был с ними особенно близок.

На работе все же прознали, кто-то из сотрудниц растрепал по всему архиву. Он потому и ходит в библиотеку, что находиться на рабочем месте стало невозможно. А работать надо, да и отвлекает это его от проблем.

— Мне нужна вот эта книга. — Георгий положил перед ней карточку. — Я знаю, что она у вас есть.

Женщина надела очки, прочитала название и выходные данные.

— Подождите несколько минут, я ее найду...

Она слезла с высокого стула, скрылась между рядами стеллажей.

В это время в кармане у Георгия заработал поставленный на вибровызов мобильный телефон. Отчего-то Георгий подумал, что звонит Марина. В самом деле, она ему и не позвонила за эти два ужасных дня. А он надеялся, так как знал, что ее звонок не будет ему неприятен.

Он достал телефон из кармана, взглянул на дисплей. Номер телефона был незнакомый, и Георгий почувствовал разочарование. Он уже хотел сбросить звонок — все же разговаривать по телефону в библиотеке неприлично, — но вдруг передумал, поднес трубку к уху и вполголоса проговорил:

— Слушаю вас.

— Моя фамилия Чигильдеев, — раздался в трубке громкий самоуверенный голос.

— С чем вас и поздравляю, — фыркнул Георгий.

— Это старинная дворянская фамилия. Ну, вы-то это знаете, вы же специалист.

— Пока ничего не могу сказать, — осторожно ответил Георгий. — А в чем, собственно, дело?

— Вы ведь занимаетесь родословными?

— Я помогаю людям восстановить родословную по архивным материалам, — уточнил Георгий.

— Вот-вот, — собеседник удовлетворенно хмыкнул, — это то, что мне нужно. Как я уже сказал, моя фамилия определенно дворянская, очень старинная...

— Возможно. А кстати, от кого вы узнали мой телефон?

Собеседник назвал одного из знакомых Георгия по историческому архиву и продолжил:

— Короче, я хочу, чтобы вы мне сделали что там положено — диплом или сертификат...

— Это у породистых собак сертификат, — неодобрительно перебил Георгий собеседника.

— Ну, мне без разницы, как это называется, но только я хочу, чтобы все было как положено, по первому разряду. Деньги — не вопрос, я заплачу сколько вы скажете...

— Дело не в деньгах... не только в деньгах, — поправил Георгий. — Кстати, вы знаете мои расценки?

— Это мне без разницы. Деньги не имеют значения. Короче, возьметесь за эту работу?

— Для начала мне понадобятся все сведения, которыми вы располагаете, свидетельства о рождении, имена ваших предков, которых вы знаете...

— Все это есть, — заверил его собеседник. — Я тут подготовил целую кучу бумаг...

— Тогда приходите завтра после обеда ко мне на работу. Запишите адрес...

— А вот тут неувязочка. — Собеседник Георгия хмыкнул. — Дело в том, что я сегодня улетаю по делу в Куала-Лумпур.

— Ну, тогда встретимся после вашего возвращения. Думаю, восстановление родословной — это не очень спешно...

— Ну уж нет! Мне срочно нужно! К моему возвращению все должно быть готово!

— Но тогда...

— Вот как мы сделаем. Я положу все бумаги в абонентский ящик, туда же положу аванс, вы все возьмете и сразу же начнете работать.

Он назвал сумму аванса. Сумма была такая большая, что Георгий на мгновение потерял дар речи.

— Ну, так как — беретесь?

— Берусь, — согласился Георгий.

Собеседник продиктовал ему адрес почтового отделения, номер абонентского ящика, а также назвал код, который нужно сообщить, чтобы получить доступ к этому ящику. Потом он добавил, что настаивает на том, чтобы Георгий начал работу сегодня же.

Георгий хотел задать еще несколько вопросов, но разговор уже прервался.

Он в растерянности смотрел на телефон.

Беседа с заказчиком ему не очень понравилась: какой-то странный, неприятный человек, и требования необычные — люди, заказывающие родословные, никогда не торопятся, долго обсуждают детали, а этот спешит, как на пожар. Но предложенный им аванс решал все насущные финансовые проблемы, кроме того, можно будет купить старинную и редкую книгу, которую Георгий видел у букиниста и которая очень нужна для его исследований...

Последнее соображение оказалось решающим, и Георгий решил взяться за эту работу.

Тут как раз вернулась библиотекарша с заказанной книгой. Георгий сердечно поблагодарил ее и покинул библиотеку. Ему надо было поторопиться — до закрытия почтового отделения оставалось чуть больше часа.

Капитан Севрюгин уныло сидел в кабинете и десятый раз просматривал отчет криминалистов по делу о взорванной машине. Никаких следов, никаких зацепок! Ясно же, что работал профессионал, а начальство настаивает на версии бытового убийства...

В это время зазвонил его мобильный телефон.

Капитан взглянул на дисплей. Входящий номер на нем не определился. Однако он поднес телефон к уху и строго проговорил:

— Севрюгин слушает!

— Вы занимаетесь убийством Борецкого? — раздался в трубке вкрадчивый голос.

— С кем я говорю? — сухо переспросил капитан.

— Вот этого не надо! — оборвал его незнакомец. — Короче, если хотите раскрыть это дело — сегодня же поезжайте в почтовое отделение, — незнакомец назвал номер и адрес, — и посмотрите, кто заберет корреспонденцию из абонентского ящика сто двадцать три. И *что* это за корреспонденция.

— С кем я говорю?! — повторил Севрюгин, повысив голос.

— Не сомневайся, капитан, это бытовое убийство, точнее — убийство на почве ревности! — И незнакомец закончил разговор.

Севрюгин несколько минут сидел, тупо глядя на телефон.

У него было правило — не реагировать на анонимные звонки и письма. Но этот аноним был какой-то необычный. Он определенно много знал об этом злополучном убийстве. И самое странное — он знал, что начальство настаивает на версии бытового убийства...

Капитан понял, что не простит себе, если не проверит этот звонок, и отправился в почтовое отделение — тем более что до его закрытия оставалось меньше часа.

Георгий Успенский вошел в почтовое отделение.

В помещении было немноголюдно — худенькая девушка в очках заполняла какой-то бланк, крупный пожилой мужчина распаковывал громоздкую посылку, интеллигентная старушка придирчиво перебирала поздравительные открытки. За стойкой две сотрудницы почты обсуждали свою личную жизнь.

— А я тебе скажу определенно: всем мужикам нужно только одно! — авторитетно говорила рослая худощавая брюнетка низенькой блондинке. — Только одно, причем совсем не то, что ты думаешь!..

— Дамы, можно вас прервать? — вежливо проговорил Георгий, подходя к стойке.

— Это всегда можно, — ответила блондинка, кокетливым жестом поправляя волосы.

— Только быстро, — перебила ее брюнетка, взглянув на часы. — Мы через десять минут закрываемся, так что если посылку отправлять, то вы не успеете.

— Мне не нужно посылку, мне бы попасть в абонентский ящик. — И Георгий вполголоса назвал номер ящика и код, который сообщил ему заказчик.

Брюнетка сверилась с документами, выдала Георгию ключ и показала ящик. Георгий открыл ящик и вытащил из него большой открытый конверт, набитый фотографиями.

Он удивленно уставился на этот конверт, как вдруг рядом с ним возник мужчина огромного роста и густым мощным басом гаркнул:

— Гражданин Успенский? Что это у вас такое?

От неожиданности Георгий уронил конверт, и фотографии веером рассыпались по полу.

Георгий наклонился, чтобы собрать эти фотографии, — и кровь прилила к его лицу.

На всех этих снимках была изображена его жена Камилла с разными мужчинами.

Некоторые фотографии были довольно невинные — Камилла сидела с незнакомцем за столиком ресторана, стояла возле машины, — но некоторые были настолько откровенны, что вполне подошли бы для порнографического журнала.

Георгий догадывался, что Камилла наставляет ему рога. Были у него подозрения — уж слишком ярко блестели ее глаза, когда приходила домой поздно, и пахло от нее чем-то таким... Но он отгонял от себя эти мысли — тогда придется что-то решать, разбираться. А ему ужасно не хотелось разбираться в этой гадости. Что, когда, с кем? Тогда перед ним встанет вопрос: что делать? Придется признать честно, что он сделал ошибку, когда женился на этой женщине. Она была так хороша — яркая, уверенная в себе, брызжущая энергией. Он увлекся ею, ему было лестно, что такая женщина обратила на него внимание. Но в больших количествах переносить Камиллу стало невозможно, они были такие разные. А тут еще эти догадки, что она ему неверна. Но одно дело — догадываться, и совсем другое — увидеть такие ясные, недвусмысленные доказательства...

После ее смерти он позабыл про свои подозрения — к чему все теперь? Некоторые вопросы решились сами собой. Но возникло множество других.

— Очень интересно, — пророкотал рядом с ним густой бас, и Георгий увидел, что тот здоровенный детина вместе с ним разглядывает отвратительные фотографии.

— Как вы можете... — сдавленным голосом проговорил Георгий. — Кто вы вообще такой...

Правда, он тут же вспомнил этого человека, это был тот самый полицейский, который задавал ему всякие глупые вопросы после гибели Камиллы. У него еще какая-то рыбная фамилия — то ли Белугин, то ли Лососев...

— Капитан Севрюгин, — разрешил полицейский его сомнения. — Так что вы можете мне сказать по поводу этих фотографий?

— А как вы думаете? — огрызнулся Георгий. — Моя жена недавно погибла, а тут вдруг... такое...

— А откуда вообще они взялись, эти фотографии? — не отставал от него Севрюгин.

— Вы же видели — я только что взял их из этого ящика!

— Из ящика, говорите? А в ящик они как попали? — Неожиданным ловким движением капитан выхватил из рук Георгия конверт и с выражением прочитал надпечатку в правом верхнем углу: «Частное детективное агентство «Ястребиный глаз»... очень интересно!

— Что вам интересно? — с трудом сдерживаясь, процедил Георгий. — Что вам вообще от меня нужно?

— А знаете, Георгий Александрович, — проговорил капитан доверительным голосом, — я вас где-то даже понимаю. Трудно быть мужем такой красивой и... легкомысленной женщины.

— Прошу вас, не надо говорить о Камилле! — Георгий страдальчески поморщился. — Как вы не понимаете...

— Понимаю, понимаю! — продолжил капитан. — Очень даже хорошо понимаю, как было дело! Вы подозревали свою жену, эти подозрения вас очень мучили, в конце концов вы наняли это детективное агентство. — Севрюгин выразительно взглянул на Георгия и помахал в воздухе конвертом. — Они проследили за вашей женой, и вы получили неопровержимое доказательство ее измен. И тогда вы не выдержали и убили жену. Возможно, вместе с ее очередным любовником...

Севрюгин оглядел Георгия и добавил:

— Ну, может быть, не сами убили, а наняли для этой цели специалиста, как наняли агентство для слежки... в наше время какие только услуги не оказывают за деньги!

— Никого я не нанимал! — вскрикнул Георгий, схватившись за горло. — Ни для убийства, ни для слежки! Я про это агентство вообще сейчас первый раз услышал!

— Первый раз? — Капитан недоверчиво посмотрел на конверт с фотографиями. — Сомневаюсь, Георгий Александрович! Факты говорят сами за себя!

Он выпрямился во весь рост и проговорил хорошо поставленным голосом:

— Гражданин Успенский, вы арестованы по подозрению в убийстве своей жены и господина Борецкого!

Через минуту Севрюгин вывел Георгия на улицу с руками в наручниках.

Проводив их взглядом, блондинка проговорила мечтательным тоном:

— Какая у людей жизнь интересная! Детективное агентство, убийство из ревности — прямо как в кино! А тут сидишь за этой стойкой...

— Мы сегодня вообще закрываться собираемся? — недовольно перебила ее брюнетка.

С утра ярко светило солнце, но Марина прочитала прогноз погоды в Интернете. Обещали сильный дождь. Она хотела сунуть в сумку зонтик, но он, как назло, сломался. Тогда она взяла с собой тонкую непромокаемую курточку с капюшоном.

Синоптики не обманули: пока Марина ехала на работу, небо затянуло тучами, а на подходе к студии начался дождь, так что ей пришлось накинуть свою куртку.

Через полчаса дождь перешел в самый настоящий ливень. Марина смотрела в окно на прячущихся от дождя прохожих и радовалась, что ей никуда не нужно идти.

И тут к ней в комнатку заглянула секретарша шефа Саша.

— У тебя зонтика нет? — спросила она, покосившись за окно, залитое струями дождя. — Представляешь, вышла утром, погода была хорошая, я его и не взяла!

— А куда ты собралась? — сочувственно проговорила Марина. — Такая погода — хороший хозяин собаку не выпустит!

— Да и я бы не вышла, да мне нужно мобильник из ремонта получить, я перед работой его занесла в мастерскую, батарейка сломалась, обещали за два часа сделать, а я без телефона как без рук, сама понимаешь!

— Зонтика нет, есть куртка непромокаемая — хочешь? — Марина показала Саше свою курточку.

— Красная, — проговорила та в сомнении, — к моим туфлям не подходит...

— Ну, как хочешь — было бы предложено!

— Да нет, извини, возьму, конечно! Здесь всего-то пять минут, если через двор...

Она взяла куртку и упорхнула.

А Марина вспомнила про флешку Камиллы.

Еще вчера ей показалось смутно знакомым лицо человека на видео — того профессора-археолога.

Она заперла изнутри дверь комнаты, достала косметичку Камиллы из тайника, вынула из нее флешку и вставила в компьютер. Тайник у нее был в светильнике. В комнате было два малосимпатичных плафона, один давно уже не горел, но экономный завхоз решил, что комната маленькая, хватит Марине и одного. Так что если встать на стул и запихнуть косметичку в плафон, никто ничего не заметит.

Как только на экране Марина увидела лицо археолога — у нее словно пелена спала с глаз.

Этот человек чем-то был очень похож на мужа Камиллы, Георгия!

Ну да, светлые прозрачные глаза, твердый волевой подбородок, не вяжущийся с мягким, сдержанным характером Георгия, а больше того — характерные движения, жесты, мимика, наклон головы. Теперь Марина удивлялась, как сразу не заметила это сходство. Именно таким Георгий станет лет через двадцать.

Все встало на свои места.

Ведь Георгий говорил ей, что его дед был известным археологом, часто ездил в экспедиции на раскопки в страны Ближнего Востока. Все ясно — это он, дед Георгия, изображен на этих кадрах со своей молодой аспиранткой. И письмо, приложенное к файлу, написано им и адресовано какому-то коллеге.

Как флешка попала к Камилле — нетрудно догадаться: ведь она была женой Георгия, за годы совместной жизни она могла обследовать все его домашние архивы. Непонятно одно: зачем ей понадобились эти записи?

Марина поняла, что на этот вопрос ей может ответить только Георгий. И еще — она должна показать ему эту флешку, должна рассказать все, что знает.

Его мобильный был выключен, тогда она набрала домашний номер Георгия, в надежде, что он окажется дома.

И правда — трубку сняли почти сразу, но голос, который она услышала, был ей незнаком.

— Могу я попросить Георгия? — спросила Марина удивленно.

— А кто его спрашивает?

Отчего-то Марина почувствовала беспокойство.

— Это его знакомая, — ответила она уклончиво.

— А фамилия у вас есть, знакомая? — продолжил въедливый голос.

— Почему вас интересует моя фамилия? — проговорила Марина раздраженно, — Георгий дома?

— Нет, его нет дома.

— А что тогда вы делаете в его квартире? И где все же Георгий?

— Ну...

— Слушайте, что происходит? Я немедленно звоню в полицию! — закричала Марина. — Где хозяин квартиры?

— Георгий арестован. — В голосе незнакомца зазвенел металл. — А я провожу в его квартире следственные мероприятия. И прошу вас назвать свою фамилию.

— Арестован? — Марина растерялась. — За что? Почему?

— По подозрению в убийстве своей жены!

Вдруг в трубке раздался другой голос — глухой хрипловатый бас.

— С кем это ты разговариваешь, Мальков? Что это ты разглашаешь следственную информацию?

Затем тот же бас стал громче и проговорил, обращаясь к Марине:

— Кто это? С кем я говорю? Ваша фамилия!

Марина ничего не ответила и нажала кнопку отбоя.

Она удивленно и испуганно смотрела на телефон.

Георгий арестован, арестован по подозрению в убийстве Камиллы... ей трудно было в это поверить. Хотя... говорят же, что первым подозреваемым в случае убийства женщины оказывается муж жертвы, а в случае убийства мужчины — его жена...

Но Георгий не виновен в этом преступлении, она уверена! Ведь это немыслимо — подложить бомбу в машину постороннего человека, чтобы убить собственную жену!

В это время ей позвонил по местному телефону завхоз и позвал к себе — нужно было проверить проводку.

Спрятав косметичку в прежний тайник, Марина вышла из своей комнаты и, пройдя по коридору, оказалась в холле.

И тут входная дверь открылась, и в помещение студии вошел оператор Андрей, поддерживая под руку Сашу.

Но в каком она была виде!

Насквозь мокрая, с расцарапанным лицом и размазанной косметикой, она шла заметно прихрамывая и громко всхлипывала. Красная Маринина куртка была на ней, но капюшон у куртки полуоторван и едва держался.

— Боже мой! — вскрикнула Марина, шагнув навстречу. — Что с тобой случилось?

— Напали какие-то двое... — всхлипнула Саша. — Я через двор шла, и так-то дождь хлещет, а тут эти из подворотни выскочили... хорошо вот, Андрей их спугнул...

— А я иду через двор — смотрю: какие-то двое на девушку напали... сперва-то подумал, что это ты, Маринка...

— Я? — переспросила Марина. — Почему я?

И тут же сама поняла, почему: из-за этой красной курточки...

— Из-за куртки, — подтвердил Андрей ее догадку. — Я закричал, они и сбежали...

— Ужас какой! — воскликнула незаметно появившаяся в холле гримерша Лиля. — Это что же творится? Что же делается? Среди бела дня, прямо возле работы могут изнасиловать!

— Да никто меня не насиловал, — проговорила Саша, вытирая слезы, точнее — размазывая их по лицу.

— Да что ты говоришь? — В голосе Лили прозвучало несомненное разочарование. — А что же тогда им было нужно?

— Может, наркоманы? — подала голос подскочившая Соня. — Может, им деньги на дозу были нужны... Деньги-то отняли?

— Сумку вытряхнули, — ответил за Сашу Андрей. — Все на землю высыпали, я потом несколько минут собирал, но вроде, она говорит, ничего не пропало.

— И обшарили всю, — добавила Саша, — противно так...

— Может, все-таки хотели изнасиловать? — задумчиво протянула Лиля.

— Да нет, скорее, обыскивали...

— Но ничего не взяли?

— Вроде ничего. — Саша громко всхлипнула.

— Не успели, наверное, — авторитетно проговорила Соня. — Андрей же их спугнул!

— Может, и не успели... — поддержала разговор Марина.

— Но вообще-то они на наркоманов не похожи! — с сомнением протянул Андрей.

— Тебе, может, в больницу нужно? — забеспокоилась Соня.

— Да нет, у меня вроде все цело... — Саша вытерла слезы.

— А все-таки надо бы в больницу, — не сдавалась Соня. — Бывает, что сначала ничего не чувствуешь, от стресса, а потом оказывается, что какие-то серьезные травмы...

— Да не пугай ты ее, — взмолился Андрей. — Она и так вон какая расстроенная...

— Не надо мне ни в какую больницу, — пробормотала Саша. — Все у меня цело, только я в таком виде, в таком виде... — И она снова горько разрыдалась.

— Ну не плачь, не плачь! — попытался успокоить ее Андрей. — Ничего страшного, подумаешь, пара царапин и ссадин! Умойся, приведи себя в порядок да поезжай домой — я тебе такси вызову!

— Пара... царапин? — прорыдала Саша. — О чем ты говоришь! Я сегодня вечером с одним... одним человеком хотела встретиться, прическу сделала, а куда же я теперь в таком... в таком виде!

Она убежала в туалет, а Марина пошла к завхозу.

По дороге она обдумывала происшествие.

Все складывалось одно к одному.

Сначала у нее мотоциклист на улице вырвал сумку, потом кто-то взломал шкафчик с техникой, а теперь еще напали на Сашу. Ну да, вчера завхоз ворчал, что замок у шкафчика, где она хранит микрофоны, сломан. Замок был хлипкий, так что завхоз думал, что это у кого-то терпения не хватило ключ искать, торопился человек очень, да и дернул посильнее. Марина вчера еле оправдалась, что не она это. А сегодня вот на Сашку напали. Причем у Марины не было ни малейших сомнений, что напали на нее только из-за красной куртки с капюшоном. В этой куртке под сильным дождем Сашу перепутали с ней, Мариной... даже Андрей сказал, что в первый момент принял Сашу за нее...

И этот звонок ей на мобильный — отдай, мол, то, что взяла. А что она взяла? Да флешку, конечно. Но ее надо обязательно Георгию показать, потому что это его дед там, на флешке, это точно.

Тут Марина вспомнила, что Георгия арестовали, и остаток дня думала только об этом.

Дома застала она мужа — помятого, небритого и недовольного, хотела спросить, отчего он не на работе, но не стала нарываться на хамство. В конце концов, какое ей дело?

На кухне на столе стояла сковородка, в раковине валялась скорлупа от яиц.

Марина мысленно вздохнула — она выросла в маленьком городе, до семнадцати лет вообще жила в деревянном доме без удобств, а он — в Петербурге рос, и родители были относительно культурные люди. И тем не менее она лучше с голоду умрет, чем станет есть со сковородки, Тимка маленький и то у нее руками никогда не ел, сразу ложку держать научился, а Антон хлеб не режет, а ломает руками, борщ может из кастрюли есть. Мясо опять же от куска рвет, а после еды громко рыгает прямо за столом. Правда, он так делает только дома, когда его никто не видит, на людях может себя прилично вести, а при ней не стесняется, хоть и знает, что ее от его привычек трясет.

Впрочем, ее сейчас волнует не это.

Муж притопал на кухню, видно, хотелось ему поругаться и он лишь искал повод.

— Вечно жрать в доме нечего, — ворчливо начал он, — шляешься где-то, а хозяйство запущено!

Подразумевалось, что после таких слов Марина встрепенется, завертится на кухне и через полчаса подаст ему полный обед, извиняясь и кланяясь. Муж все съест, подобреет, и жизнь потихоньку войдет в прежнюю колею.

Однако Марина вовсе не собиралась его ублажать. Уж, по крайней мере, не сегодня.

— Георгия арестовали, — сказала она, никак не отреагировав на его откровенное хамство.

— Чего? — Муж удивленно выпучил глаза. — Какого Георгия? Ах, этого... — Казалось, он с трудом вспомнил, что у Камиллы был муж. — Ты откуда знаешь?

— Звонила ему, там у него обыск, мне и сообщили. Арестован, сказали, по подозрению в убийстве жены, — объяснила Марина.

— Жены? — Муж с размаху плюхнулся на стул.

Марина решила, что, если он спросит, какой жены, она просто треснет его поварешкой. Но он молчал. Потом хмыкнул и собрался уходить из кухни, сообразив, надо думать, что Марина не собирается кормить его сытным ужином.

— Стой! — крикнула Марина. — Ты понял, что я сказала? Или вообще мозги отказали?

— Чего тебе? — буркнул он, все же остановившись на пороге.

— Нужно, чтобы Жук нашел Георгию толкового адвоката. И как можно скорее, — твердо сказала Марина.

— С чего это вдруг? — Удивление Антона было искренним. — С какого перепоя я должен помогать этому слизняку?

— С того, что он этого не делал! — закричала Марина. — Скажи, ты можешь поверить, чтобы Георгий из ревности подложил мину в машину этого Борецкого?

— Ну, допустим, не могу, — ответил Антон, — слабо ему, это точно. Но пусть полиция разбирается.

— Ты прекрасно знаешь, что им лишь бы дело закрыть! А человек невинный пострадает.

— Да мне на него на...! — заорал муж. — Камиллы больше нету, так не все ли равно, как ее убили — по заказу или муж из ревности?

— Угу, муж, — Марина с трудом удерживала свою ярость, от этого говорила сдавленно, — или любовник. Или школьный друг. Или то и другое вместе.

На его взгляд она ответила твердым взглядом, он понял. И заюлил, забегал глазами.

— Я все знаю, — сказала Марина, — я видела все собственными глазами — в гостиной, на диване. И вот что тебе скажу: если Женька не найдет Георгию адвоката, я завтра же иду в полицию и сдаю вас им с потрохами. Вот пусть они там и разбираются — кто с кем спал, кто кого ревновал, как вы ее делили. Не все Георгию за вас отдуваться. Любишь кататься — люби и саночки возить.

— Сука... — прошипел он, — ты этого не сделаешь!

— Еще как сделаю. Вы, может, и отмажетесь, но к делу мои показания подошьют, станут вас на допросы тягать, у тебя на работе узнают, в общем, неприятностей огребешь выше крыши!

Он первым отвел глаза и ушел в спальню поговорить с Женькой.

Поздно вечером, когда муж давно спал, позвонил Плавунец и сказал Марине, что договорился с хорошим адвокатом, он завтра же приступает к делу.

— Спасибо, Женя. — Марина собиралась повесить трубку, но он что-то медлил.

— Ты это серьезно насчет полиции или просто Тоху решила попугать? — осведомился он.

— Абсолютно серьезно, — заверила его Марина, — и больше тебе скажу: если моего слова недостаточно, Вера тоже подтвердит.

— Вот как?

— Ага. Так что лучше бы твоему адвокату постараться.

— Ну-ну, — хмыкнул он и отключился.

Корабль шумеров медленно проплыл между сторожевыми башнями, миновал круглую бухту, вошел в широкий канал.

Этот канал плавной дугой проходил между высокими берегами, облицованными плитами белого камня. Наверху, над краями канала, виднелись строгие каменные постройки. Старый матрос, который уже бывал в Атлантиде, рассказал Шамику, что это — казармы воинов-атлантов, размещенные здесь на случай нападения врагов. Впрочем, какие враги могут быть у могущественных атлантов? Кто может осмелиться поднять руку на этих людей, подобных богам? Кому может прийти в голову столь безрассудная мысль?

Пройдя около пятидесяти стадиев по каналу, корабль снова свернул в широкие морские ворота. Поперек этих ворот была натянута огромная бронзовая цепь, которую при подходе корабля опустили на дно, чтобы он мог беспрепятственно войти во внутреннюю гавань.

Эта огромная гавань была вся заставлена многочисленными кораблями, прибывшими в Атлантиду со всех концов света.

Здесь были высокие триеры прирожденных моряков, жителей острова Крит и родственных им народов моря, эллинов, низкие и длинные корабли египтян, сплетенные из стеблей папируса и казавшиеся столь хрупкими, что трудно представить, как преодолевают они морские просторы, были пузатые, похожие на огромные бочки, джонки желтолицых жителей самых дальних краев — тех, где по утрам восходит солнце, были корабли эламитов — тяжелые, с квадратными носами и широкими квадратными парусами, сплетенными из речного тростника, были узкие приземистые ладьи с драконьими мордами на носу, на которых приплыли полудикие варвары холодного Севера, облаченные в одежды из шкур диких зверей.

Шамик во все глаза смотрел на эти удивительные корабли, на этих удивительных людей и едва не прозевал момент, когда их собственный корабль встал возле причальной стенки.

Отец позвал его в каюту. Там, несмотря на все протесты, Шамика нарядили в парадную одежду, в которой он чувствовал себя как раб в колодках — ни голову повернуть, ни рукой пошевелить.

— А тебе и не нужно вертеться, — сказал старый эламский раб, с самого детства приставленный к Шамику. — Ты — знатный молодой господин, тебе надлежит вести себя достойно...

— Стоять как столб! — проворчал Шамик, но спорить не стал: знал, что это бесполезно.

Переодевшись, он вышел на палубу и встал рядом с отцом.

Матросы перебросили на берег сходни, и шумеры по одному и по двое перебрались на берег.

Там их уже ждали какие-то важные люди, но Шамик смотрел во все глаза не на них, не на этих подобных богам атлантов — он увидел что-то более интересное.

По сторонам от встречавших их вельмож стояли рослые воины в сверкающих золотистых панцирях с изображением звезды, символа и герба Атлантиды, а рядом с каждым воином сидел на камнях огромный зверь, покрытый красно-желтыми полосами, зверь с длинными желтоватыми клыками, торчащими из пасти, как кривые кинжалы. Всего Шамик насчитал не меньше десятка таких чудовищ.

— Что это за звери? — тихонько спросил Шамик отца.

Но отец не ответил ему, только взглянул строго и нахмурил густые брови.

— Что это за звери? — повторил свой вопрос Шамик, приподнявшись на цыпочки, чтобы лучше видеть.

— Это боевые махайроды, — прошептал ему эламский раб, прятавшийся за спинами солдат. — Они беспрекословно слушаются своих повелителей, и никто не может устоять против них в бою!

— *Никто не может устоять...* — *восхищенно прошептал Шамик, поражаясь могуществу атлантов.*

— *Не вертись и веди себя как положено знатному молодому господину!* — *прошептал ему старый раб.*

Отец что-то говорил встречавшим их атлантам, египетский толмач быстро и толково переводил его слова и ответы атлантов, но Шамик не слушал — *он озирался по сторонам, насколько позволял ему жесткий воротник парадного одеяния.*

А здесь было на что посмотреть!

Чуть в стороне от причала суетились и сновали сотни и тысячи людей в ярких и удивительных одеждах: минойцы и эллины в белых льняных туниках, египтяне с выбритыми наголо головами, в длинных одеяниях из некрашеного полотна, финикийцы в пестрых шелковых накидках, желтолицые и узкоглазые обитатели отдаленных стран Азии, длинноволосые северные варвары, изнывающие от непривычной жары, и многие, многие другие.

Крепкие матросы и темнокожие нубийские рабы выгружали товары из кораблей и лодок, погонщики подгоняли к самой кромке причала ослов и мулов, лошадей и верблюдов, чтобы перегрузить на них тюки и ящики, привезенные со всех концов света.

Позади, за колышущейся многоцветной толпой, Шамик увидел огромное животное, похожее на серую гору, с длинным хоботом и большими белыми бивнями. На спине у этого удивительного зверя сидел маленький смуглый человек с острой палкой в руках. Этой палкой он тыкал ходячую гору, и гигантский зверь послушно шел туда, куда направлял его погонщик.

И над всем этим живым морем раздавались голоса людей, торгующихся и ссорящихся на сотнях наречий, гортанный рев верблюдов и ослов, ржание коней, блеяние коз.

Отец обменялся с атлантами подобающими случаю высокопарными речами, вручил соответствующие их чину подарки. Тут же подъехали запряженные четверками лошадей золоченые колесницы. Шамик с отцом сел в первую, самую нарядную, изукрашенную изображениями крылатых львов и махайродов. Внутри было тихо и прохладно — удобные сиденья, мягкие шелковые подушки. По сторонам и на запятках встали воины, остальные знатные шумеры погрузились в другие повозки, и колесницы отправились в путь.

От гавани широкая и ровная дорога вела в глубину острова. Эта дорога поднималась вверх по склону холма, извиваясь, как огромная змея. По сторонам от нее прятались в зелени садов красивые дома из белого камня. Дома эти казались Шамику столь богатыми, что при виде каждого он спрашивал отца:

— Это дом царя Атлантиды?

— Что ты, сынок! — отвечал тот с усмешкой. — Это дом какого-нибудь купца!

— Но уж это точно дом царя?

— Да нет, когда ты увидишь царский дворец, ты это сразу поймешь!

Дорога поднималась все выше и выше по холму, и каждый следующий дом был все богаче и красивее.

А потом Шамик увидел, что выше по склону холма проходит высокая каменная стена, украшенная по кромке квадратными зубцами. Колесница остановилась перед огромными медными воротами. Один из атлантов, сопровождавших отца, прокричал что-то на своем певучем языке, и ворота с громким скрипом отворились.

Шамик привстал, чтобы получше разглядеть то, что было за воротами.

А там было на что посмотреть!

За каменной стеной находился огромный сад. Каких только деревьев в нем не было! Пальмы и сикоморы, фику-

сы и олеандры, и такие диковинные деревья, каких Шамик никогда не видел. Среди этих деревьев змеились многочисленные дорожки, журчали ручейки, гремели маленькие водопады, темнели спрятанные в тени деревьев таинственные гроты. По краям дорожек пестрели необыкновенные цветы — огненно-красные и пурпурные, золотистые, как солнце, и голубые, как небо. И с цветка на цветок перепархивали тысячи разноцветных бабочек — как будто такие же цветы, только живые.

Воздух в этом саду был напоен ароматом апельсинов и лавров, магнолий и роз.

Шумеры притихли, пораженные окружающей красотой. Колесницы медленно катились по аллее среди этого сказочного сада.

— Отец, — проговорил Шамик, вертя головой, — это и есть райский сад, о котором мне рассказывал старый жрец Амаш-Кин? Это и есть тот сад, в котором жили самые первые люди, пока великий бог Энлиль не разгневался на них?

— Это — райский сад, — негромко ответил отец, — но не тот, в котором жили наши предки. Атланты верно служат своим богам, приносят им обильные жертвы, и потому боги милостивы к ним. Они не выгоняют их из райского сада, они даруют им великое могущество и множество удивительных чудес.

— И вечную жизнь?

— Должно быть, и вечную жизнь...

За разговором колесница миновала чудесный сад и выехала к большой поляне, посреди которой высился удивительный дом.

Теперь Шамик понял, что рядом с этим домом все прежние кажутся жалкими лачугами.

У этого дома были огромные окна, и стены, покрытые золотистой чешуей, как сказочный морской дракон, и вы-

сокие башни по углам. А по сторонам от дверей неподвижно стояли воины в золотых панцирях, с боевыми махайродами на привязи.

— Я знаю, это дворец царя Атлантиды! — воскликнул Шамик в восторге.

— Нет, и это еще не царский дворец! — возразил ему отец. — Этот дом пожаловал нам великий царь Атланти-ды на время, которое мы проведем у него в гостях.

— Какой же дворец у самого царя?

— Ты скоро увидишь его, мой мальчик!

Шумеры покинули колесницы и проследовали во дворец.

Здесь чудеса поджидали их на каждом шагу: в одной из комнат из стены бил настоящий родник с прозрачной и чи-стой ключевой водой, в другой находилась огромная клетка, в которой порхали удивительные птицы, которые при по-явлении гостей закричали человеческими голосами:

— Слава владыке мира, царю Атлантиды Гаару, да бу-дут дни его бесконечны!

— Правду говорили об атлантах! — проговорил восхи-щенный Шамик. — Нет числа чудесам в их городе!

— Ты еще не видел и малой части этих чудес! — прого-ворил старый эламский раб. — А теперь, молодой господин, тебе следует умыться после дороги, чтобы атланты не по-думали, что мы, шумеры, — неотесанная деревенщина!

Капитан Севрюгин мрачно смотрел на разложенные перед ним фотографии. Что-то в них его не устраивало, что-то было неправильным, но что — он никак не мог понять...

Он уставился на один из снимков — тот, где покойная Нежданова сидела с солидным мужчиной за столиком ресторана. Что-то здесь определенно не так...

Вдруг дверь кабинета с шумом распахнулась, и в кабинет ввалился невысокий полноватый человек лет пятидесяти, в дорогом, но помятом и неопрятном костюме, с круглой лысиной, окруженной венчиком седеющих волос.

— Лев Львович Левобережный! — представился он с порога. — Член коллегии адвокатов. В данном случае представляю интересы господина Успенского.

Выпалив эту тираду, он, не спрашивая разрешения, плюхнулся на стул перед столом Севрюгина и протянул тому свою визитку.

Капитан мрачно уставился на картонный прямоугольник с золотым обрезом, потом перевел взгляд на его владельца. Отметил сбитый на сторону галстук, пятно на воротнике рубашки. Адвокат тем временем вытащил из кармана пачку сигарет.

— Вы позволите?

— Курите, курите... — махнул рукой Севрюгин.

Сам капитан бросил курить месяц назад, поэтому вид курящего человека действовал ему на нервы. Впрочем, появление адвоката в любом случае не предвещало ничего хорошего.

Адвокат вытащил из пачки сигарету, вторую предложил капитану, но тот жестом отказался. Адвокат зажал сигарету в зубах, щелкнул серебряной зажигалкой, выпустил клуб дыма и проговорил:

— Итак, какие у вас имеются основания для ареста моего подзащитного?

— Веские основания, — отозвался Севрюгин. — Ваш подзащитный нанял детектива для слежки за своей женой, гражданкой Неждановой. Детективное агентство представило ему многочисленные доказательства измен жены, после чего он опять же нанял киллера, который установил взрывное устройство в машине, где его жена ехала с очередным любовником... согласитесь, вырисовывается малоприятная картина...

— Извините, но это только ваши предположения! — Адвокат зажал сигарету между пальцев и взмахнул ею в воздухе. При этом пепел просыпался на стол.

Севрюгин пододвинул ему стеклянную пепельницу и проговорил язвительно:

— Предположения? А вот это, по-вашему, что — предположения? — С этими словами он сдвинул к адвокату стопку фотографий.

Адвокат молча уставился на эти снимки. Сигарета его погасла, он опять щелкнул зажигалкой, разложил фотографии веером, еще раз переложил. При этом он, видимо, нервничал — сигарета у него то и дело гасла, и он снова и снова ее зажигал.

— Что скажете? — проговорил Севрюгин, когда молчание затянулось. — Разве это не убедительные доказательства?

— Доказательства чего? — Адвокат небрежно оттолкнул фотографии обратно к Севрюгину. — И самое главное — как эти доказательства были получены? Вы их обнаружили в результате законных следственных мероприятий? В результате документально оформленного обыска, с ордером и понятыми?

— Успенский сам выронил эти фотографии из конверта, я их у него не изымал... — уныло протянул Севрюгин. Он прекрасно понимал, что опытный адвокат может найти в его действиях кучу процессуальных нарушений.

— А как вы оказались в нужное время в нужном месте? — не унимался адвокат. — Как вы узнали, что мой подзащитный именно в это время будет извлекать конверт из абонентского ящика?

— Я получил информацию из надежного источника, — неохотно проворчал капитан.

— А имя у этого источника имеется?

— Я не обязан...

— Конечно, не обязаны! — замахал руками адвокат. — Я вам ничего подобного и не говорил! Только мне отчего-то кажется, что вы и сами не знаете этого имени. Короче говоря, вы действовали на основании анонимного звонка, а это, извините, является серьезным процессуальным нарушением!

Ну вот, подумал Севрюгин, доплыли и до процессуальных нарушений. Любимые слова каждого адвоката по уголовным делам. Одно хорошо — начальство тоже не уважает эту отмазку, и на одних процессуальных нарушениях защиту не построишь...

— Что ж, — адвокат неожиданно улыбнулся, — думаю, для первой встречи мы поговорили достаточно, не смею занимать ваше время. Но надеюсь, что скоро мы с вами снова встретимся!

С этими словами он затушил сигарету, поднялся из-за стола и выкатился из кабинета.

Севрюгин долго смотрел ему вслед и думал.

Почему адвокат так недолго у него пробыл? Почему не оставил никаких официальных бумаг — протеста по процессуальным вопросам, требования об изменении меры пресечения?

Марина не торопилась домой, потому что не хотелось встречаться с мужем. Снова они станут ругаться, а толку? А так есть слабая надежда, что он выпьет и уснет до ее прихода.

С другой стороны, голос вчера у Плавунца был трезвый, так что, надо думать, помянули они подругу три вечера подряд да и решили, что хватит, жизнь продолжается. У Женьки-то да, а вот у Антона жизнь в будущем изменится. Наверно, все же придется разводиться. От этой мысли Марина пришла в самое мрачное состояние духа.

Она шла по пустым коридорам, только в студии за плотно закрытыми дверями шли ночные съемки. Не стала срезать путь через двор — еще не хватало, именно там на Сашку напали, — а вышла на проспект.

Было довольно светло — белые ночи. Народу навстречу попадалось порядочно: веселые компании молодежи, парочки, просто гуляющие, даже с детьми. Она почти дошла — только перейти узкий переулок, и будет остановка.

И вот когда она задержалась у перехода, из переулка выехала большая черная машина и притормозила рядом с Мариной. Из машины выскочили двое парней в одинаковых темных костюмах, подхватили Марину под локти и...

— Помогите! — закричала Марина. — Убивают!

— Тише... — прошипел кто-то ей в ухо. — Не надо шуметь...

Марина попыталась вырваться, но эти двое держали крепко. Тогда она поджала ноги и повисла у них в руках всем весом, при этом орала во все горло. Уловка сработала, один из парней отпустил ее локоть и попытался зажать рот рукой. Второй не удержал, Марина упала на колени, тот, первый, стал ее поднимать, и вот тогда она с размаху вонзила зубы в его запястье. Она слышала, как парень сдавленно крикнул, а другой рукой дернул ее за волосы.

Не знал он, что детство Марины проходило в маленьком городке, где вечерами выползало на улицы ужасающее количество шпаны. Между собою сходились они в драках, имея в руках дубинки и свинчатки, припозднившегося прохожего могли пощекотать ножичком, а вот завалить девчонку можно было только голыми руками. Причем один на один, такой у них был свой бандитский кодекс. Поэтому очень рано учились девочки обороняться.

Как видно, эти двое никогда не жили в небольших городках и не представляли себе, как провинциальная девушка может защищать свою жизнь.

Оторвать Марину от запястья нападавшего можно было только с головой, так что на боль от рывка за волосы она не обратила внимания, а лишь сильнее сжала зубы. Когда она почувствовала во рту вкус крови, тот взвыл и отпустил ее волосы. Они подтащили Марину к машине, укушенный влез на заднее сиденье задом, таща Марину за собой волоком, потому что руками она вцепилась в его костюм, и вот уже затрещал карман.

Второй похититель подхватил ее за ноги и впихивал в машину. Напоследок она умудрилась вырвать ногу, лягнуть его и, судя по крику, попасть во что-то нужное и уязвимое.

Но все же им удалось втянуть ее в машину. И что интересно, улица, только что полная гуляющих людей, сейчас как вымерла. Никого не было, все попрятались по щелям да по норам. Ужас, что за народ!

Второй похититель влез вслед за ней на заднее сиденье машины и нажал руками Марине на челюсть, как бульдогу. Пришлось разжать зубы. Но зато Марина, отстранившись, тут же залепила укушенному хорошую пощечину. Тут уж они взяли ее в клещи, зажали между собой.

— Поехали! — крикнул второй похититель.

— Поосторожней там, — буркнул водитель, не оборачиваясь, — чехлы мне кровью не замажьте!

Марина приняла было это замечание на свой счет и здорово испугалась, но слова водителя относились к первому похитителю. Он зажимал рукой укус на запястье, и носовой платок был весь красный от крови.

Марина почувствовала настоящее удовлетворение, но вслух ничего не сказала.

Машина ехала по свободным улицам, ее похитители молчали, и Марина забеспокоилась. Кто эти люди? Наверняка их послал тот тип, что звонил ей по телефону. Велел же он отдать ему то, что она взяла у Камиллы, а теперь вот похитил. А вдруг он станет ее пытать? Черт с ним, Марина бы отдала ему флешку, но она осталась на студии... Ладно, тогда поторгуемся.

Марина не стала канючить и жалобно спрашивать, куда ее везут, все равно эти уроды ничего не скажут. Ишь, этот косится, с рукой прокушенной. Тоже мне, двое здоровенных парней с одной женщиной справиться не смогли!

Машина внезапно остановилась возле современного здания с огромными окнами голубого стекла.

— Выходи! — скомандовал второй похититель. — Да тихо, все равно никто не услышит.

Марина прикинула: если сейчас выскочить, этого двинуть сумкой, второй же все равно не боец — вон, весь бледный от вида собственной крови. Не получится — охранник из дверей выглядывает, да тут еще водитель.

Она вышла сама, негодующе фыркнув, когда парень поддержал ее за руку.

Охранник на входе ничего не сказал, только окинул всю троицу насмешливым взглядом. И то сказать — первый похититель зажимал прокушенную руку, второй крепко держал Марину за локоть и смотрел перед собой мрачно, костюм его был весь в пыли и пятнах — Марина успела здорово попинать его ногами, когда похитители запихивали ее в машину.

Они вошли в кабину лифта. То, что увидела Марина в зеркале, очень ей не понравилось: волосы растрепаны, помада смазана, платье надорвано на плече. Вечер был теплый, и она не надела куртку.

Немного повышало настроение то, что когда эти двое увидели себя в зеркале, то расстроились едва ли не больше ее. Однако, приехав на верхний этаж, они, никуда не сворачивая, повели ее по длинному, скудно освещенному коридору. Марина завертела головой, пытаясь прочитать то, что написано было на дверях, но провожатый сильно дернул ее за локоть — быстрее иди.

Они вошли в большую комнату, куда выходили три двери. Был там стол с компьютером, шкаф для бумаг и кресла для посетителей. Приемная была пуста — никто не сидел ни в креслах, ни за столом. Марина заметила возле кресел на журнальном столике кучу ярких проспектов. Удалось прочитать только слово «Анкор».

Ах, вот куда она попала. Это же фирма, владельцем которой был Борецкий. Тот самый, которого взорвали в собственной машине вместе с Камиллой!

Марина отвлеклась на эти мысли и не успела прочитать табличку на дверях кабинета.

Кабинет был не очень большой. И не очень уютный. Для работы, в общем, а не для посиделок. Хозяин кабинета стоял у окна, рассматривая панораму города. Он повернулся на звук открываемой двери и не сумел скрыть изумления при виде их помятой троицы.

— В чем дело? — нахмурился он. — Вы что — в аварию попали?

— Нет... — уныло промямлил тот похититель, что был поздоровее, — она... она...

— Вижу, что она, — вздохнул хозяин кабинета, — свободны пока. Не задерживаю.

— Но...

— После поговорим. — В голосе его послышалось такое, что Марина уверилась: этим двоим мало не покажется. — В медпункт этого отведи, — недовольно буркнул начальник, — а то кровью истечет. Что же вы, Марина Викторовна, так сильно его укусили?

«Жалко, что насмерть не загрызла», — подумала Марина.

Мысль эта, надо думать, отразилась у нее на лице, поскольку хозяин кабинета помрачнел и мановением руки отпустил своих незадачливых подчиненных.

Марина бросила на него взгляд исподтишка. Лет ему около сорока, костюм сидит отлично, от всей фигуры веет жесткостью и внутренней силой.

— Присаживайтесь. — Он кивнул на стулья возле своего стола. Марина выбрала самый простой, с жесткой спинкой, и села на краешек.

— Выпить чего-нибудь, чаю? — бросил он.

— Водички простой, без газа...

Он сам принес ей воды из приемной, не стал никого вызывать. Да никого и не было. Пока он ходил, Марина успела пригладить волосы и вытереть размазавшуюся помаду.

— Теперь позвольте представиться, — сказал он, сев напротив, — Вячеслав Петрович Веретенников, заместитель директора по безопасности фирмы «Анкор».

— Заместитель того самого Борецкого? — Марина сделала вид, что впервые услышала название фирмы.

— Да, ныне, к сожалению, покойного, — он бросил на нее пронизывающий взгляд, от которого Марине стало неуютно.

Глаза у него были серыми и очень холодными, наверное, даже когда он улыбается, они остаются такими же. Впрочем, сейчас этот человек вовсе не собирался улыбаться, он глядел на Марину холодно, испытующе и очень серьезно.

— Я пригласил вас, чтобы задать несколько вопросов, поскольку вы являетесь непосредственным свидетелем происшествия.

— Я уже все рассказала в полиции, — встрепенулась Марина.

— Как вы понимаете, мы проводим собственное расследование, — в голосе этого человека появились особенно жесткие нотки, — и я все же намерен задать вам свои вопросы. И выслушать ваши ответы.

Марина поняла, что с этим человеком лучше не спорить, а притвориться испуганной и глупой. В самом деле: кто она такая? Девочка на побегушках, у таких ума немного. Была бы умная, так нашла бы работу получше.

Ее визави со своей стороны думал, что девчонка не так проста, как кажется. Ишь как отделала его орлов! То есть какие они орлы? Индюки щипаные, петухи вареные... ох, беда с персоналом, ничего нормально сделать не могут!

— Для начала позвольте извиниться перед вами за своих сотрудников. Им было велено вежливо пригласить вас проехать с ними. Они же превысили свои полномочия и, разумеется, будут сурово наказаны.

«Врет, — поняла Марина, — не велел он этим придуркам передо мной расшаркиваться, наоборот, он велел схватить меня и везти. Чтобы тут я со страху все ему немедленно выложила. На него небось свое начальство давит. Хоть и сидит в таком кабинете, а все равно наемный работник, подневольный человек. А тут небось компаньоны, наследники этого Борецкого. Так что нечего ему на меня так пронизывающе смотреть. Если такой умный, то чего ж не уберег своего хозяина от взрыва? Тоже мне, зам по безопасности...»

Она тут же опустила глаза в стол, чтобы этот тип ничего не сумел в них прочитать. На миг возникла мысль — рассказать ему все как есть. Что, допустим, видела, как Камилла выронила флешку, не успела ее отдать, а теперь ей звонит какой-то тип и требует эту злополучную флешку. Про подозрительного пожарного, про нападение на Сашу в ее курточке. И пускай этот Веретенников, или как его там, все это расследует. У него-то возможностей больше. Но Марина тут же отказалась от этой мысли. Станет он заморачиваться, уж ее-то защищать точно не будет! Нет, лучше поменьше трепаться.

Отвечая на его вопросы, она немногословно рассказала все то, что уже известно было в полиции.

— И вот, машина взорвалась...

— А вы не знаете, для чего она хотела встретиться с господином Борецким?

— Понятия не имею, — Марина пожала плечами, — она никому не рассказывала о своих планах.

— Ее шеф про это ничего не знает... — медленно проговорил Веретенников, — и никто на канале. Как мне удалось выяснить, она ни с кем на канале не общалась, так сказать, неформально. Но вы — другое дело, ведь вас взяли на работу по ее рекомендации.

— Откуда вы знаете? — Марина даже привстала с места.

— Такая уж работа — все знать, — ответил он, — так вот, Марина Викторовна, я ведь знаю, что вы с Неждановой дружили.

— Я? С ней? — Марина рассмеялась. — Ну, тут вы все же ошибаетесь. Я просто попала в их компанию школьных друзей. Вот они действительно дружат много лет. А мы, мужья и жены, — так, нас только терпели. Так что мы с Камиллой не общались, тем более на работе — кто я и кто она?

— И даже словечком не перекинулись перед ее уходом? Пока-пока, мол, еду с таким-то туда-то... и в таком духе.

— Вот чего не было, того не было, — твердо ответила Марина, — она торопилась очень, меня вообще не заметила.

— Ну ладно, — он вздохнул разочарованно и протянул ей твердый прямоугольник визитки с золотым обрезом, — если что вспомните, то позвоните мне.

— Всенепременнейше, — вытащила Марина из памяти словечко Георгия, а про себя подумала: «Дожидайся!»

Ее проводить явился только один из похитителей.

— Генка-то в больнице, кровь остановить не могут, — сказал он, когда они ехали в лифте.

Марина пожала плечами.

— Ты, может, ядовитая? — не унимался парень.

Марина скосила глаза и с удивлением поняла, что он с ней заигрывает. Нет, ну каких же идиотов нанимает на работу этот Веретенников!

Водитель сказал, что отвезет ее на то же место, где взяли. Марина уговорила его поменять маршрут и отвезти до дома.

Когда она тихонько открыла дверь квартиры, из спальни был слышен заливистый храп мужа. Марина взяла подушку и одеяло и легла в Тимкиной комнате.

Капитан Севрюгин пришел на работу в самом отвратительном настроении. Утром его обхамила соседка, чья собака гадила перед самым подъездом. И ведь знает же противная баба, что он в полиции служит, а вот нисколько не боится!

Потом он застрял в пробке, а когда попытался эту пробку объехать — поцарапал крыло машины о фонарный столб. А самое главное — его точил червячок сомнения в деле Успенского. Что-то в этом деле было определенно не так...

Капитан сел за стол, достал из сейфа фотографии и снова уставился на них.

И тут, точно так же как вчера, с грохотом распахнулась дверь и в кабинет вкатился адвокат Левобережный. Его лысина отражала свет как зеркало, но сегодня и круглая физиономия адвоката сияла как медный самовар.

— Рад вас видеть! — промурлыкал адвокат, как сытый кот, и плюхнулся на прежнее место.

— Не могу ответить тем же... — хмуро проворчал Севрюгин. — Чему обязан?

— Очень удачно, что вы уже приготовили ваши, гм... убедительные доказательства! — Он указал большим пальцем на стопку фотографий. — Очень удачно!

— Вы курите, не стесняйтесь, — проговорил Севрюгин, вспомнив правила вежливости.

— Курить? — переспросил адвокат. — Извините, бросил! Курение ведь, вы знаете, очень вредно для здоровья! Минздрав предупреждает, и все такое прочее...

— Да? — Капитан не смог сдержать свое удивление. — Но еще вчера вы курили, да еще как...

— Вчера — курил, а сегодня бросил...

— Надо же, как это у вас легко вышло... ну ладно, это здесь ни при чем... что вы там говорили про эти фотографии?

Адвокат по-хозяйски придвинул к себе снимки и быстрыми движениями разделил их на две стопки.

— Начнем вот с этих, — он показал на правую стопку, — так сказать, более невинных. Вот на этой фотографии вас ничто не смущает?

Адвокат ткнул пальцем в ту самую фотографию, которую и сам Севрюгин накануне разглядывал с сомнением. Хотя сам не мог понять причину этого сомнения.

— Вы совершенно правы, — проговорил адвокат, хотя Севрюгин не сказал ни слова. — Счет!

— Какой счет? — переспросил капитан.

— Видите, они уже закончили обед, и им принесли счет. Но возле кого он лежит? Обычно счет подают мужчине, а здесь он — возле покойной госпожи Неждановой. А что это значит?

Севрюгин уже понял, что это значит, но адвокат, привыкший все объяснять и разжевывать, и сейчас не мог остановиться.

— Это значит, что госпожа Нежданова оплачивала этот обед. Что, в свою очередь, может означать только одно — что обед этот вовсе не романтический, а деловой, сугубо официальный.

— Это лишь ваши предположения... — начал было Севрюгин, хотя и понимал, что адвокат совершенно прав.

— Верно, предположения, но эти предположения натолкнули меня на определенные мысли и действия. Вот посмотрите, — ткнул он в фотографию тупым концом роскошной ручки. — На стене ресторана развешены красно-бело-зеленые розетки, цветов итальянского флага. Я поинтересовался и узнал, что такие розетки в Италии развешивают во всех общественных местах второго июня, в день провозглашения Итальянской Республики. Ресторан, в котором сделан этот снимок, — итальянский, и значит, мы можем уверенно сказать, что этот снимок сделан именно в этот день.

— И какие выводы вы из этого сделали? — спросил Севрюгин, который невольно увлекся рассуждениями адвоката.

— Не только выводы! — воскликнул тот, размахивая маленькими ручками. — Я навел справки на телестудии, где работала покойная госпожа Нежданова, и выяснил, что именно второго июня по распоряжению директора она встречалась с важным заказчиком — владельцем кондитерской фабрики господином Кукушкиным, который планировал разместить у них рекламу. Я нашел фотографию господина Кукушкина, вот она! — Адвокат ловко, как фокусник извлекает из шляпы кролика, вытащил из кармана фотографию солидного мужчины. — Вы не находите, что это тот же самый человек?

— Да, это он, — неохотно признал Севрюгин, сравнив две фотографии.

— Вот видите — вы со мной согласны, значит, это не романтическое свидание, а сугубо деловой обед. И то же самое мы можем сказать про все остальные фотографии из этой стопочки...

— Но это ничего не значит... — запротестовал капитан Севрюгин. — У нас ведь есть другие снимки, гораздо более важные...

С этими словами он показал на вторую стопку фотографий — ту, где покойная Камилла Нежданова была запечатлена в интимной обстановке.

— Согласен, с этими фотографиями дело обстоит несколько сложнее, — кивнул адвокат. — Запечатленные на них встречи никак не назовешь деловыми. С ними мне пришлось немного повозиться — то есть не мне, конечно, у меня есть помощница, очень толковая молодая девушка, которая прекрасно разбирается в компьютерах, программах и прочем... — Адвокат вздохнул. — Вот иногда говорят, что современная молодежь ленивая и легкомысленная, но я уверяю вас: это не так!

— Вы что, пришли ко мне про молодежь разговаривать? — хмуро процедил Севрюгин.

— Нет, нет, ни в коем случае! — Адвокат замахал руками. — Я просто хотел ввести вас в курс дела... в общем, моя помощница перешерстила Интернет и нашла там несколько любопытных фильмов. Честно вам скажу — фильмы эти немного сомнительного содержания, из возрастной категории «18+», хотя я бы не рекомендовал их до двадцати одного года. Вот, скажем, фильм «Судьба Луизы»... — Адвокат выложил на стол два снимка. — Это кадры из этого фильма. Они не кажутся вам знакомыми?

Севрюгин посмотрел на откровенный кадр из порнофильма — и сравнил его с одной из фотографий Успенского, которую ему заботливо подложил адвокат. Невооруженным глазом было видно, что это — тот же самый снимок, только лицо женщины было заменено.

— А вот это — из фильма «Веселый водопроводчик». — Адвокат выложил еще один кадр и положил рядом с фотографией из конверта. — Знаете, в детских журналах печатали такие картинки, на которых нужно было найти десять отличий? Так вот здесь десяти отличий не найдешь, максимум — одно: на этом снимке — лицо госпожи Неждановой, а на этом — лицо... гм... актрисы.

— И что — так со всеми фотографиями? — безнадежным тоном протянул Севрюгин.

— Нет, не со всеми. Есть одно исключение.

Адвокат вытащил из стопки капитана один снимок — довольно невинный на фоне остальных.

— Вот этот кадр моя помощница не нашла.

— Ага! — оживился Севрюгин.

— И вовсе не «ага», — скучным голосом возразил адвокат. — Собственно, этот кадр она и не искала, за ненадобностью. Потому что сразу узнала изображенного на нем мужчину. А вы не узнаете?

Капитан присмотрелся к фотографии. Лицо мужчины и правда показалось ему смутно знакомым, но уверенности не было. Он вопросительно взглянул на адвоката.

— Плохо вы знаете современное кино, — вздохнул тот. — Впрочем, это вполне простительно: вы человек очень занятой, вам некогда следить за кинематографом. Но могу вам по дружбе сообщить, что это — Джон Кьюни, знаменитый американский актер, обладатель двух «Оскаров», Золотой пальмовой ветви Каннского кинофестиваля и чертовой кучи всяких других премий и наград...

Адвокат сделал небольшую паузу, чтобы Севрюгин смог оценить его слова, затем продолжил:

— И на всякий случай добавлю, чтобы предупредить возможные вопросы: данный персонаж в России никогда не бывал и с госпожой Неждановой нигде не пересекался.

Севрюгин молча переваривал услышанное. Адвокат тоже немного помолчал, но потом добавил — видимо, он от природы не мог долго сохранять молчание:

— Честно говоря, с этой фотографией они немного подхалтурили. Уж этого-то господина кто угодно мог опознать...

— Значит, монтаж? — проговорил Севрюгин после продолжительной паузы.

— Монтаж, причем весьма качественный, — подтвердил адвокат. — Чисто компьютерными средствами моя помощница не смогла его определить, места склейки не просматриваются. Но так получилось даже убедительнее, не правда ли...

Он открыл свой потрепанный портфель, достал оттуда несколько листков с подписями и печатями и проговорил с прежним выражением сытого кота:

— Вот, дорогой капитан, ознакомьтесь. На основании моих аргументов прокурор признал арест моего подзащитного господина Успенского неправомерным и распорядился его немедленно отпустить.

Севрюгин вздохнул и принялся читать бумагу.

— Со своей стороны... — продолжал адвокат, — со своей стороны могу вас заверить, что господин Успенский до окончания следствия никуда не уедет и будет находиться в полном вашем распоряжении.

«Подсластил пилюлю!» — подумал Севрюгин, возвращая адвокату постановление.

Тот еще что-то говорил, но капитан его уже не слушал. Он ломал голову над удивительной загадкой: как этот адвокат сумел всего за один день провести такое полноценное расследование?

Выходит, не зря этой братии платят такие большие деньги?

И еще одно не давало Севрюгину покоя.

Все свое расследование адвокат построил на изучении фотографий из конверта Успенского — но ведь он, Севрюгин, не давал ему этих фотографий! Они все время лежали у него в сейфе!

Как же так?

И тут до него дошло.

Он вспомнил, что коварный адвокат вчера курил как паровоз — и при этом у него то и дело гасла сигарета, и он снова зажигал ее, щелкая своей серебряной зажигалкой... а сегодня он совсем не курит, говорит, что бросил! Как будто это так легко...

Капитан тяжело вздохнул и обратился к адвокату, который все еще что-то говорил, непрерывно жестикулируя:

— А позвольте взглянуть на вашу зажигалку!

— Зажигалку? — переспросил адвокат, и в глазах его заплясали искорки. — Какую зажигалку?

— Ну, как же, вчера вы пользовались такой красивой серебряной зажигалкой... а я, знаете ли, очень интересуюсь зажигалками, одно время даже собирал их...

— Ах та, что вчера! — Адвокат сделал невинные глаза. — Вчера у меня действительно имелась зажигалка, но я ведь бросил курить, вот и не взял ее, чтобы не было соблазна.

«Все ясно, — подумал Севрюгин. — В зажигалке у него фотоаппарат. Он переснял все фотографии и потом поработал с ними. Ну, ничего не скажешь — профессионал!»

— Но если вы действительно коллекционируете зажигалки, — проговорил адвокат, поднимаясь со стула, — я буду иметь это в виду и подарю вам какой-нибудь интересный экземпляр...

— Но не тот, который был у вас вчера? — уточнил Севрюгин.

— Насчет той зажигалки ничего не обещаю, — адвокат развел руками, — кажется, я ее потерял...

После ухода адвоката капитан Севрюгин заскучал. Этому способствовали несколько причин.

Во-первых, подозреваемого Успенского пришлось отпустить, поскольку адвокат Левобережный разбил все улики в пух и прах.

Во-вторых, Севрюгина задело то, как быстро адвокат догадался, что улики подстроены. А он, Севрюгин, ведь сомневался же, но сидел как сыч и пялился на эти фотки, вместо того чтобы включить мозги и хотя бы сообразить про счет, поданный самой Неждановой.

Капитан увидел перед собой насмешливые глаза адвоката. Да, тот, кто замыслил так откровенно подставить муж потерпевшей, наверняка считал сотрудников полиции полными идиотами. Каковым он, капитан Севрюгин, и оказался.

Капитан вздохнул особенно тяжко. Он предчувствовал, что ему выскажет начальник завтра на совещании.

Стало быть, убийство из ревности отпадает. И тогда снова надо искать, кому была выгодна смерть Борецкого. А это, Севрюгин знает твердо, дохлый номер.

Но все-таки кто-то же подсунул эти снимки в тот абонентский ящик. И позвонил Севрюгину, чтобы он встречал Успенского на почте. А до того позвонил самому Георгию Успенскому, чтобы послать его на почту и организовать там их как бы случайную встречу. Успенский утверждает, что ему звонили совершенно по другому делу, якобы чтобы нанять его для поисков дворянских предков. Тоже люди совсем одурели, на что деньги тратят...

Но капитан выяснил после ареста Успенского, что звонок на его мобильный был сделан из того самого агентства «Ястребиный глаз», которое сделало фотографии. Стало быть, подозреваемый врет, на основании чего его и задержали.

Но ведь звонок определенно был.

Капитан Севрюгин воспрянул духом, у него появилась возможность завтра на совещании хоть чуть-чуть оправдаться.

Звонок Женьки Плавунца настиг Марину в аппаратной.

— Выпустили его.

— Да? — Она не сумела скрыть прозвучавшей в голосе радости.

— Ага. Причем не меру пресечения изменили, а обвинения предъявлять не стали. Доказательства все липовые оказались.

— Да? И что же...

— Там снимки, где она... — Женька осторожничал и не упоминал по телефону никаких имен, — в общем, с мужиками разными... все монтаж, такого быть никак не могло...

— Угу, — многозначительно хмыкнула Марина и добавила про себя: «Она только с вами...»

Тем не менее Женька понял, не зря его бывшая жена Лидия говорила, что он не полный чурбан.

— Слушай... — он помолчал неуверенно, — ты не вмешивайся в это дело. Опасно это. Там все непросто. Пускай уж они сами разбираются. Им ведь только намек дай — потом не отвяжутся.

«Уже вмешалась, — подумала Марина, — когда эту проклятую флешку у нее утащила. А Женька еще не знает, что ко мне эти, из «Анкора», привязались...»

— Поняла тебя. Спасибо, Женя.

— Не за что, — хмыкнул он, — скажи Георгию, чтобы не беспокоился, адвокату я сам заплатил, не обеднею...

Повесив трубку, Марина подумала немного и позвонила Георгию.

Георгий, кажется, был рад ее звонку, во всяком случае, она предпочитала так думать.

— Нам нужно поговорить, — сказала Марина после обычных вопросов. — Я узнала кое-что важное.

— Я приеду к тебе после работы, — предложил Георгий, поняв по ее тону, что разговор предстоит не телефонный.

— Нет, лучше я! — возразила Марина. Ей вовсе не хотелось, чтобы Георгий разговаривал при муже, да и вообще — с некоторых пор собственная квартира не вызывала у нее никаких теплых чувств. Возможно, когда Тимка вернется...

— Да, конечно... — неуверенно протянул Георгий. — Только у меня не прибрано...

— Ой, да брось ты! — Марина мысленно усмехнулась. — Как будто это имеет значение...

Она еле дождалась окончания рабочего дня. Пыталась думать, как построить разговор с Георгием, но никаких мыслей не было в голове.

Наконец она решила положиться на вдохновение и через час уже стояла перед его подъездом.

Перед тем как нажать кнопки домофона, Марина невольно залюбовалась окружающим ее уголком города. Чудесные дома, несомненно помнившие Пушкина, отражались в серо-голубой воде Мойки. С того места, где стояла Марина, была видна Зимняя канавка, по другую сторону реки начинались дворы Капеллы, да и до Бироновых конюшен, знаменитого дома на Мойке, 12, где находилась последняя квартира Пушкина, было не больше двух минут ходу. Все это рассказывал ей Георгий — и про Пушкина, и про дворы Капеллы, и про арию Лизы из «Пиковой дамы», после которой она якобы бросилась в Зимнюю канавку, да как там утонуть-то можно...

Марина набрала на домофоне номер квартиры, назвала себя и поднялась на третий этаж, где жил Георгий.

Он уже ждал ее возле открытой двери.

За то время, что они не виделись, Георгий заметно похудел и осунулся — близкое знакомство с полицией никому не идет на пользу.

— Привет, — сказал он смущенно, — ты извини, у меня тут беспорядок...

— Меня этим не испугаешь! — Марина улыбнулась и вошла в прихожую.

Прошлый раз, когда она приходила сюда с Антоном, она не приглядывалась к квартире — мысли ее были заняты совсем другим. Камилла тогда попросила помочь на кухне, а поскольку у Рябы в этом смысле руки растут не из того места, готовить она совершенно не умеет, то все легло на Марину. Хоть всю еду Камилла заказала в ресторане, все равно пришлось крутиться целый вечер.

Сейчас же Марина поразилась тому ощущению, которое производило жилище Георгия. Чувствовалось, что эта квартира пережила не один век, не одну войну, не одну революцию — и все это оставило на ней только поверхностные, незначительные следы, не затронув ее сущности. Так на выразительном лице подлинного аристократа время и переживания оставляют, конечно, морщины, но не лишают его красоты и благородства.

Высокие, пятиметровые, потолки, просторный холл с огромной печью в зеленых изразцах, широкий арочный проем, ведущий в гостиную, — так и казалось, что сейчас из соседней комнаты выйдет какой-нибудь статский советник в вицмундире или тургеневская барышня в открытом платье, с веером в руке. Как в кино, в общем.

Впрочем, в следующую секунду волшебное очарование прошло. Марина осознала, что находится в большой старой, довольно запущенной квартире, давно нуждающейся в ремонте или хотя бы в основательной уборке. В холле было темновато и пыльно, на полу стояли рассыпающиеся стопки книг, какие-то пожелтевшие бумаги, из кухни доносился запах сбежавшего кофе.

— У меня был обыск, — пояснил Георгий, смущенно оглядевшись и увидев квартиру ее глазами. — И я не успел еще прибрать после него... Недавно вернулся... Пройдем в гостиную...

Они вошли в большую светлую комнату. По стенам висели портреты мужчин в мундирах, во фраках со стоячими воротничками, дам в нарядных платьях и шляпках, старинные гравюры, стояли старинные застекленные шкафы с книгами. Между двумя высокими окнами красовалось бюро красного дерева, на нем стояли две китайские вазы с изображениями драконов и цветущих деревьев.

— Как у тебя здесь красиво! — искренне восхитилась Марина, — Но я пришла не на экскурсию...

— Да, ты говорила, что хочешь что-то рассказать... — Георгий опустил глаза, сжал руки.

Марина почувствовала его неловкость, скованность и что-то еще трудноуловимое.

— Да, — проговорила она и торопливо достала из кармана флешку. — Ты можешь просмотреть это на компьютере?

— Конечно. — Георгий достал ноутбук, вставил в него флешку, включил компьютер. Марина назвала ему пароль. Он если и удивился такой ее осведомленности, то ничего не сказал.

На экране появились уже знакомые ей кадры: южный, выжженный солнцем городок, потом — холмистая равнина, колючие кусты, неровная тряская дорога, раскопки, веснушчатая женщина, стареющий археолог с красивым выразительным лицом и светлыми глазами, так похожими на глаза Георгия...

Георгий оторвался от экрана, повернулся к ней, спросил удивленным, севшим от волнения голосом:

— Откуда это у тебя?

— Это твой дед? — спросила она, вместо того чтобы ответить на его вопрос.

— Да, это он. Так откуда у тебя эти кадры?

— Понимаешь, — Марина смущенно опустила глаза, — эта флешка была у Камиллы... я случайно слышала, как она звонила кому-то незадолго до смерти, говорила, что хочет что-то показать. Думаю, она имела в виду именно эту флешку. А потом... потом она ее случайно выронила, а я... подобрала... И не успела отдать, она так быстро убежала...

Марина понимала, что ее ложь шита белыми нитками, но надеялась, что Георгий не станет прижимать ее к стенке. Она закончила неуверенным голосом:

— Ну вот... а что было потом, ты знаешь...

— Говоришь, случайно? — Георгий недоверчиво взглянул на нее. — А полиции ты про все это рассказала? Показала им флешку?

— Нет, — призналась Марина. — Я ничего им не сказала. Впрочем, они не особенно и расспрашивали.

— Правильно сделала, — проговорил Георгий негромко. — Ни к чему им знать обо всем этом... Знаешь, я в камере всего два дня просидел, но уже многому научился. Школа жизни... — Он криво усмехнулся. — Так вот, определенно тебе скажу: чем меньше им рассказывать, тем лучше. Ведь тебе или просто не верят, или...

Он вскочил со стула и продолжил:

— Значит, Камилла нашла старые любительские пленки деда и оцифровала их... непонятно только, зачем они ей понадобились! Она никогда ничего не делала просто так!

Георгий несколько минут ходил по комнате взад-вперед, как зверь в клетке, сжимая руки и что-то бормоча себе под нос, вдруг он остановился, словно принял какое-то решение.

Он снова вышел в прихожую, вытащил из кладовки стремянку, вскарабкался на нее и открыл дверцу антресоли. Оттуда потянуло такой затхлостью, что Марина чихнула. Георгий сунулся головой в пыльную темноту и пробормотал оттуда:

— Здесь полиция тоже похозяйничала, но они хотя бы поставили коробки на место...

С этими словами он вытащил из глубины какую-то коробку, подал ее Марине, потом еще одну и еще.

Наконец он спустился, открыл коробки и принялся изучать их содержимое.

— Вот здесь — пленки, которые дед снимал в своих экспедициях... выходит, Камилла тайком вытащила их, просмотрела, оцифровала и положила на место... знать бы только, для чего они ей понадобились... А вот тут — дневники деда... он записывал в них все о своих экспедициях, все свои наблюдения и мысли, чтобы потом использовать эти записи для подготовки статей. Значит, здесь должны быть пояснения и к тем кадрам, что на флешке... съемки, судя по всему, относятся к восемьдесят третьему или восемьдесят четвертому году, когда он ездил в Бахрейн, значит, нам нужен дневник за этот период...

Георгий разложил на полу несколько толстых тетрадей в коленкоровых переплетах, начал открывать их одну за другой.

— Вот — дневник за семьдесят девятый год, вот за восьмидесятый... — бормотал он, перебирая тетради, — восемьдесят первый... восемьдесят второй... и все, дальше ничего нет!

— Может быть, эти дневники в другой коробке?

Георгий проверил все остальные коробки и разочарованно развел руками:

— Нет, больше ничего...

— А он точно вел дневники в те годы?

— Конечно! Он вел их всю жизнь, с чего бы вдруг перестал?

— Тогда получается, что их кто-то взял... — протянула Марина.

— Ты имеешь в виду Камиллу? — проговорил Георгий, быстро взглянув на нее.

— Ну да, кто же, кроме нее... вряд ли полиция заинтересовалась дневниками твоего деда!

— Вряд ли, — согласился Георгий. — Хотя на Камиллу это тоже не похоже. Она... в общем, она и моей-то работой не слишком интересовалась, а уж про деда ничего слышать не хотела. Все это, говорила, прошлый век, жизнь давно изменилась, кому нужны бумажки эти? Пару раз мы крупно поговорили на эту тему. Я, конечно, обещал все это разобрать, в порядок привести, да все руки не доходили...

Марина представила, как Камилла стоит вот тут, уперев руки в бока, и орет, что ей все надоело, что от бумаг в квартире не повернуться, а у нее от пыли аллергия. Надо же, Георгий сумел настоять на своем, верно, очень привязан был к деду...

— А знаешь, у меня мелькнула еще одна идея, — оживился Георгий. — У деда была аспирантка, Ольга Максимова, одно время они с ней часто встречались, правда, в последние годы жизни она куда-то пропала...

— Это та самая веснушчатая женщина с кинопленки?

— Она самая. Как я сейчас понимаю, они с дедом были очень близки, так что он вполне мог оставить свои дневники у нее.

— А она жива? И никуда не уехала?

— А вот сейчас мы это и узнаем...

Георгий нашел потрепанную записную книжку деда, принялся ее сосредоточенно листать.

— На «М» нету, — проговорил он разочарованно. — Посмотрю на «О»...

Но на букву «О» тоже не оказалось телефона Ольги Максимовой.

— Очень странно... — пробормотал Георгий. — У деда непременно должен быть записан ее телефон...

— Может, у него было для нее какое-нибудь особенное прозвище? — предположила Марина.

— Прозвище? — Георгий быстро взглянул на нее. — А что, очень может быть...

Он бросился в гостиную, хлопнул дверцей книжного шкафа и вернулся, победно держа в руке небольшую книгу в переплете.

— Вот ее книжка, — сообщил Георгий и показал Марине обложку. На ней было напечатано:

«О. Максимова. Сельскохозяйственные культы Древней Месопотамии».

— А вот тут — дарственная надпись, смотри. Она подписала свою книжку для деда.

На титульном листе было наискосок, ровным красивым почерком первой ученицы написано:

«Великому Ану от преданной Инанны».

— Ан — это верховный бог шумерского пантеона, — пояснил Георгий, — а Инанна — это богиня любви, та, которая у римлян называлась Венерой, а у греков — Афродитой. Кстати, планету Венеру шумеры тоже называли Инанной. Не удивляйся, что я все это знаю: дед мне часто рассказывал об этих богах, читал шумерские мифы...

— Так что можем считать, что ее прозвище — Инанна? — предположила Марина.

— Можем! — Георгий открыл записную книжку на букве «И» и тут же обнаружил телефон, напротив которого было четким почерком академика Успенского написано:

«Инанна».

Георгий снял телефонную трубку и набрал номер.

Из трубки донеслось несколько длинных гудков, затем удивительно молодой, мелодичный голос проговорил:

— Слушаю!

— Это Ольга Максимова? — осведомился Георгий. — Извините, не знаю вашего отчества...

На какое-то время в телефонной трубке воцарилось молчание, и Георгий подумал уже, что их разъединили. Наконец тот же голос тихо проговорил:

— Здравствуйте, Гера!

— Как вы меня узнали?

— Еще бы мне не узнать! Ваш голос удивительно похож на голос вашего деда... на голос Георгия... Георгия Андреевича. В первый момент мне показалось, извините, что я схожу с ума или время повернуло вспять...

Женщина помолчала, потом твердо и решительно проговорила:

— Извините старуху, расчувствовалась. Вы ведь наверняка звоните мне не просто так, а по делу.

— Честно говоря, да, — смущенно признался Георгий. — Я сейчас разбираю дневники деда, нашел тетради за все годы, кроме восемьдесят третьего и восемьдесят четвертого. Вы случайно не знаете, где они могут быть?

— Конечно знаю. Они у меня. Если хотите — приезжайте прямо сейчас, я покажу их вам, а если нужно — отдам. Хотя, честно говоря, мне бы не хотелось с ними расставаться: время от времени я перечитываю их и вспоминаю те далекие времена...

Георгий записал адрес Максимовой, завершил разговор и взглянул на Марину:

— Пожалуй, я к ней сейчас поеду. Мне хочется как можно скорее разобраться с этой историей.

— А можно я поеду с тобой?

Георгий улыбнулся:

— Я вообще-то хотел тебе это предложить, да не решился. У тебя ведь, наверное, много своих дел...

— Дела подождут! Но, Гера... — Марина замялась, — тебе нужно переодеться и поесть.

— Ох, да! — Он поглядел на себя в большое пыльное зеркало, что висело в прихожей. — Ты не думай, что я такой уж рассеянный ученый, что за мной надо как за ребенком смотреть. Просто голова не на месте от всего этого. — Он махнул рукой и ушел в ванную.

Пока Георгий отсутствовал, Марина пыталась озаботиться какой-то едой. Кухня была большая, как и все в этой квартире, но жутко захламленная. Против стола стоял какой-то допотопный буфет с резными стенками, покрытыми жирной пылью. Было душно и не прибрано, на плите — разводы сбежавшего кофе и застарелый жир. В холодильнике из нормальных продуктов она обнаружила только несколько яиц и полпачки масла. Зелень завяла, салат сгнил, в морозилке было пусто, как на льдине после ухода зимовщиков. Нетрудно было сделать вывод, что Камилла совершенно не готовила, впрочем, Марина и так это знала. И эта грязища на кухне — сразу ясно, что она многодневная, а не та, когда у человека после смерти жены все из рук валится.

Марина наскоро протерла плиту, нашла относительно чистую сковородку и разбила туда четыре яйца. Помидоры еще вполне годились в яичницу. Сыр зачерствел, но потереть можно.

Пока готовилась яичница, она выбросила из холодильника все испортившиеся продукты и накрыла на стол. Две тарелки, старинные столовые приборы, только серебро потемнело, два хрустальных бокала для воды... в этой квартире раньше жили красиво.

Она отступила, чтобы полюбоваться на дело рук своих, и тут заметила, что Георгий, чисто выбритый и в свежей рубашке, стоит в дверях и смотрит на нее странным взглядом.

— Извини! — Марина смешалась. — Прости, что я тут расхозяйничалась, когда твоя жена...

— Ничего, — Георгий сел за стол, — она этого никогда не делала.

Марина отвернулась к плите. Черт дернул ее вытащить у Камиллы из сумки косметичку! Если бы не это, ей не пришлось бы сейчас изворачиваться и следить за своими словами. Если на то пошло, черт дернул ее вернуться от мамы на более раннем поезде. Если бы не это, сейчас она смогла бы спокойно смотреть Георгию в глаза.

Да, но тогда ей бы в голову не пришло подружиться с Георгием. Она продолжала бы обихаживать своего мужа и считать себя счастливейшей женщиной на свете.

Георгий ел жадно, как всякий оголодавший мужчина, Марина смотрела на него, жалостливо подперев щеку.

Он еще выпил большую чашку крепкого чая с сахаром. В доме, естественно, не было ни конфет, ни печенья.

— Пора! — Он грустно оглядел пустой стол.

Через час они стояли перед обычным пятиэтажным домом на Гражданке. Этот дом и весь этот район составляли ужасный контраст с респектабельным жильем Георгия. Сам дом давно нуждался в ремонте, возле него ржавели старые разбитые «Жигули», на солнышке компания миролюбивых алкашей пила пиво.

Георгий набрал на щитке домофона номер квартиры, представился, и дверь подъезда открылась.

Максимова жила на третьем этаже, за внушительной железной дверью. Георгий позвонил, и из-за двери ему ответил громкий басовитый лай. Затем дверь открылась, и в проеме возникла огромная светло-бежевая голова с выпуклым лбом в крупных складках, оскаленная пасть и крупные, как клавиши рояля, желтоватые зубы. Зверюга шагнула вперед и грозно зарычала.

Марина и Георгий невольно попятились.

Тут же за спиной собаки раздался звонкий молодой голос:

— Гильгамеш, назад! Это свои!

Собака исчезла, и в дверях появилась женщина.

Несомненно, это была та женщина, со старой пленки: веснушки никуда не делись, и рыжеватые волосы свободно лежали на плечах. По Марининым прикидкам, ей должно было быть лет шестьдесят, но выглядела она гораздо моложе. Наверно, этому способствовали прекрасная осанка, живой блеск глаз и молодая энергия. Одета хозяйка была в джинсы и тонкий свитер.

— Извините Гильгамеша за невежливую встречу, — проговорила она, приветливо улыбаясь. — У нас здесь, знаете, соседи всякие попадаются, вот он и привык сразу ставить всех на место. А так он очень добрый, своих никогда не обидит. Бордоские доги вообще очень преданные и уравновешенные. А вы заходите, заходите!

Марина и Георгий опасливо протиснулись в прихожую.

Эта квартирка тоже представляла полную противоположность роскошной профессорской квартире, из которой они приехали. В прихожей едва могли поместиться три человека, отсюда была видна крохотная кухонька и единственная комната, откуда смущенно выглядывал огромный пес. Впрочем, порядок и чистота всюду были идеальные.

Хозяйка стояла молча, разглядывая Георгия. Наконец она спохватилась и проговорила:

— Извините, Гера, понимаю, что веду себя неприлично, но вы так на него похожи, так похожи... все, обещаю, больше не буду. Познакомьте меня со своей спутницей!

Георгий замялся, и Марина пришла ему на помощь.

— Марина, — проговорила она, улыбнувшись, и протянула руку.

— Ольга Валерьевна, — ответила та и пожала протянутую руку. Рукопожатие у нее было крепкое, энергичное.

— Значит, вы хотите увидеть те дневники... — проговорила она после недолгой паузы.

Она подошла к книжному шкафу с застекленными дверцами и достала из него две тетради — такие же, как те, что хранились в квартире у Георгия, разве что более потрепанные — видно было, что их часто читают и перечитывают. Прежде чем передать тетради Георгию, женщина прижала их к груди.

— Я помню те два года так ясно, будто это было вчера. Это были лучшие годы в моей жизни. Вы понимаете... это бессмысленно скрывать. Я любила вашего деда, и в те два года мне казалось, что... все возможно.

— Что же не сложилось? — спросил Георгий. — Простите, конечно, если я задеваю незажившую рану и вообще лезу не в свое дело, но дед ведь был в то время одинок, жена его, моя бабушка, умерла рано, а вы были красивы, молоды... вы и сейчас привлекательная женщина... — спохватился он.

— Спасибо. — Ольга чуть заметно улыбнулась и неосознанным жестом поправила волосы. — Знаете, Гера, есть такой старый романс: «Любовь стараясь удержать, как шпагу тянем мы ее — один к себе за рукоять, другой к себе за острие...» Так вот, по прошествии многих лет я поняла, что все тогда было очень просто: я держала ту любовь за острие, а Георгий Андреевич — за рукоять. Хотя он говорил мне совсем другое. Он говорил, что у нас ничего не получится, что я слишком молода для него, что у меня впереди долгая и счастливая жизнь и ни к чему связывать судьбу со стариком... а вышло так, что вся моя дальнейшая жизнь была только воспоминанием о тех двух годах счастья, о тех двух наших экспедициях. Ну, кроме того, как раз тогда погибли его сын с женой — ваши родители, Гера, и он сказал, что должен посвятить себя воспитанию внука... Ну, и кое-что еще тогда случилось, возникли сложности в научной карьере Георгия Андреевича...

Женщина вздохнула, глаза ее на мгновение затуманились, но в следующую секунду она улыбнулась и передала Георгию тетради:

— Вот эти дневники, можете взять их. Впрочем, если это возможно — верните их потом, когда прочтете, они мне очень дороги.

— Конечно, я их обязательно верну! — пообещал Георгий. — А не можете ли вы вкратце рассказать, чем занимались в тех двух экспедициях, что вы там нашли?

— О, конечно, могу! Вы знаете, Георгий, что ваш дед занимался в основном культурой народов Древней Месопотамии, более всего — шумерской культурой. И на протяжении всей его научной карьеры его не оставляло чувство, что шумерская цивилизация возникла не на пустом месте, что за спиной шумеров стоял какой-то другой, более древний народ, с высокоразвитой культурой.

Марина вспомнила письмо Георгия Андреевича, которое нашла на флешке. В этом письме он говорил примерно о том же и почти такими же словами. Непонятно было только одно — кого сейчас может всерьез интересовать такая древняя старина. Она тут же устыдилась, потому что небось теми же словами говорила в спорах с Георгием Камилла. Марина не хотела на нее быть похожей ни в чем.

Ольга тем временем продолжала:

— Шумеры появились в Месопотамии, на территории нынешнего Ирака, в четвертом тысячелетии до нашей эры. Они знали колесо, выплавляли металл, строили здания и храмы из обожженного кирпича, они создали мощную и развитую систему орошения. В общем, складывается впечатление, что их появлению в Междуречье предшествовала какая-то более ранняя история. Сами шумеры считали своей прародиной остров Дильмун в Персидском заливе. Они часто плавали на этот остров на своих кораблях, и долгое время Дильмун был центром активной торговли между народами Междуречья и Западной Индии. Сейчас Дильмун входит в состав государства Бахрейн. И вот в восемьдесят первом году прошлого века Георгий Андреевич, употребив все свое влияние, сумел организовать экспедицию на «историческую родину» шумеров...

— А что — это было так трудно? — поинтересовалась Марина. — Ведь он, насколько я знаю, был крупным, маститым ученым?

— Это так, но в те годы любые зарубежные экспедиции было непросто организовать. Нашим археологам говорили: «У нас огромная страна, копайте курганы здесь!» Кроме того, на зарубежные экспедиции требуется валюта, а валюту у нас расходовали очень скупо. В общем, ему удалось добиться разрешения, но финансирование было очень скромным, и мы с Георгием поехали вдвоем, надеясь найти помощников на месте за небольшую плату.

Гильгамеш, осторожно ступая, подошел к дивану, где сидели Марина и Георгий, и положил голову между ними. Ольга посмотрела на них и усмехнулась. И Марина поняла, что эта женщина замечает все — и обручальное кольцо у нее на пальце, и то, что сели они на диван так, что здоровенная собачья голова поместилась между ними. Близкие люди так не садятся. Ну и ладно.

Марина протянула руку и осторожно почесала огромного дога за ушами. Он блаженно зажмурился.

— Теперь он ваш навеки! — рассмеялась Ольга. — Но я продолжаю. Все получилось как задумал Георгий Андреевич. Мы прилетели в Бахрейн, выехали в место предполагаемых древних захоронений, наняли несколько местных крестьян и приступили к раскопкам.

Довольно скоро мы обнаружили культурный слой — обломки древней керамики, фрагменты глиняных плиток с клинописными надписями на шумеро-аккадском языке...

Ольга прервала свой рассказ, повернулась к Марине и спросила:

— Вы ведь, насколько я понимаю, далеки от археологии?

— Абсолютно! — подтвердила та. — Для меня это — темный лес!

— Но все же вы, наверное, знаете, что в Древней Месопотамии — в Шумере, а потом в Ассирии и Вавилонии надписи делали на глиняных дощечках, которые потом обжигали.

— Ну, вроде проходили это в школе...

— Глиняные дощечки — это очень прочный и долговечный материал, практически вечный. Благодаря ему мы знаем удивительно много о жизни древних ассирийцев и вавилонян — об их законах и порядках, о ценах на зерно и металл. Многих жителей древнего Вавилона мы знаем поименно. Во всяком случае, про жизнь того далекого времени известно куда больше, чем про Европу Средних веков. Потому что со временем носители информации становились менее долговечными. Боюсь, что от нашего времени останется вообще очень мало — ведь теперешняя бумага разрушается уже через пару десятков лет... впрочем, я отвлеклась.

Гильгамеш довольно чувствительно толкнул Маринину руку — чеши уж, раз подрядилась, не останавливайся. Ольга нахмурилась и продолжала:

— В общем, мы нашли довольно много интересных предметов, но в основном все они относились к третьему и второму тысячелетиям до нашей эры, то есть к тому времени, когда шумеры прочно обосновались в Месопотамии и начали уже исчезать, растворяясь среди многочисленных аккадских народов — ассирийцев и вавилонян. На Дильмуне же в это время были только рынки и торговые базы.

Георгий Андреевич же искал следы их более раннего присутствия.

Экспедиция уже подходила к концу, через несколько дней нам нужно было сворачивать лагерь и возвращаться — и тут один из наших рабочих, расчищая очередной участок культурного слоя, провалился в подземную полость.

Его вытащили, а Георгий Андреевич из чистого любопытства решил обследовать найденную полость. Он расширил пролом, спустился под землю, осветил найденную пещеру — и почти сразу нашел фрагмент каменной плиты с надписью на незнакомом языке.

Это была клинопись, и несомненно, шумерский язык — но какая-то неизвестная его разновидность, судя по всему, значительно более древняя, чем все известные науке.

Георгий Андреевич почувствовал, что стоит на пороге великого открытия. Он работал как одержимый — расчистил найденную пещеру и обследовал ее стены сантиметр за сантиметром.

Однако после первой обнадеживающей находки больше ничего не попадалось. А тем временем отведенный для экспедиции срок подошел к концу, у нас заканчивались визы, а тогда при любом нарушении визового режима можно было стать невыездным, тем самым поставив крест на продолжении раскопок.

В общем, нам пришлось законсервировать раскоп и вернуться домой.

Весь следующий год Георгий Андреевич добивался разрешения на новую экспедицию и параллельно занимался расшифровкой найденного клинописного текста. Для расшифровки фрагмент оказался недостаточным, нужно было найти еще какие-нибудь надписи — и это стало еще одной причиной для новой экспедиции.

У него к тому времени был большой вес в научном мире, и экспедицию в конце концов разрешили. Правда, опять с минимальным финансированием, но нас это ничуть не огорчило: мы уже привыкли обходиться собственными силами.

Наконец начался полевой сезон, и мы снова отправились в Бахрейн.

За время нашего отсутствия на месте раскопок многое изменилось. Местные жители попытались провести собственные раскопки: они решили, что найдут там какие-нибудь ценные древности, возможно даже золотые монеты, и хотели на этом подзаработать. При этом они повредили немало образцов, а самое главное — обрушили своды подземной пещеры и перемешали культурные слои, тем самым затруднив возможности датировки.

Так что прежде, чем продолжить раскопки, нам пришлось привести все в порядок. Мы снова наняли местных крестьян, и вскоре дело пошло.

Расчистив ту самую пещеру и сняв более поздний культурный слой, мы действительно нашли нечто удивительное.

Здесь были и обломки керамической посуды неизвестного науке типа, и глиняные таблички с тем же древним письмом, как на прошлогодней находке, а самое интересное — нам попалось несколько захоронений, принадлежавших, по-видимому, знатным людям.

Здесь-то Георгий Андреевич и сделал самое интересное открытие, наверное, самое главное открытие своей жизни.

Захоронения были двух типов.

Первый тип — сравнительно простые каменные гробы с рисунками, иллюстрирующими жизнь покойного, и клинописными надписями на раннешумерском языке. Внутри этих саркофагов сохранились человеческие останки — разумеется, только скелеты. Второй тип — гораздо более пышные саркофаги, отделанные золотом и каким-то другим металлом красно-золотого оттенка, с очень красивыми рисунками и длинными надписями, выполненными также клинописью, но на другом, незнакомом науке языке.

В этих саркофагах тоже были останки, но вот что я вам скажу... — Ольга сделала паузу, чтобы подчеркнуть свои слова, — ни я, ни Георгий Андреевич не были антропологами, но, даже не имея специальных знаний, мы поняли, что останки в захоронениях второго типа принадлежали людям совершенно другого народа, а возможно, и другой расы. Эти люди — Георгий Андреевич назвал их «Люди А» — были значительно выше шумеров, более стройного телосложения, с вытянутыми лицами и удлиненными головами.

Вот тогда-то он и пришел к выводу, что шумерская культура зародилась не сама по себе, что у ее истоков стоял какой-то древний, высокоразвитый народ, представители великой цивилизации, погибшей по какой-то причине — скорее всего, из-за природной катастрофы...

— Атлантида? — вопросительным тоном проговорил Георгий.

— Мы избегали этого слова, — быстро ответила Ольга. — Поскольку в научных кругах не признают ее существования, она считается чем-то вроде снежного человека или летающих тарелок, поэтому ученый, который стал бы всерьез поддерживать теорию о существовании Атлантиды, рисковал своей научной репутацией.

Ольга повернулась к Марине и сказала:

— Вы ведь знаете, что такое Атлантида?

— Ну, что-то слышала... древнее государство, которое погибло при извержении вулкана. В детстве я читала фантастический роман Александра Беляева «Последний человек из Атлантиды»...

— Вот-вот, большинство ученых так и считает — что гипотеза о существовании Атлантиды годится только для фантастического романа!

— А что о ней известно на самом деле?

— Почти ничего. Основной источник мифа об Атлантиде — диалоги Платона, однако о ней упоминают и другие античные авторы: Геродот, Страбон, Посидоний... Впрочем, не буду запутывать вас именами и фактами. Достаточно сказать, что, если верить Платону, Атлантида — это государство на огромном острове, который располагался к западу от Геркулесовых столбов, то есть современного Гибралтара, в Атлантическом океане. Собственно, отсюда этот океан и получил свое название.

Опять же по Платону, на острове была прекрасная, высокоразвитая цивилизация и остров этот поглотило море во время сильного землетрясения в один день вместе со всеми жителями. Случилось это, по Платону, «девять тысяч лет назад», то есть около 9500 года до нашей эры...

— Ничего себе, какая древность! Куда там Египту!

— Ну, вряд ли можно верить в датировки Платона. Можно только предположить, что по его меркам это было очень, очень давно. Может быть, не девять, но пять тысяч лет до новой эры. Так что Георгий Андреевич всерьез задумался — не являются ли найденные им останки «Людей А» останками последних жителей Атлантиды и не они ли принесли шумерам свою высокую культуру.

— И что же было дальше? — спросила Марина, чтобы вернуть собеседницу к прерванному рассказу. Время неумолимо бежит к вечеру, ей вообще-то нужно домой добраться, пока не поздно. Ей угрожают, да еще небось следят эти, из «Анкора». Мелькнула мысль: а хорошо бы эти две компании стравить, замкнуть, так сказать, одних на других. Надо это обдумать.

— Так что было дальше? — повторила она.

Ольга заметно помрачнела.

— Дальше у нас начались неприятности. Кто-то из местных жителей решил, что мы наконец-то нашли древние сокровища, и захотел погреть на этом руки. Чтобы избавиться от нас, среди рабочих пустили слух, что останки в древних саркофагах принадлежат не простым людям, а божествам и нельзя допустить, чтобы неверные их касались.

Рабочие взбунтовались и едва не убили нас.

Полиция вовремя подоспела, нас спасли, но тут же сами полицейские стали недвусмысленно намекать, что хотят получить свою долю в несуществующих сокровищах...

Короче, нам пришлось в спешном порядке уезжать из Бахрейна, не завершив раскопки. Георгий Андреевич с огромным трудом сумел вывезти несколько артефактов, а также сфотографировал найденные надписи на раннешумерском языке и на языке «Людей А».

Однако по закону подлости именно в это время в Бахрейне начались беспорядки, и в аэропорту все артефакты отобрали. Хорошо хоть, самих выпустили! Как вспомню этих людей с автоматами — кричат, одну женщину прикладами чуть насмерть не забили...

Ольга прерывисто вздохнула.

— Георгий Андреевич надеялся поехать на следующий год, когда в Бахрейне все успокоится, — но не тут-то было!

Вернувшись из Бахрейна, он сделал предварительный доклад о результатах своих — наших с ним — раскопок. Возможно, он поторопился. Возможно, сначала нужно было завершить работу, привезти более весомые доказательства своей теории, но ему не терпелось донести сенсационные результаты до своих коллег.

И что тут началось!

В своем докладе он, разумеется, не произносил слово «Атлантида», понимая, что оно подействует на научный мир как тряпка на быка. Он говорил только о влиянии на древних шумеров некоего еще более древнего народа, принадлежавшего к другой расе и обладавшего весьма высокой культурой, — но все и так было понятно, и один из участников конференции, профессор Бондаренко, давний оппонент и недоброжелатель Георгия Андреевича, вышел на трибуну и издевательским тоном произнес:

— Если не ошибаюсь, нам здесь пытаются преподнести сказочку про Атлантиду? Если не ошибаюсь, уважаемый коллега за государственные деньги тешит свое самолюбие и развивает детские фантазии?

И понеслось!

Каждый следующий докладчик норовил как можно больнее пнуть Георгия. Всем не давало покоя то, что он смог добиться разрешения на зарубежную экспедицию, да еще и нашел там что-то по-настоящему интересное. Вы не представляете себе, что такое ученый мир! Это самое настоящее змеиное гнездо...

Гильгамеш с видимой неохотой оторвался от дивана и подошел к хозяйке. Он положил огромную голову ей на колени и так застыл, выражая сочувствие.

— Ему поставили в вину и слишком большой расход валютных средств, и нарушение визового режима (которого в действительности не было), и, разумеется, то, что он брал меня в обе свои экспедиции, — глухо продолжала Ольга. — Кто-то так и сказал, что под видом научной командировки Успенский устроил себе заграничный круиз с молодой любовницей!

Не знаю, как Георгий Андреевич пережил эту конференцию.

У него едва не случился инфаркт.

Но на ней дело не кончилось. Результаты конференции стали известны высокому начальству — руководству Академии и отделу науки ЦК. И с этого времени академик Успенский попал в черный список. Никакие его заявки не принимались, средства на научную работу выделялись самые скромные, о продолжении раскопок в Бахрейне не могло быть и речи.

Я, кстати, тоже попала под раздачу.

К этому времени я закончила работу над кандидатской диссертацией, материалы были замечательные, научным руководителем являлся Георгий Андреевич. Годом раньше моя диссертация прошла бы на ура, но теперь ситуация изменилась. На мою работу написали разгромную рецензию, и она не была допущена к защите.

Рецензент написал, что я развиваю бредовые идеи своего руководителя, да еще намекнул кому надо насчет моего недостаточно высокого морального уровня.

Благодаря этому — если можно так выразиться — на моей научной карьере поставили жирный крест, я так и не смогла защититься и через какое-то время вынуждена была уйти в школу, простым учителем истории...

— Да, печально! — проговорила Марина, когда хозяйка квартиры замолчала.

— Ну вот, собственно, я рассказала вам все что могла... — Ольга опустила глаза. — Может быть, вы узнаете еще что-то из дневников Георгия Андреевича...

— Спасибо. — Георгий убрал тетради в свою сумку. — Я прочту их и верну вам.

— Куда теперь? — спросил Георгий, когда они вышли, сердечно простившись с хозяйкой и Гильгамешем, и Марина мгновенно поняла, что он хочет остаться один, причем как можно быстрее.

Для того чтобы погрузиться в дневники деда и обдумать всю эту историю. И что если ему сейчас помешать, то он будет очень недоволен. Не станет, конечно, рычать и ругаться — воспитанный человек все же, но...

— Я – домой, — решительно сказала она. — Уже поздно.

На его лице отразилось явное облегчение. Она сама махнула рукой проезжающей машине.

«Вот так вот, — думала она по дороге, — я ему больше не нужна. Я отдала ему флешку, теперь он будет разбираться сам. Это его дело, его дед и его жена. Возможно, он прав, но мне-то что делать, если снова велят отдать флешку? Нет, нужно было все же ему рассказать...»

Дома муж, видимо, решил сделать шаг к примирению, с этой целью съездив в супермаркет. Марина увидела на кухне кучу пакетов с продуктами и занялась приготовлением ужина.

Они поели в полном молчании, потом, допивая вторую бутылку пива, он сказал:

— Костя звонил, у него Ряба пропала. Ты ничего не знаешь?

— А она на море улетела, в Хорватию! — спокойно ответила Марина. — Мне звонила перед отъездом. Путевка горящая, со скидкой, отель дорогой, место хорошее...

— На море? — Муж поперхнулся пивом. — Ты серьезно?

— А что такого? — Марина пожала плечами.

— В такой момент мужа оставила? Нашла время!

— А ты серьезно? — Марина уставилась на него в упор. — По-твоему, она его утешать должна была, слезы вытирать, чай-кофе в постель приносить?

Он первым отвел глаза.

— Думаю, они сами разберутся, — припечатала Марина и ушла в Тимкину комнату.

На следующий день к отцу Шамика пришел гонец из царского дворца и сообщил, что владыка мира, царь Атлантиды Гаар, да будут дни его бесконечны, готов принять гостя из далекого Шумера.

Шамика снова нарядили в парадные одежды, и он вместе с отцом и его свитой погрузился в колесницы и отправился во дворец.

Дворец царя Атлантиды располагался неподалеку, в том же чудесном парке, но он был отделен от остального парка высокой стеной из ослепительно сверкающего красновато-желтого металла.

— Эти стены из чистого золота? — в изумлении спросил Шамик у отца.

— Нет, сынок, это орихалк, или златомедь — бесценный металл, который изготовляют только в Атлантиде! Из орихалка создают доспехи знатных атлантов, из орихалка делают их оружие, и никакое другое оружие в мире не может сравниться с ним! И вот, как видишь, орихалком облицованы стены царского дворца и еще стены главного храма Атлантиды, храма бога звезды.

— А мы увидим этот храм?

— Думаю, что увидим. Но подожди, сынок, сейчас ты увидишь царский дворец, а это — чудо из чудес!

Колесницы шумеров остановились возле дворцовых ворот, и тут же эти ворота с мелодичным звуком распахнулись. Колесницы проехали за стены, и Шамик увидел перед собой самое удивительное здание, какое только можно себе представить.

Из центрального здания вырастали фантастические башни и башенки, облицованные орихалком, покрытые красно-золотыми плитками, как змеиной чешуей. Перед главным входом сидели две статуи из зеленого полупрозрачного камня — два изваяния удивительных чудовищ, то ли махайродов с крыльями летучей мыши и змеиным хвостом, то ли драконов с тигриными мордами и огромными клыками.

К входу во дворец вели широкие мраморные ступени, по краям которых стояли воины-атланты в сверкающих доспехах, опоясанные мечами, с огромными махайродами на привязи. Шумеры, невольно робея, подошли к этим ступеням и начали подниматься по ним, опасливо косясь на саблезубов. Поравнявшись с одним из махайродов, Шамик посмотрел на него из-за спины своего воспитателя. Махай-

род приоткрыл пасть, оттуда капнула на ступени слюна. Зеленые глаза зверя сверкали, как два изумруда.

Шамик спрятался за своего воспитателя и оттуда показал махайроду язык. Впрочем, тот этого не заметил.

Наконец шумеры поднялись по ступеням.

Огромные двери дворца раскрылись перед ними с гулким, мелодичным звуком, и посетители оказались в большом помещении, облицованном черным полированным мрамором и красно-золотыми плитами драгоценного орихалка. Своды помещения скрывались в сумраке, и от этого казалось, что в зале нет потолка или что потолком его является небесный свод. По мраморному полу была проложена дорожка из сверкающих плит, словно тропа, ведущая от входа к следующим дверям из чеканного орихалка.

— Следуйте по этой тропе! — проговорил появившийся из полутьмы придворный. — Она ведет в тронный зал!

Шумеры прошли по золотой дорожке и остановились перед дверями тронного зала.

И в тот же миг раздался громкий и мелодичный звук — то ли звон колокола, то ли удар гонга.

Двери распахнулись, шумеры вошли в тронный зал и в изумлении остановились на пороге.

Огромный зал тонул в загадочной, таинственной полутьме. Казалось, что сверху над ним нависает ночное небо, усыпанное мириадами звезд. Впереди, в самой глубине зала, сиял золотой трон, словно висящий в воздухе. Там, на троне, восседал человек в сверкающих одеждах — владыка мира, царь Атлантиды. Трон отделяло от дверей такое большое расстояние, что лицо царя трудно было различить, видна была только его горделивая, внушительная осанка.

От дверей к царскому трону вели сверкающие ступени из орихалка, знаменитой златомеди атлантов. Казалось, эти ступени тоже висят в воздухе — или плавают в гу-

стом молочно-белом тумане, заполняющем нижнюю часть зала.

Позади шумеров появился придворный в одеянии из золотистой парчи и вполголоса проговорил:

— Владыка, да будут дни его бесконечны, позволяет вам приблизиться к его трону.

Отец Шамика решительно шагнул вперед, на первую из орихалковых ступеней. Свита последовала за ним. Шамик шел одним из последних, под присмотром старого эламского раба, и с любопытством оглядывался по сторонам.

Туман, который клубился у них под ногами, заволок и стены тронного зала, но он время от времени расходился, и тогда можно было разглядеть мраморные колонны с удивительными узорами из золота и драгоценных камней. Между колоннами стены зала были украшены росписями, изображающими сцены охоты и сражений. Особенно понравились Шамику изображения зверей — слонов и носорогов, львов и махайродов.

Шамик с таким интересом разглядывал эти росписи, что споткнулся и едва не упал. Старый раб вовремя успел подхватить его и испуганно прошептал:

— Будь осторожен, молодой господин! Это опасное место, не дай тебе бог упасть с этой лестницы!

Шамик недовольно отмахнулся, но все же бросил взгляд вниз.

В этот момент туман у него под ногами на мгновение разошелся, и он увидел, что внизу, под ступенями из орихалка, плещется темная вода и там, в этой воде, плавают какие-то существа — то ли огромные рыбы, то ли крокодилы с длинными гибкими шеями и пастями, утыканными гребенкой длинных и острых зубов.

При виде этих чудовищ Шамик крепче ухватился за руку своего воспитателя и пошел вперед, стараясь не глядеть под ноги и не думать о том, что таится под клубами тумана.

— Атланты для того завели этих чудовищ, — вполголоса пояснил его воспитатель, — чтобы проверить чистоту помыслов того, кто допущен к высокому трону владыки. Тот, кто пришел сюда с дурными намерениями, упадет в воду, и чудовища пожрут его.

Шамик еще крепче вцепился в руку воспитателя.

Вскоре шумеры подошли к трону и остановились на последней орихалковой ступени, отделенной от подножья трона пропастью в десять локтей шириной.

Теперь Шамик смог разглядеть лицо и одеяние владыки.

Это был смуглый человек средних лет с удлиненным желтоватым лицом и темными, глубоко посаженными глазами. На голове его покоилась высокая золотая тиара, усыпанная многоцветными драгоценными камнями, одеяние из пурпурной парчи было густо расшито золотыми нитями.

Шумеры молчали, почтительно склонившись перед лицом властителя Атлантиды. Некоторое время тот тоже молчал, внимательно изучая своих гостей, наконец проговорил несколько слов, обращаясь к отцу Шамика.

Тут же негромко заговорил толмач, переводя слова владыки:

— Великий царь, владыка мира спрашивает, кто ты и для чего пришел во дворец.

— Я — Урук аш-Шамаш, — ответил отец, как и в прошлый раз. — Я князь и военачальник, посланник царя Шумера Агаш-Шана. Я прибыл к тебе, владыка мира, чтобы передать тебе дары моего царя и заверить тебя в том, что шумеры сохранят верность Атлантиде до тех пор, пока солнце светит нам в небесах!

С этими словами отец Шамика махнул рукой своим спутникам, и они положили на орихалковую ступень принесенные с собой дары — драгоценные, расшитые золотом одеяния, золотые сосуды, украшенные самоцветами, драгоценное оружие.

— Я рад слышать твои слова, — перевел толмач слова повелителя. — Передай своему царю, что Атлантида ценит своего верного вассала и дарует ему свое покровительство. А кто этот мальчик, который прячется за твоей спиной?

— Прости своего слугу, владыка! — воскликнул отец, низко склонившись. — Это мой сын Шамаш-иддин, я взял его с собой, чтобы мальчик увидел твое светлое лицо и на всю жизнь запомнил его! Не гневайся на меня за это, трижды великий! Не всякому выпадает в жизни счастье лицезреть владыку мира!

— Я вовсе не гневаюсь, — милостиво ответил повелитель Атлантиды. — Я позволяю твоему сыну присутствовать на церемонии. Он — знатный молодой господин и достоин лицезреть меня.

Отец и царь продолжили обмениваться речами, а Шамик исподтишка оглядывал тронный зал.

Туман, который окутывал его вначале, рассеялся, и теперь можно было разглядеть зал во всем его великолепии.

Стены зала поднимались на немыслимую высоту, должно быть не менее ста локтей, — к потолку, усыпанному сверкающими звездами, наверное сделанными из драгоценных камней. Сами стены были покрыты рельефами, изображающими людей в парадных одеяниях и сверкающих военных доспехах. Несомненно, это атланты — высокие, стройные люди с удлиненными головами и миндалевидными глазами, у некоторых из них были ручные махайроды.

В одной из стен была широкая арка, закрытая завесой из тускло сверкающей серебристой ткани. Вдруг Шамик

заметил, что эта завеса отодвинулась и из-за нее выглянул мальчик примерно одного с ним возраста. *Вытянутая
голова и миндалевидные глаза говорили о том, что это маленький атлант.*

*Увидев Шамика, незнакомый мальчик улыбнулся и по-
манил его пальцем. Шамик огляделся по сторонам.*

*Взрослые были заняты своим бесконечным разговором,
они обсуждали какую-то дань, какие-то военные по-
ходы, какие-то непокорные племена, которые следовало
усмирить. Все это было Шамику совсем неинтересно. Он
с удовольствием поиграл бы со своим сверстником, однако
между ними был глубокий бассейн, в котором плавали во-
дяные чудовища. Вдруг маленький атлант нажал на стене
какую-то неприметную дощечку, и тут же из воды поднялась дорожка из орихалковых плит, которая вела от Шамика к его сверстнику.*

*Шамик еще раз оглянулся на отца, убедился, что тот
занят важным разговором, и быстро перебежал по дорожке к краю зала. Маленький атлант протянул ему руку и помог перешагнуть с последней плиты на мраморный пол. Он
произнес что-то на своем певучем языке, и Шамик, как ни
странно, понял его слова:*

*— Меня зовут Гар-ни, и мне скучно одному в этом огром-
ном дворце!*

*— Меня зовут Шамаш-иддин, проще — Шамик. Как
тебе может быть скучно среди таких чудес?*

*— Какие тут чудеса? Я все это видел тысячу раз, и смо-
треть на это тысячу первый раз — какой тут интерес?
Хочешь, я покажу тебе наш дворец?*

— Конечно хочу!

*Маленький атлант побежал вперед, Шамик помчался
за ним, стараясь не отставать.*

Ольга Валерьевна проводила гостей и закрыла за ними дверь.

Однако едва она вернулась в комнату и навела порядок в книжном шкафу, в дверь ее квартиры снова позвонили.

Пес поднялся с пола и негромко зарычал.

— Не волнуйся, Гильгамеш, — успокоила его хозяйка, направляясь к двери. — Наверное, это вернулись наши гости...

Гильгамеш не успокоился. Он рычал все громче и попытался встать на пути хозяйки.

— Да что с тобой? — проговорила Ольга недовольно. — Ты же с ними уже познакомился!

Она схватила пса за ошейник, втолкнула его на кухню, затем щелкнула замком, открыла входную дверь и приветливо проговорила:

— Вы что-нибудь забыли?

Однако перед ней стояли не Георгий с Мариной, а трое мужчин весьма подозрительного вида.

— Вы еще кто такие? — Ольга попыталась закрыть дверь, но один из незнакомцев рванул ее на себя, и все трое ввалились в прихожую, оттеснив хозяйку.

Как уже выше сказано, прихожая в квартире Ольги Максимовой была крохотная, для четырех человек явно маловата. Один из незваных гостей — рослый широкоплечий тип с квадратной головой и маленькими, глубоко посаженными глазками — прижал Ольгу к стене и прошипел:

— Только пикни, мымра, — голову оторву!

Из-за квадратного плеча выглянул второй бандит — долговязый, с прилизанными жидкими волосами.

— Она не будет шуметь, — проговорил он неожиданно высоким голосом. — Я вижу, она женщина умная!

Ольга сглотнула и процедила сквозь зубы:

— Вы делаете большую ошибку!

— Чего-о? — протянул квадратный. — Ты это о чем?

В это время в дверном проеме возникло огромное светло-бежевое тело. Гильгамеш оторвался от пола и прыгнул на человека, который посмел поднять руку на его хозяйку...

Но тут в дело вмешался третий незнакомец — худощавый, смуглый, с длинным лицом и узкими змеиными глазами. Он выхватил из кармана серебристый баллончик и брызнул в морду бордоского дога резко пахнущей жидкостью. На оскаленной морде Гильгамеша промелькнуло удивление, пес по инерции закончил прыжок, навалившись на квадратного бандита, но тут же мешком повалился на пол и замер с полузакрытыми глазами. По его песочной морде стекала тонкая струйка слюны.

Один из бандитов втащил не подающего признаков жизни пса на кухню и закрыл за ним дверь.

— Что вы сделали с собакой? — вскрикнула Ольга. В глазах ее вспыхнула ненависть.

— Тебя сейчас не собака должна волновать! — рявкнул квадратный и втолкнул женщину в комнату.

Здесь он силой усадил ее в кресло, навис над ней и грозно прорычал, сверля ее своими маленькими глазками:

— Сиди тихо и отвечай на вопросы — тогда, может, останешься жива. Усекла?

Ольга молчала, с ненавистью глядя на бандитов. Она твердо выдержала взгляд квадратного — в ее жизни случалось всякое, ей приходилось иметь дело с погонщиками верблюдов и контрабандистами, с грабителями могил и бахрейнскими полицейскими, перед которыми эта троица выглядела невинными ягнятами.

Бандиты переглянулись, квадратный отступил в сторону, на его месте оказался смуглый человек со змеиными глазами. Он потер руки и мягким, вкрадчивым голосом проговорил:

— Мои друзья немного погорячились. Их можно понять — они люди темпераментные, привыкли решать все вопросы грубой силой, простыми, но доходчивыми методами. Но суть дела они изложили правильно... если вы будете вести себя разумно — вам совершенно ничего не угрожает.

— Вы пришли не по тому адресу, — проговорила Ольга. — У меня в квартире нет ни больших денег, ни ценных вещей. У меня вообще нет ничего ценного — я простая учительница. Можете проверить, вон там, на столе, лежат тетради моих учеников...

— Да знаем мы, кто вы такая! — нетерпеливо перебил ее смуглый. — Неужели вы приняли нас за вульгарных грабителей?

— А за кого еще я могла вас принять? Вломились в мою квартиру... убили собаку... вот чего я вам никогда не прощу!

— Ваша собака жива, — поморщился смуглый. — Она проспит час-полтора и будет в полном порядке. Если, конечно, мы с вами найдем общий язык, Ольга Валерьевна...

В глазах Ольги на мгновение вспыхнул настоящий страх.

Они знают, кто она такая. Значит, это действительно не рядовые бандиты. А кто же тогда?

— Вы просто ответите нам на несколько вопросов — и мы уйдем, а вы останетесь проверять свои тетрадки.

— Что вам нужно?

— Вот так-то лучше! Для начала, что вы им рассказали?

— Кому? — переспросила Ольга, пытаясь выиграть время.

— Ну вот, опять... — Смуглый тип снова поморщился. — Мне показалось, что вы — разумная женщина, а вы снова начинаете играть в дурацкие игры... спрашиваю еще раз: что вы рассказали тем двоим, которые от вас только что ушли?

— Ах, вы об этих...

— Да, мы об этих! — передразнил ее смуглый. — Мы говорим о Георгии Успенском, внуке покойного академика, и о его подружке. Так вот, повторяю последний раз: что вы им рассказали?

— Георгий интересовался жизнью своего деда, — неохотно проговорила Ольга. — Он просил меня рассказать о том времени, когда мы с его дедом познакомились. И я ему охотно об этом рассказала — ведь это было лучшее время моей жизни...

— Вы что — считаете меня полным идиотом? — прошипел смуглый, и его змеиные глаза еще больше сузились, превратившись в две темные щели. — Вы думаете, я поверю, что они приехали, чтобы послушать ваши сентиментальные воспоминания?

— Это ваше дело — верить мне или не верить, — Ольга пожала плечами. — Я вам сказала, как было дело...

Смуглый скрипнул зубами, с шипением выдохнул и проговорил с кажущимся спокойствием:

— Попробуем еще раз. Что вы им дали?

— Я? Ничего! — Ольга спокойно выдержала холодный взгляд змеиных глаз, ни один мускул на ее лице не дрогнул.

— Кажется, вы не понимаете всей серьезности своего положения! — Смуглый тип оглянулся на своих помощников, словно искал у них поддержки. Долговязый бандит перехватил его взгляд и проговорил своим высоким, как у женщины, голосом:

— Слушай, давай прижмем ее как следует! Ты меня знаешь, у меня кто угодно заговорит!

— Я тебя знаю, — поморщился смуглый. — После тебя здесь кровищи будет, как в мясной лавке... ты ведь знаешь, что я этого не люблю!

— Да ладно тебе, — ухмыльнулся долговязый. — Я могу и без крови... могу в ванной...

— Ну, разве что без крови!

Долговязый легко подхватил Ольгу, протащил ее по коридору, втолкнул в ванную комнату. Быстро оглядевшись, открыл кран, ткнул Ольгу лицом в раковину. Женщина задергалась, пытаясь вырваться. Горячая вода заливалась ей в рот и нос, она не могла вдохнуть, в ушах словно стучали тяжелые молоты.

Выждав минуту, долговязый поднял ее голову, дал вздохнуть и спросил своим визгливым голосом:

— Ну что, повторить еще или будешь говорить?

Ольга с трудом отдышалась и произнесла тихим сорванным голосом:

— Я не знаю, чего вы от меня хотите!

— Значит, повторить... — И бандит снова ткнул ее лицом в воду.

На этот раз Ольга успела набрать полные легкие воздуха, и какое-то время она продержалась на этом запасе. Но секунды бежали за секундами, а бандит все еще давил рукой на ее затылок, не давая распрямиться. Воздух кончился, легкие разрывались от боли, в ушах снова стучала кровь.

В какой-то момент Ольга начала терять сознание, но тут бандит снова ослабил хватку, потом дернул ее за волосы, подняв голову над водой. Ольга жадно, хрипло дышала.

— Ну что, передумала? — Бандит на мгновение отпустил ее голову, пригляделся к ней.

Вдруг из коридора донеслись какие-то глухие ритмичные удары.

— Что там такое творится? — недовольно спросил долговязый, выглянув в коридор.

— Собака очухалась, пытается вырваться с кухни! — ответил ему квадратный напарник.

— Что-то он больно быстро, — недовольно проговорил долговязый. — Пристрели его, что ли!

— Ага, чтобы всех соседей переполошить! — огрызнулся квадратный. — У меня нет глушителя, а стены здесь тонкие! Да не дрейфь, не выберется он с кухни, я его запер!

Пока бандиты переговаривались, Ольга успела отдышаться и оглядеться. Долговязый стоял к ней спиной. Она схватила висящий на стене гибкий душевой шланг, накинула его на шею бандита и изо всех сил затянула. Долговязый захрипел, схватился за горло, но успел ослабить шланг и дернул.

Шланг оторвался от смесителя, и из трубы хлынула горячая вода.

Бандит сорвал шланг с шеи, развернулся. Лицо его было страшно, в глазах горела ярость.

— Ты, кошка драная! — взвизгнул он своим высоким голосом. — Да я тебя сейчас на куски разорву!

Ольга попятилась, насколько позволяло тесное пространство ванной, заслонила лицо руками и торопливо проговорила:

— Шеф тебя по головке не погладит, если ты меня убьешь! Я вам еще ничего не сказала! Веди меня к шефу — я все ему расскажу!

— Да плевать мне на шефа! — крикнул бандит, но все же взял себя в руки, вытащил Ольгу из ванной и поволок ее обратно в комнату.

Выходя из ванной, Ольга скосила глаза назад и увидела, как по полу растекается огромная лужа.

Это было именно то, на что она рассчитывала.

— Она готова говорить! — Долговязый снова толкнул Ольгу в кресло.

— Это хорошо! —Узкоглазый улыбнулся одними губами. — Итак, что ты им рассказала?

— Дайте попить, — прохрипела Ольга слабым голосом. — Я не могу говорить... он меня чуть не задушил...

— Не задушил же! Ладно, принеси ей воды! — бросил он долговязому.

— На кухне же собака! — огрызнулся тот.

Из коридора доносились тяжелые мерные удары — Гильгамеш пытался вырваться на свободу.

— Да сделай же с ней что-нибудь! — рявкнул узкоглазый.

— Почему я? — перекосился долговязый. — Пускай Ящик с собакой разберется!

Ольга не прислушивалась к перебранке бандитов — она вслушивалась в звуки, доносящиеся из ванной.

Ниже этажом жил известный всему дому тип по имени Вася Ломов. Вася был мелкий предприниматель. По крайней мере, так он представлялся малознакомым девушкам. Он держал контейнер на вещевом рынке в спальном районе, где торговал дешевой китайской и турецкой одеждой. Дела у него на рынке шли ни шатко ни валко. Не сказать, чтобы совсем плохо, но и не слишком хорошо. Во всяком случае, ему никак не удавалось заработать на приличную квартиру в новом доме, зато хватило денег на то, чтобы отремонтировать свою двушку.

Ремонт он закатил роскошный, в силу своих незатейливых эстетических пристрастий: на стенах — обои под натуральный шелк, где только можно повешены хрустальные люстры и бра. Особенной Васиной гордостью была ванная комната. Там у него были роскошная ванна на звериных лапах, душевая кабинка с телефоном и телевизором, черный с золотом кафель и позолоченные краны. Потолок был подвесной, разумеется тоже позолоченный, и посредине его висела неизбежная хрустальная люстра. Некоторые Васины знакомые считали, что люстра в ванной — перебор, но Вася с ними не соглашался.

В довершение своих дизайнерских фантазий Вася купил в Турции метровую статую полуобнаженной восточной красавицы, сделанную из ценных пород дерева и богато украшенную позолотой. Эту статую он поставил в прихожей, так что каждый, кто приходил к нему в гости, сразу должен был оценить богатство и высокий художественный вкус хозяина.

Однако известность в доме Васе Ломову принес не роскошный ремонт, не позолоченный потолок и не талант мелкого предпринимателя, а скверный, скандальный характер.

Вася успел перессориться со всеми соседями. С соседом слева, скромным инженером Петровым, он перругался из-за того, что тот слишком громко включал классическую музыку. С соседкой справа Изольдой Романовной — из-за ее таксы Люсинды, которая по утрам, выходя на прогулку, громко лаяла. С Валентиной с третьего этажа — из-за того, что та курила на лестнице. Но чаще всего он ругался со своей соседкой сверху Ольгой Валерьевной, потому что та время от времени устраивала протечки. Межэтажные перекрытия в их доме были очень плохими, и стоило Ольге пролить на пол чашку воды или просто помыть пол — как у Васи на потолке появлялось пятно.

После того как Вася сделал свой знаменитый ремонт, он провел с Ольгой Валерьевной серьезную беседу, предупредив ее, что если она испортит его потолок — мало ей не покажется.

Ольга это предупреждение приняла со всей серьезностью и тщательно следила за тем, чтобы не влипнуть в неприятности...

В этот день Вася пришел с рынка довольно рано.

Он переоделся в удобный тренировочный костюм, выпил первую за этот день банку пива, включил телевизор, взял в холодильнике еще одну банку пива и пакет чипсов и собрался посмотреть свое любимое шоу «Страшные секреты».

В это время сверху, из квартиры Ольги Валерьевны, донеслись какие-то подозрительные звуки: стук, скрип, скрежет и приглушенный собачий лай.

Вася недовольно покосился на потолок, но решил не портить себе настроение. Он выпил вторую банку пива и отправился к холодильнику за третьей.

Однако, проходя мимо ванной, он услышал доносящиеся оттуда подозрительные звуки.

Вася грозно нахмурился и открыл дверь ванной.

Звуки, которые он услышал из коридора, усилились, и теперь у Васи не осталось сомнений: в его роскошной, только что отремонтированной ванной с потолка лилась вода. Не капала, не текла тонкой струйкой, а именно лилась!

В первый момент Вася не смог поверить своим глазам. Он машинально нажал на клавишу выключателя, чтобы включить в ванной свет и лучше разглядеть, что там происходит, но в результате на потолке что-то пыхнуло, грохнуло, трахнуло, запахло паленым, свет в квартире погас, а роскошная хрустальная люстра грохнулась на пол, превратившись в груду бесполезных осколков.

Тут, как будто этого было мало, от стены в коридоре отвалился огромный кусок изумительных шелковых обоев, по стене под ними уже текла вода.

Вася Ломов заревел, как разъяренный бык. В глазах у него потемнело, лицо налилось кровью, и он бросился прочь из квартиры, рыча не своим голосом:

— Убью старую сволочь!

По дороге он прихватил первое, что подвернулось ему под руку. Это оказалась та самая позолоченная турецкая красавица, которая стояла у него в прихожей.

Размахивая деревянной статуей, как бейсбольной битой, Василий одним махом взлетел по лестнице и оказался перед дверью Ольги Валерьевны.

Он рванул эту дверь на себя.

Неизвестно, забыла ли криминальная троица, которая хозяйничала в Ольгиной квартире, закрыть за собой дверь или бандиты закрыли ее только на один хлипкий замок, но только дверь не выдержала могучего напора Васи Ломова и с грохотом распахнулась.

Вася влетел в коридор, размахивая статуей полуобнаженной турчанки.

В прихожей творилось форменное безобразие. Вещи были в беспорядке разбросаны по полу, кухонная дверь сотрясалась от тяжелых, ритмичных ударов.

Но Вася не обратил на все это внимания. Первое, что он увидел, была растекающаяся по полу огромная лужа, над которой поднимался пар. При виде этой лужи Вася озверел еще больше. И тут из соседней двери навстречу ему вышел крепкий тип с квадратными плечами, квадратной головой и маленькими злыми глазками.

— Ты еще кто? — удивленно проговорил этот квадратный тип, увидев Васю.

— Конь в пальто! — ответил тот единственным возможным способом и ударил квадратного незнакомца деревянной турчанкой.

Статуя, крепкая и тяжелая, в качестве орудия ближнего боя оказалась ничуть не хуже пресловутой бейсбольной биты, и если бы Вася попал по квадратной голове, как он и планировал, поединок на этом был бы закончен. Но квадратный тип, на свое счастье, поскользнулся на разлившейся воде, отлетел к стене, и удар пришелся по его плечу. Квадратный взвыл, его правая рука повисла, как плеть.

— Ящик, что там у тебя? — донесся из комнаты визгливый голос его напарника.

— Тут какой-то козел притащился... — прохрипел Ящик, поднимаясь на ноги и вытаскивая левой рукой нож.

— Какой еще козел? — крикнул долговязый.

— Сам козел! — подал голос Вася и снова поднял свое смертоносное орудие. На этот раз Ящик был готов к удару, он отскочил в сторону, поудобнее перехватив нож. Правда, прихожая в квартире Ольги Валерьевны была очень тесная и не оставляла достаточного простора для маневра. Василий изо всех сил взмахнул турецкой статуей, но снова не попал по голове. Зато он сумел выбить из руки Ящика нож и нанес тому ощутимый удар по левому предплечью. Квадратный бандит взвыл нечеловеческим голосом и отступил назад, тряся второй рукой. Теперь он мог отбиваться разве что ногами.

На его счастье, в этот момент в прихожей появился долговязый напарник. В руке у него был большой черный пистолет.

— Ты тут откуда взялся? — взвизгнул этот новый участник событий, наведя ствол пистолета на Василия.

— Тебя не спросил! — рявкнул тот и бросился в атаку. Долговязый ловко отскочил в сторону и выстрелил. Несмотря на то что расстояние было очень небольшим, пуля пролетела мимо. Но долговязый уже снова готовился выстрелить, и на этот раз он бы точно не промазал. Но именно в этот решающий момент дверь кухни рухнула под мощным напором бордоского дога, Гильгамеш вылетел в прихожую и с ходу вцепился в руку долговязого. Тот по инерции нажал на спусковой крючок, пуля ушла в пол, пистолет выпал из прокушенной руки, а долговязый не удержался на ногах и упал на пол.

— Кто стрелял? — раздался из комнаты раздраженный голос шефа бандитов. — Я же велел не поднимать шум!

— Шеф, надо уходить! — взвизгнул долговязый, пытаясь остановить кровь, льющуюся из руки.

— Да что там творится? — смуглый тип со змеиными глазами оставил Ольгу Валерьевну без присмотра и выглянул в прихожую. Тут же на него устремился Гильгамеш.

Шеф попытался снова воспользоваться своим заветным баллончиком, но пес опередил его, боднув тяжелой головой. Баллончик упал и закатился в угол.

Осознав, что сопротивление бесполезно, а после стрельбы, которую устроили его бестолковые приспешники, скоро появится полиция, шеф бросился прочь из злополучной квартиры. Его подручные поспешили следом за ним, стеная от боли и поддерживая друг друга.

Вася Ломов изумленно поглядел им вслед, но тут же вспомнил, из-за чего ворвался к соседке. Хотя поединок с бандитами позволил ему выпустить пар, дело так и не было доведено до конца. Василий снова подхватил свою деревянную красотку и хотел продолжить выяснение отношений, но как только Гильгамеш ощутил его агрессивные намерения, он прыгнул на Васю, свалил его на пол и встал лапами на грудь, проведя задержание по всем правилам.

Василий увидел склоненную над ним лобастую светло-коричневую морду, огромные оскаленные клыки, почувствовал на своем лице горячее дыхание бордоского дога — и остатки агрессии выветрились из его организма, на смену ей пришел обыкновенный страх. Он впервые прочувствовал, как на деле выглядят часто упоминаемые в документах «обстоятельства превосходящей силы».

В это время в коридоре появилась Ольга Валерьевна.

Увидев распростертого на полу соседа и стоящего у него на груди Гильгамеша, она всплеснула руками:

— Гильгамеш, что ты делаешь? Это свой! Это друг! Это, можно сказать, мой спаситель! Гильгамеш, назад!

Гильгамеш с сомнением посмотрел на хозяйку. Казалось, его взгляд говорил: «Ты уверена? Ты действительно в этом уверена? А вот я почему-то сомневаюсь!»

Тем не менее приказы хозяйки не обсуждаются, и огромный пес нехотя слез с груди Васи Ломова и скромно встал в сторонке.

Вася наконец перевел дыхание и, кряхтя и постанывая, поднялся на ноги. И тут же Ольга Валерьевна бросилась ему на шею:

— Василий, дорогой, я вам так благодарна, так благодарна! Вы так вовремя подоспели! Вы меня спасли от этих бандитов! Вы герой, вы настоящий герой!

Вася, который только что хотел растоптать соседку, разорвать ее на мелкие клочки, а самое малое — как следует обругать ее, неожиданно почувствовал к ней что-то вроде сочувствия и симпатии. Кроме того, Гильгамеш, стоявший в углу с самым невинным видом, время от времени посматривал на него очень выразительно.

— Ну, как же... — пробасил он, сам себе удивляясь. — Мы же ж соседи ж... Мы же ж должны ж друг другу помогать...

С умилением выслушав это смущенное жужжание, Ольга Валерьевна обратила внимание на деревянную красотку.

— А это что такое, Вася? — спросила она с интересом.

Гильгамеш снова взглянул на Василия, как будто все еще был не вполне удовлетворен.

— А это я вам подарить хотел, — проговорил Вася в неожиданном приступе щедрости. — А то у меня она стоит-стоит, прямо ж надоела ж... а у вас здесь как-то бедновато...

Капитан Севрюгин вошел в приемную детективного агентства «Ястребиный глаз» и огляделся. Приемная была оформлена в сдержанных серо-стальных тонах, на видных местах красовались чучела ястребов-перепелятников и тетеревятников.

За стойкой сидела худощавая женщина лет тридцати в строгом сером костюме, с коротко стрижеными темно-русыми волосами и хищно изогнутым носом. Видно было, что это не вульгарная болтливая секретарша, а настоящий профессионал, из которого трудно будет извлечь какую-то информацию. Но капитан Севрюгин был настроен очень серьезно.

— Я вам звонил, — проговорил Севрюгин, подходя к столу, и протянул женщине свое удостоверение.

Та внимательно его изучила, вернула капитану и проговорила:

— Все верно, только Арсения Артуровича сейчас нет. Он уехал к заказчику.

— Ну что ж, а у меня вопросы в основном не к нему, а к вам.

— Ко мне? — женщина посмотрела на него с удивлением и слегка склонила голову к плечу, как хищная птица, словно собираясь его клюнуть. — Не знаю, чем я могу вам помочь... особенно в отсутствие Арсения Артуровича.

— Очень даже можете. Вы всего лишь ответите мне на несколько вопросов.

— Видите ли, у нас существует твердое правило, — эта в сером говорила вежливо, но твердо, — в отсутствие начальника не полагается разговаривать с посторонними. Арсений Артурович относится к этому очень строго.

— Это кто же здесь посторонний? — Капитан изобразил на своем лице улыбку, что получилось у него довольно плохо. — Мы с вами, можно сказать, коллеги...

— Тем более! С коллегами разговаривать вообще нельзя — мало ли что они хотят выведать!

— Ах вот как? — Улыбка исчезла с лица капитана. — Так вот, хочу вам напомнить, что вашему шефу каждый год приходится продлевать лицензию детектива, и это зависит не скажу, что лично от меня, но от моего непосредственного руководства. Так что в ваших силах облегчить этот процесс или, наоборот, осложнить...

С этими словами Севрюгин сделал вид, что собирается уйти.

— Ладно, — сдалась женщина, — задавайте свои вопросы.

Как видно, неизвестный Арсений Артурович должен был очень ее ценить, поскольку она все понимала с полуслова.

— Я присяду?

Не дожидаясь разрешения, капитан опустился на хлипкий с виду офисный стул из стальных трубок, достал свой блокнот и поднял глаза на женщину:

— Извините, ваше имя?

— Нелли Леонидовна, — ответила та довольно сухо.

— Итак, Нелли Леонидовна, меня интересует конкретный день — девятнадцатое июня. Можете вы вспомнить, что у вас происходило в этот день? Кто к вам приходил?

— Зачем же вспоминать? Я сейчас все вам точно скажу...

Она пощелкала пальцами по клавиатуре компьютера, раскрыла нужный файл и проговорила:

— Вот этот день. Здесь у меня указаны все, кто в тот день был записан на прием...

Она развернула экран компьютера к Севрюгину и показала ему таблицу:

— Вот, видите — на девять часов был записан господин Ревякин. Он — владелец крупного магазина, у него участились случаи воровства, поэтому он хотел провести конфиденциальное расследование и выяснить, не причастен ли к хищениям кто-то из сотрудников магазина.

— А это что за пометки?

— Вот здесь отмечено, что господин Ревякин опоздал на пятнадцать минут, провел у Арсения Артуровича примерно час, подписал все необходимые документы и выплатил аванс. — Женщина водила по таблице тупым концом карандаша. — Дальше... на десять была назначена встреча с госпожой Мюслиной. Она — наша постоянная клиентка, мы ей даже делаем скидку...

— Постоянная? — удивленно переспросил капитан. — Как это? Я думал, ваши услуги, как бы это выразиться... одноразовые? Мало кому приходится много раз обращаться к детективам!

— Когда как. Видите ли, у госпожи Мюслиной довольно сложная семейная жизнь. Ее муж — богатый и влиятельный человек, но очень любвеобильный. Она, как правило, терпит его... гм... культурную программу, но потом в какой-то момент не выдерживает и обращается к нам, чтобы получить неопровержимые доказательства. С этими доказательствами она приходит к мужу, угрожает, что подаст на развод. Муж отговаривает ее от этой мысли, заваливает подарками, происходит бурное примирение, и на какое-то время все приходит в норму. А потом — все начинается сначала...

— Надо же, какая у людей интересная жизнь! — с завистью вздохнул капитан.

— Вот именно! Так вот, сейчас у них как раз новый цикл, и госпожа Мюслина записалась на прием к Арсению Артуровичу. Я отвела на нее два часа — ей нужно всласть пожаловаться на свою горькую жизнь, выслушать порцию сочувствия, может быть, даже немного порыдать, водички выпить, кофе, чаю зеленого...

В общем, дело долгое, на этот раз даже в два часа не уложились, так что Арсению Артуровичу пришлось потратить на нее часть своего обеденного перерыва. Потом он все же уехал обедать, а после обеда к нему был записан господин Стефанопуло. У него сложный вопрос с наследством... ну, в принципе подробности вас не должны интересовать... — Таким образом женщина прошлась по своим записям, дойдя до конца рабочего дня.

Капитан, внимательно выслушав ее, спросил:

— Скажите, я так понял, что к вашему шефу все приходят по предварительной записи? А если у человека какая-то экстренная необходимость?

— Ну, это в тот конкретный день у Арсения Артуровича все время было четко расписано, а обычно у него бывают окна, и он принимает посетителей без предварительной записи. Кроме того, он иногда управляется несколько быстрее, чем планировал, и тогда он может принять еще кого-то... вот, кстати, я вспомнила, в тот день, о котором вы спрашиваете, тоже приходил один человек без предварительной записи...

— Вот как? — заинтересовался капитан. — Что за человек? По какому вопросу?

— Человек довольно странный, — проговорила женщина неохотно, — какой-то скользкий... глаза узкие, как у змеи... а по какому вопросу — я не знаю. Мне он отказался говорить, сказал, что вопрос сугубо конфиденциальный.

— Но он же должен был объяснить причину своего визита вашему шефу?

— Дело в том, что шефа он так и не дождался.

— То есть как — не дождался?

— Ну, как раз в это время шеф был занят с господином Стефанопуло — ну, тем, который по поводу наследства...

— Да-да, я помню!

— Вот, я ему сразу сказала, что придется ждать не меньше часа, и он ответил, что подождет. А потом, когда прошел почти час, он вдруг заторопился и ушел. Видимо, вспомнил какое-то важное дело. Я ему говорила, что Арсений Артурович скоро освободится, но он ответил, что больше не может ждать и придет как-нибудь в другой раз. Может быть, завтра. Но больше я его не видела...

— Вот как! — проговорил капитан. — А он, случайно, не звонил от вас по телефону?

— Интересно, что вы это спросили... — протянула Нелли Леонидовна. — Да, он попросил разрешения воспользоваться нашим телефоном. Сказал, что у него мобильник разрядился.

— А вы не слышали, о чем он говорил?

— Нет, — вспыхнула женщина. — Во-первых, я не имею привычки подслушивать чужие разговоры...

— Ну, это ведь можно назвать иначе... — протянул капитан с усмешкой. — Вы ведь блюдете интересы своего агентства!

— Во-вторых... — перебила его собеседница, — во-вторых, он говорил очень тихо, так что мне все равно ничего не удалось расслышать, и поэтому я вышла...

— Вышли? — заинтересовался Севрюгин. — Извините, куда и зачем? Если это, конечно, не секрет.

— Пойдемте, я вам все покажу!

Нелли Леонидовна вышла из-за стола и открыла дверь в глубине комнаты. За этой дверью была маленькая кухонька — кофеварка, электрическая плитка, шкафчик с посудой.

— Здесь я варю кофе для шефа и его гостей, — пояснила женщина. — Кроме того, тут можно приготовить что-нибудь поесть — наши сотрудники часто задерживаются на работе допоздна. А еще отсюда кое-что видно...

Севрюгин вслед за женщиной подошел к задернутому шторой окну. Из этого окна открывался вид на улицу перед входом в агентство и на автомобильную стоянку.

— Понимаете, этот человек выглядел довольно подозрительно, пришел без предварительной записи, не предъявил никаких документов, — пояснила Нелли Леонидовна. — Вот я и подумала, что неплохо о нем хоть что-нибудь узнать. Хотя бы номер и марку его машины. По этим данным потом можно будет установить личность.

Она искоса взглянула на Севрюгина и добавила:

— Понимаете, наш шеф, Арсений Артурович, всегда предпочитает знать, с кем имеет дело, чтобы не оказаться втянутым в криминал...

— Понимаю, — согласился с ней Севрюгин. — Ну и как — вы разглядели его машину?

— Да, конечно! Это был новенький «Лексус». Серебристый «Лексус LS».

— Уже кое-что... — одобрительно проговорил капитан, — а номер вам не удалось запомнить?

— На память я не всегда полагаюсь. — Нелли Леонидовна скромно потупилась.

— Ну, у вас память отличная! — ввернул Севрюгин.

— Тем не менее я его на всякий случай записала. — Женщина вернулась на свое рабочее место, достала из стола блокнот и прочитала записанный там номер.

Капитан попросил ее повторить и переписал номер таинственного незнакомца в свой собственный блокнот. Затем он с надеждой взглянул на женщину и проговорил:

— Так, может, вы и его личность успели установить?

— А зачем? — Нелли Леонидовна пожала плечами. — Он не дождался, когда шеф освободится. А раз он не стал нашим клиентом — он и не представляет для меня никакого интереса!

Севрюгин искренне поблагодарил Нелли Леонидовну и отправился прочь. Теперь благодаря этой внимательной и профессиональной женщине он получил доказательства того, что Георгия Успенского подставили. Больше того, у него был номер и марка машины, так что теоретически ничего не стоило узнать и имя того, кто так старался подвести Успенского под убийство.

Теоретически — да, а на практике...

Конечно, на рабочем столе Севрюгина стоял старенький компьютер, но капитан не очень дружил с современной техникой и не очень верил в то, что она может помочь в его тяжелой работе. Это только в кино бравые и технически подкованные полицейские заглядывают в базу данных и через пять минут узнают имя преступника. На деле все куда сложнее. Севрюгин считал, что найти и изобличить преступника можно только после долгих утомительных поисков, после засад и преследований, обысков и допросов, в общем, после того, что он привык называть оперативной работой.

Разумеется, у них существовал технический отдел. Специалисты этого отдела наверняка в два счета получили бы все нужные данные. Но тогда это стало бы известно начальнику. А начальник на Севрюгина зол и вообще ему не поверит больше, а то и с позором с этого дела снимет.

В общем, идти в технический отдел нельзя. Нужно искать какие-то другие пути.

Вернувшись в родной отдел, Севрюгин заглянул к старому приятелю Севе Налимову. Сева был человек современный, продвинутый и в разговоре постоянно сыпал такими таинственными словами, как «драйвер», «макрос», «утилита» или «седьмая винда». Вот и сейчас Сева сидел перед компьютером и ожесточенно лупил по клавишам, время от времени издавая радостные вопли.

— Сева, — деликатно обратился к нему Севрюгин, — срочно нужна твоя помощь!

— Погоди, — отмахнулся от него Налимов. — Я сейчас на третий уровень выйду...

Севрюгин сел на свободный стул и стал терпеливо ждать, время от времени поглядывая на часы.

Наконец Сева разочарованно вздохнул, опустил руки и повернулся к приятелю:

— Не получилось! Ну ладно, что у тебя?

— Да вот нужно по номеру машины пробить владельца.

— Только-то? Пойди в техотдел, там это в две секунды сделают. Им за это деньги платят.

— Да вот в том-то и дело, что в техотдел обращаться нельзя. Не хочу, чтобы шеф раньше времени узнал, чем я занимаюсь. Он на меня и так зол. Может, ты посмотришь? Ты ведь во всех этих программах отлично разбираешься!

— Вообще-то... — неохотно отозвался Налимов, — я только играть умею... всякие стрелялки-догонялки — это да, это я умею, а все эти базы данных для меня — темный лес...

— Что же делать-то? — вздохнул Севрюгин. — Мне очень нужно этот номер пробить...

— А я знаю что! — оживился вдруг Налимов. — Ко мне тут практиканта прикрепили, натуральный ботаник, я его пристроил старые бумаги разбирать, чтобы под ногами не болтался. Все равно ни на что другое он не годится. Наверняка он сможет тебе помочь! Ботаники, они обычно в программах разбираются...

Налимов вышел в соседнюю комнату и через минуту вернулся с тощим длинноволосым парнишкой в черной футболке с черепом и надписью «Не влезай, убьет».

— Вот тебе важное задание, — строго приказал парню Налимов. — Моему коллеге нужно пробить по базе данных одного серьезного преступника. Имеется номер и марка машины, нужно получить все остальное: имя, адрес, место работы, мобильный телефон...

— Ну, насчет мобильного телефона коллега пошутил, — встрял в разговор Севрюгин. — Но мне бы хоть что-нибудь...

— Можно и мобильный, — отозвался практикант и повернулся к Налимову: — А если найду — мне больше не надо будет эти бумажки разбирать?

— Торг здесь неуместен! — отрезал Сева, но тут же перехватил умоляющий взгляд Севрюгина и смягчился: — Ладно, на сегодня будешь свободен. Конечно, при наличии результатов...

— А возьмете меня на какую-нибудь настоящую операцию? Настоящую, с засадами и погонями?

Налимов снова переглянулся с коллегой, вздохнул и неохотно повторил:

— При наличии результатов!

— Результаты будут! — заверил его практикант и тут же уселся за компьютер.

Через минуту он оглянулся на Налимова и спросил:

— А пароль вашего техотдела вы не знаете?

— Откуда же мне его знать?! — возмутился Сева. — С паролем любой дурак сможет! С паролем, может, я бы и сам справился!

— Ну, вы-то вряд ли... — вполголоса пробормотал практикант и снова склонился над клавиатурой.

Еще через несколько минут он издал победный вопль и повернулся к Севрюгину:

— Ну, вот он, ваш преступник! Получите и распишитесь! Рубен Ашотович Мирзоян, генеральный директор фирмы «Вектор». Адрес: Липовая улица, дом четыре, квартира пятнадцать. Кстати, вы насчет мобильного телефона сомневались — так вот он, пожалуйста! А фотографию вам распечатать?

— Ну, спасибо тебе, ты просто молодец! — Севрюгин подхватил выползший из принтера листок с фотографией загадочного Мирзояна — и лицо его разочарованно вытянулось.

На фотографии был изображен знойный брюнет лет пятидесяти с короткой черной бородкой и выразительными темными глазами. Этот брюнет ничуть не подходил под словесное описание, которое дала Нелли Леонидовна из агентства «Ястребиный глаз». Конечно, словесное описание — это не фотография, и Нелли могла просто перепутать этого человека с другим посетителем, но все же в душу капитана Севрюгина закрались сомнения.

— Да, вот еще что, — добавил практикант, когда Севрюгин уже собрался уходить. — Я тут на всякий случай запустил поиск этого Мирзояна в других поисковых системах и наткнулся на его фамилию в базе данных пограничной службы аэропорта.

— Пограничная служба? При чем тут пограничная служба? — растерялся Севрюгин.

— При том, что этот Мирзоян месяц назад вылетел в Турцию и с тех пор не возвращался в Россию.

— То есть как не возвращался? Может, он прилетел через другой аэропорт... или вообще вернулся другим транспортом... вот, скажем, брат мой двоюродный летал в Тунис из Хельсинки, а до Хельсинки и обратно ехал поездом, туда скоростной поезд ходит...

— Да нет, тогда все равно в базе пограничной службы была бы отметка о том, что он пересекал границу, а такой отметки нет. Так что если вы ищете этого Мирзояна — можете поставить на поисках крест. Его сейчас нет в России.

— Спасибо, — проговорил Севрюгин без прежнего энтузиазма и отправился восвояси.

В любом случае нужно было проверить подозрительного господина Мирзояна. Может быть, в базе пограничной службы что-то пропущено или перепутано. Или, вполне возможно, что-то напутал этот самоуверенный парень. Подумаешь — какой-то практикант! С чего они с Налимовым взяли, что ему можно верить?

Севрюгин отметился на рабочем месте и через полчаса снова покинул отдел.

Через сорок минут он был на Липовой улице.

Это оказалась тихая зеленая улица, вполне соответствующая своему названию — на ней в два ряда были высажены липы, наполнявшие всю улицу густым цветочным ароматом.

В этом не было бы ровным счетом ничего удивительного, если бы эта замечательная улица располагалась в каком-нибудь маленьком провинциальном городке, однако Липовая улица находилась в самом центре огромного города, всего в сотне метров от Невского проспекта, и в просвете между домами проглядывала стройная колоннада Казанского собора.

— Живут же люди! — вздохнул капитан Севрюгин.

Все дома на этой улице были как на подбор — вроде бы и дореволюционной постройки, но недавно отремонтированные и отреставрированные, перед каждым — камеры наружного наблюдения и будочка охранника, в общем, мечта риелтора, приют скромного миллионера, самый что ни на есть «золотой треугольник».

Даже на фоне этих замечательных домов дом номер четыре, где обитал таинственный господин Мирзоян, выглядел по-королевски. Помимо всех прочих достоинств возле этого дома имелся въезд в подземную парковку, возле которого стояла будка охранника.

К этой-то будке и направился капитан Севрюгин.

— Кто такой? — окликнул его бдительный охранник. — Здесь посторонним шляться не положено!

— Я не посторонний, я из полиции! — ответил Севрюгин и предъявил охраннику свое удостоверение.

— А хоть бы и из полиции... — проворчал тот, внимательно изучая документ. — Невелика птица! Здесь знаешь какие люди проживают? Им на твою полицию наплевать с телебашни...

— Догадываюсь, — ответил Севрюгин и строго добавил: — А велика птица или нет — не тебе судить. Тебя склюю запросто!

— Ишь, расхрабрился! — Охранник насупился и хотел было еще что-то сказать, но тут к его будке танцующей походкой подошла разбитная девица в мини-юбке и боевой раскраске.

— Привет! — проговорила она, послав охраннику воздушный поцелуй. — Ну что, какую сегодня?

— Это ты куда направилась? — строго проговорил охранник, косясь одним глазом на девицу, другим на капитана. — А ну, проходи мимо, пока не нарвалась на неприятности!

— Да ты чего? — девица захлопала глазами. Мы же с тобой друзья или как? Или ты меня забыл?

— Или как! — рявкнул на нее охранник. — Я тебя вообще первый раз вижу, и чтобы больше ты здесь не отсвечивала!

— Ты ваще что? Мне, между прочим, на работу пора ехать, а ты тут понты кидаешь, непонятки разводишь!

— Сказано тебе — проходи мимо! — рявкнул охранник, мигая обоими глазами.

— Да ты чего — с дуба рухнул? — Девица нахмурилась, хотела еще что-то добавить, но тут перехватила панический взгляд охранника и покосилась на капитана Севрюгина, который с веселым интересом наблюдал за происходящим.

— А, так это мент, что ли... — с пониманием протянула девица. — Так бы сразу и сказал... ну ладно, зайду попозже!

— Вообще больше тут не показывайся! — раздраженно крикнул охранник ей вслед.

— Ну что, — насмешливо проговорил Севрюгин, когда девица удалилась, — прокат элитных авто по самым низким в городе ценам? Хорошая добавка к зарплате?

— Да ладно тебе, — примирительно проговорил охранник. — Мне неприятности не нужны, тебе, думаю, тоже. Говори что нужно и иди своей дорогой!

— Машина господина Мирзояна из пятнадцатой квартиры здесь стоит?

— Здесь, а где же ей еще быть? — быстро отозвался охранник.

Слишком быстро, как показалось Севрюгину. И при этом глаза охранника подозрительно забегали.

— И в последнее время никуда отсюда не выезжала?

— Само собой. — Охранник показал на какую-то табличку на стене и добавил значительным тоном: — Как хозяин ее поставил месяц назад, так там и стоит!

— А посмотреть на нее можно?

— А чего на нее смотреть-то? — занервничал охранник. — Не положено всяких-разных допускать на объект, даже которые из полиции! Здесь тебе не музей!

— Ну, не положено так не положено, — миролюбиво проговорил Севрюгин и сделал вид, что собирается уходить. — Ладно, пойду документы оформлять...

— Какие еще документы? — Расслабившийся было охранник снова заволновался.

— Известно какие — ордер, постановление прокурора... вернусь часа через два с документами, начальством и спецназом. Тут у вас, я вижу, дом серьезный, так что придется серьезно подготовиться...

— Эй, постой! — Охранник выбежал вслед за капитаном. — Может, не надо? Мой начальник очень недоволен будет, если тут такой шум поднимется! Может, ты сам поглядишь, чего тебе нужно?

— Могу и сам. — Севрюгин развернулся и направился в подземный паркинг.

Охранник сам показал ему машину Мирзояна и стоял рядом, явно нервничая.

— Вот она, эта машина... видишь, стоит на месте, где хозяин оставил, целая и невредимая...

Севрюгин внимательно осмотрел машину.

Это был новенький серебристый «Лексус LS», в точности такой, о каком говорила Нелли Леонидовна. Номер тоже совпадал, так что ни о какой ошибке не могло быть и речи.

Севрюгин неторопливо обошел «Лексус» со всех сторон, потом потрогал его капот.

Ему показалось, что капот еще теплый. В любом случае машина не была покрыта пылью, какая обязательно появилась бы за месяц в любом, самом чистом паркинге. Он готов был дать голову на отсечение, что на этой машине ездили совсем недавно.

Севрюгин повернулся к охраннику, смерил его пронзительным взглядом и проговорил:

— Так-так... сам признаешься или придется тебя колоть?

— Это ты о чем? — пробормотал охранник. — Это ты про что? Это ты в каком смысле — «колоть»?

— Известно в каком! — процедил Севрюгин. — В таком смысле, чтобы получить от тебя признательные показания!

— Какие еще показания? Ничего не знаю ни про какие показания! Ты хотел на машину посмотреть, я тебе позволил, вот и все на этом! Разговор закончен! Иди своей дорогой, или я начальника охраны позову, он с тобой живо разберется! Он и не таких видел! — С этими словами охранник потянулся к рации.

— Ну, давай, зови! — миролюбиво проговорил капитан. — Ему, я думаю, тоже будет очень интересно послушать, как ты машины жильцов напрокат сдаешь!

— Что? — Охранник побледнел, отдернул руку от рации, как будто обжегся. — Ты что такое несешь? Какие такие машины? На какой такой прокат?

— А это тебе виднее. Давай зови своего начальника! Расскажи ему про ту девицу!

— Ничего не докажешь... — забормотал охранник.

— Во-первых, запросто докажу. У нас есть эксперты, которые в пять минут установят, когда эта машина последний раз ездила и сколько она проехала... и что-то мне подсказывает, что последняя поездка была не месяц назад! А во-вторых, твоему начальнику и доказывать ничего не придется. Он как услышит, какими ты тут делишками занимаешься, — так тебя отсюда с треском вышвырнет, да еще позаботится, чтобы тебя ни на какую приличную работу не взяли! Тебе после этого не то что дорогие машины — метлу и лопату не доверят!

— Послушай, друг, — проговорил охранник доверительным голосом, — ну зачем тебе это? Мы же с тобой, можно сказать, коллеги! Зачем же нам друг друга топить? Зачем друг другу жизнь портить? Ну, подумаешь, разрешил я знакомому пару раз на этой машине прокатиться, что ей от этого? Хозяин все равно далеко, ему машина не нужна, знакомый мой ездит аккуратно...

— Ты мне хочешь сказать, что и денег за это не взял? — с явным недоверием осведомился Севрюгин.

— Ну, даже если и взял самую малость... ты же знаешь, какая сейчас жизнь дорогая, а платят нам совсем мало... как-то же надо на жизнь зарабатывать?

— Во-первых, не думаю, что вам здесь меньше платят, чем мне. Все-таки коммерческая структура. Во-вторых, не пытайся меня разжалобить — не такие пробовали!

— А может, по-хорошему договоримся? — Охранник по-своему понял слова капитана. Он вытащил из кармана бумажник и принялся перебирать его содержимое. —

У меня, правда, денег немного, но вот тебе сколько есть — и разойдемся...

— Так! — в голосе Севрюгина зазвенел металл. — Что же это мы имеем? Попытку дачи взятки при исполнении? Ты случайно не помнишь, какая это статья?

— Да это я так... это я пошутил... — Охранник торопливо спрятал бумажник. — И вообще, друг, что ты так взъелся? Подумаешь, большое дело, дал машину покататься...

— Дело действительно большое, — прервал его Севрюгин. — Эта машина по убийству проходит!

— Мать честная! — перепугался охранник. — Да не может быть! Да я же знать ничего не знал! Что же мне теперь делать?

— А ты назови мне имя того знакомого, которому дал эту машину, — и тогда, может быть, я закрою глаза на твой маленький бизнес! И вообще не буду тебя упоминать!

— Имя? А я не знаю его имени... — забормотал охранник.

— Вот как? Давал такую дорогущую машину человеку, имени которого даже не знаешь? Все, кончилось мое терпение! Вызывай своего начальника! Или я его сам вызову... и тогда уж придется все твои художества...

— Не надо начальника! — испуганно перебил охранник. — Я имени того человека и правда не знаю, да он, может, и сам-то его забыл. Его все давно уже по имени не зовут, вместо имени у него погоняло, кликуха...

— Ты мне можешь не рассказывать, что такое погоняло! И какое же погоняло у твоего знакомого?

— Ящик, — вполголоса сообщил охранник. — Он такой, знаешь, весь из себя квадратный — плечи квадратные, голова...

— Ящика я знаю, — оживился Севрюгин. — Точнее, раньше хорошо знал. За ним много всякой мелочовки числилось: ограбления, вымогательство, телесные повреждения средней тяжести... но уж года два про него что-то не слышно.

— Да, он в последнее время мелочовкой не занимается, хвастался, что на какого-то серьезного человека работает. — Охранник опасливо огляделся по сторонам.

— Это все очень интересно, — перебил его Севрюгин. — Только пользы мне от этого немного. Я же не знаю, где мне Ящика искать! Так что извини, но все равно придется звать твоего шефа...

— Не надо шефа! — вскрикнул охранник. — Я знаю, где можно Ящика найти! Он почти каждый вечер ошивается в «Полундре». Это такой подвальчик возле Сенной площади...

— «Полундру» знаю, — кивнул капитан. — «Полундра» — место очень даже известное. Ладно, коллега, на этом наша плодотворная встреча закончена к взаимному удовлетворению сторон, желаю успехов в боевой и политической подготовке!

С этими словами он покинул паркинг. Охранник проводил капитана растерянным взглядом.

Мальчики прошли по длинному полутемному коридору и остановились перед огромным окном, выходившим во внутренний дворик.

Шамик выглянул в окно и увидел там клетки с удивительными зверями. Никогда в жизни не видел он таких животных. Здесь были и газели с длинными, как у жирафов, шеями, и медведи с длинной шерстью золотистого цвета, и маленькие черные гиппопотамы, и удивительный зверь, на спине которого рос целый лес острых шипов. В отдельной клетке сидело животное, похожее на зайца, но размером не уступающее большому коню. По двору ходил смуглый раб с ручной тележкой, он останавливался возле клеток и бросал зверям еду: кому — сноп сена, кому — гроздь фруктов, кому — кусок кровоточащего мяса.

— Это наш зверинец, — пояснил Гар-ни. — Отцу привозят редких зверей со всех концов света. Пойдем дальше!

Шамик хотел еще полюбоваться на диковинных зверей, но его новый друг бежал вниз по лестнице, и Шамик последовал за ним, чтобы не потеряться в огромном дворце.

Спустившись по лестнице, мальчики оказались в длинной сводчатой галерее. Впереди раздавались леденящие душу звуки — рычание, рев, тоскливый вой.

— Что это? — Шамик испуганно остановился и схватил маленького атланта за руку.

— Махайроды! — ответил Гар-ни небрежно.

— Я не хочу идти туда! Мне страшно!

— Не будь девчонкой! — проговорил Гар-ни и пошел вперед, потом оглянулся и добавил: — Да не бойся же! Здесь не опасно! Махайроды не могут вырваться, они заперты в клетки!

Шамик опасливо двинулся за своим проводником, чтобы не показаться трусом. Они прошли еще несколько шагов. Рев и вой стали громче, и Шамик увидел по сторонам коридора прочные бронзовые решетки, за которыми метались огромные саблезубые звери. При виде мальчиков они еще больше разъярились.

— Как же так, — проговорил Шамик, стараясь держаться подальше от решеток. — Я видел махайродов в гавани и возле дворца, они были послушны, как домашние кошки!

— Эти тоже скоро станут послушными. Их недавно привезли охотники с дальних островов. Но скоро мастер усмирения даст им отведать отвар особой травы, и эти зверюги станут тихими и кроткими, как котята.

— Значит, прирученные махайроды совсем не опасны? А я слышал, что в бою они стоят многих воинов!

— Так то в бою! Воин, который командует махайродом, знает, как сделать его свирепым. А впрочем, это все ерунда. Хочешь, я покажу тебе кое-что действительно интересное?

Он вынул из своего широкого рукава маленькую золотую коробочку, поднес ее к уху, послушал, потом протянул Шамику:

— Послушай и ты!

Шамик опасливо поднес коробочку к своему уху, прислушался. Из нее доносился негромкий шорох и чуть слышное постукивание, как будто в коробочке был заперт осенний ветер.

— Что это? — спросил он с испуганным любопытством.

— Это зарин-ча! — гордо ответил атлант. — Это такой маленький зверек... посмотри на него!

Гар-ни осторожно открыл золотую коробочку, мальчики склонились над ней.

В коробке сидел большой серо-зеленый кузнечик. Он повел усиками и вдруг посмотрел на Шамика маленькими выпуклыми глазками. Шамик отчего-то испугался и закрыл коробочку.

— Не бойся, он не кусается! — проговорил Гар-ни и спрятал коробочку в рукав. — Пойдем дальше, ты мне нравишься, и я покажу тебе самую главную тайну нашего дворца!

Они пошли по сводчатому коридору, поднялись по одной лестнице, спустились по другой. Перед ними оказалась дверь, которую охранял воин в орихалковом панцире. Возле него сидел укрощенный махайрод. После того что Шамик видел в подземном зверинце, он с опаской поглядел на саблезубого зверя.

Стражник что-то сказал мальчикам на певучем языке атлантов. Гар-ни ему ответил строго и даже сердито, и воин послушно отступил в сторону, открыл перед мальчиками дверь.

Они оказались в новом коридоре, ярко освещенном и отделанном орихалковыми панелями.

— *Что он тебе сказал?* — вполголоса спросил Шамик своего провожатого.

— *Что сюда нельзя приводить посторонних.*

— *И что же ты ему ответил?*

— *Что ты — не посторонний, что ты — царевич из большой и могущественной страны. И что если он не пропустит нас, я велю скормить его неукрощенным махайродам.*

— *Ты, должно быть, шутишь!* — проговорил Шамик, во все глаза глядя на нового приятеля.

— *Ничуть! Это еще что!* — проговорил маленький атлант хвастливо. — *Хочешь, я покажу тебе настоящего бога?*

— *Подумаешь!* — протянул Шамик, — *Отец часто водит меня в храм, где стоят статуи богов. Я видел их тысячу раз! И Энлиля, и Мардука, и Шамаша, в честь которого мне дали имя...*

— *А вот и нет!* — Гар-ни усмехнулся. — *Никакие не статуи! Я покажу тебе настоящего живого бога!*

— *Заливаешь!* — Шамик недоверчиво посмотрел на нового приятеля. — *Боги живут на высоких горах, или на небе, или в морской пучине! Ну, говорят, еще под землей...*

— *А вот сейчас сам увидишь! Увидишь своими глазами!* — Гар-ни свернул в боковой полутемный коридор, быстро пошел вперед. Шамик едва поспевал за ним.

Мальчики поднялись по какой-то лестнице, прошли еще по одному коридору, спустились на несколько ступеней и оказались перед запертой дверью. Шамик подергал дверь и разочарованно взглянул на своего провожатого:

— Закрыто!

— А у меня кое-что есть! — Гар-ни достал из своего бездонного рукава маленький орихалковый ключик, похожий на крест с колечком на конце, показал его Шамику: — Видишь этот ключ? Я стащил его у одного из жрецов, пока тот купался. Потом было так смешно — старик стал весь красный, будто его ошпарили кипятком, он искал этот ключ повсюду, наказал своего раба...

— Ключ-то я вижу, да вставлять его некуда — на этой двери нет замочной скважины.

— Это еще одна хитрость, дарованная нам богами! Замочная скважина видна только при лунном свете.

— Откуда же мы возьмем луну? — разочарованно протянул Шамик. — Сейчас день, да здесь и окон-то нет.

Он окончательно уверился, что новый приятель просто хвастается перед ним.

— Ну, так смотри. — Маленький атлант достал все из того же рукава тускло блестящий металлический цилиндрик с синим прозрачным камнем на конце, повернул этот камень, и вдруг из другого конца цилиндра полился неяркий серебристо-голубой свет, и впрямь похожий на свет ночного светила.

— Что спрятано в этой палочке — кусочек луны? — восхищенно спросил Шамик своего приятеля.

— Не знаю, это один из даров того бога, к которому мы сейчас пойдем. — С этими словами Гар-ни направил серебристый луч на дверь, и в этом свете Шамик тут же увидел замочную скважину.

— Подержи! — Гар-ни подал Шамику светящийся цилиндр. Мальчик робко взял его, словно боясь обжечься.

— Не бойся, он не кусается! Свети сюда, на дверь! — Гар-ни вставил ключ в замочную скважину, повернул ее.

Дверь с тихим, мелодичным звуком открылась.

Мальчики проскользнули внутрь, и дверь тут же за-хлопнулась за ними.

Они оказались в новом коридоре, стены которого были облицованы странным, незнакомым светлым металлом, не похожим ни на медь, ни на золото, ни на орихалк. В пото-лок этого коридора были вделаны кругляши, испускавшие такой же серебристый свет, как светящаяся палочка, только куда более яркий.

— Куда это мы? — спросил Шамик, невольно понизив голос.

— Это запретная часть дворца, — прошептал Гар-ни. — Если нас здесь поймают...

Он не договорил, этим еще больше напугав своего спут-ника. Шамик покосился на дверь и спросил:

— А как же мы выйдем отсюда?

— Так же, как вошли! — И он повертел на пальце свой ключик. — А теперь пойдем вперед!

Он быстро пошел по коридору, но Шамик чувствовал в лице и жестах своего спутника неуверенность. Наверно, он не так уж часто бывал в этой части дворца.

Вдруг впереди хлопнула дверь, донеслись шаги и голоса. Гар-ни юркнул в темную нишу, втянул за собой Шамика. Мальчики затихли, прижавшись к стене и пытаясь слить-ся с ней. Мимо них прошли, негромко разговаривая, два человека в длинных одеждах жрецов. Дождавшись, когда шаги их затихнут, Гар-ни выскользнул из ниши, и мальчики пошли в прежнем направлении.

Через несколько минут коридор преградила дверь из такого же светлого металла, каким были облицованы стены. Эта дверь не была заперта. Из-за нее доносились какие-то странные звуки — как будто там тяжело ды-шал великан.

— Это дыхание бога? — испуганно спросил Шамик.

— Нет, это всего лишь еще одна хитрость! — отозвался маленький атлант. Он толкнул дверь и вошел в помещение. За дверью оказалась комната, которую почти всю занимала большая труба из прозрачного камня, по которой то вверх, то вниз двигался черный блестящий поршень. Именно он издавал те звуки, которые слышал Шамик из-за двери.

— Что это?

— Это опахало, которое делает воздух в жилище бога свежим и приятным. Отсюда-то мы и проберемся к нему, но только имей в вид: у нам придется ползти!

Гар-ни подошел к стене, облицованной все тем же светлым металлом, и отделил от этой облицовки одну плиту. За этой плитой оказалось квадратное отверстие, уходящее в темноту. Из этого отверстия исходил странный, незнакомый запах.

— Полезай туда! — сказал Гар-ни Шамику. — Да не бойся, там нет ничего страшного! Я влезу за тобой, просто мне нужно закрыть этот ход за нами, чтобы нас не заметили!

Шамик не хотел показаться новому другу трусом и неохотно влез в отверстие. Гар-ни последовал за ним, затем изнутри поставил на место плиту.

Мальчики оказались почти в полной темноте, в трубе, где им едва хватало места, чтобы двигаться на четвереньках.

Гар-ни пополз вперед, Шамик последовал за ним.

В трубе, по которой они ползли, было, по крайней мере, не жарко. Время от времени за спиной раздавался мощный вздох, и тогда их обдувал свежий прохладный воздух.

— Это воздух, который качает в покои бога опахало, которое мы видели! — пояснил Гар-ни, повернув голову. — Не бойся, мы скоро будем на месте!

Они ползли еще несколько минут.

В трубе стало заметно светлее. Кроме того, усилился незнакомый аромат. Гар-ни снова повернулся к своему спутнику, поднес палец к губам и прошептал:

— Мы уже почти на месте!

Мальчики проползли еще несколько локтей, и Гар-ни остановился. Шамик подполз к нему.

Есть в нашем городе такие места, которые сохраняют свою репутацию на протяжении долгих лет, а то и целых столетий. К числу таких мест, несомненно, относится Сенная площадь. И двести, и сто пятьдесят, и сто лет назад эта площадь и прилегающие к ней улицы считались местами опасными и криминальными. Здесь обитали городские низы — воры и мошенники, нищие и бродяги.

С тех пор миновало три революции, несколько войн и множество других общественных потрясений. Сенная площадь на какое-то время поменяла свое имя, сделавшись площадью Мира, но население самой площади и ее окрестностей мало изменилось. Теперь к ней вернулось историческое название, и вместе с названием вернулся неповторимый колорит, блестяще описанный в свое время Федором Михайловичем Достоевским и другими писателями-реалистами. На самой площади и вокруг нее снова расплодились сомнительные заведения: пивные и рюмочные, закусочные и пельменные, шашлычные и бульонные, одним словом — забегаловки. Среди них было и заведение под колоритным названием «Полундра», которое занимало длинный сводчатый подвал в переулке возле площади.

В этом подвале малопочтенные обитатели Сенной в любое время дня и ночи могли выпить рюмку (и не одну) дешевой водки, закусив ее соленым огурцом или, при более удачном стечении обстоятельств, блюдом под названием «закуска традиционная» — а именно, куском селедки с луком и отварной картофелиной.

По причине доступности и дешевизны «Полундра» никогда не пустовала. Здесь проводила свое свободное время самая захудалая публика, перебивающаяся случайными заработками или вовсе находящаяся на мели.

Впрочем, иногда в «Полундру» заглядывали и люди посерьезнее: карманники, домушники, профессиональные нищие, наперсточники и мелкие мошенники разных мастей. Но эта публика не задерживалась в общем подвале. Перемигнувшись с хозяином или с кем-нибудь из официантов, они заходили за занавеску, отделявшую от общего зала заднюю комнату, так сказать VIP-зал, где столы были немного почище, водка подороже, закуски повкуснее и где можно было без помех и без свидетелей обсудить свои предосудительные дела.

Вечером описываемого дня капитан Севрюгин с двумя молодыми сотрудниками покрепче спустился по выщербленным ступеням «Полундры» и вошел в общий зал.

Навстречу ему тут же метнулся официант Савелий — длиннорукий, похожий на плешивую обезьяну мужик.

— Здорово, капитан, — обратился он к Севрюгину, — ты здесь по какому делу? По чью душу?

— Не волнуйся, Савелий, — заверил его капитан. — Я сейчас вообще не на работе. Посмотри на часы, кончился мой рабочий день. Я вот с ребятами зашел пивка выпить. Как — нальешь нам пива?

— Почему не налить? — Савелий все же с подозрением смотрел на посетителей. — Пива — это можно...

— Только сам понимаешь — в общем зале нам сидеть не к лицу. Мало ли, начальство увидит, и вообще... мы бы посидели за занавесочкой... там почище, и водка такая, что голова наутро не болит...

— Можно и за занавесочкой, — протянул Савелий без энтузиазма, — сейчас хозяину скажу...

— Зачем же хозяину? — миролюбиво проговорил Севрюгин. — Ты же у нас сам взрослый мальчик, сам можешь такие вопросы решать. Или ты хочешь сегодня переночевать в обезьяннике? Пожалуй, ты там будешь на месте...

— Не надо в обезьяннике... — грустно проговорил Савелий, у которого уже был соответствующий опыт.

— Ну вот, видишь, и договорились... — капитан отодвинул официанта в сторону, откинул заветную занавеску и вместе со своими немногословными спутниками прошел в VIP-зал.

Оглядев наметанным глазом здешнюю аристократию, капитан сразу заметил за угловым столиком квадратный затылок Ящика. Ящик пил водку и вполголоса разговаривал с незнакомым Севрюгину персонажем. Это был тощий долговязый человек с жидкими прилизанными волосами. Определенно криминальный и опасный тип. Одна рука у этого долговязого была перевязана несвежим бинтом.

— Берем тех двоих, — шепнул капитан, глазами показав своим спутникам на угловой столик.

Повторять два раза не пришлось.

Парни быстро и уверенно двинулись между столами. Видно было, что они давно уже сработались и понимали друг друга не то что с полуслова, но и вовсе без слов. Один заходил слева, явно нацеливаясь на Ящика, второй — справа, ближе к его долговязому собеседнику.

Капитан Севрюгин чуть отставал от своих спутников, прикрывая их.

Когда до углового столика оставалось несколько шагов, Ящик что-то почувствовал. Он оглянулся, привстал, при этом уронив стул, и метнулся в сторону. Но тот парень, который шел к нему, оказался быстрее. Он ловко сделал подножку, и Ящик грохнулся на пол.

В это время долговязый приятель Ящика тоже увидел неотвратимо надвигающуюся опасность. Он, однако, поступил неожиданно: вместо того чтобы броситься наутек, вскочил на стол и тонким, визгливым голосом заорал:

— Марсиане на Сенной высадились!

Посетители VIP-зала, которые до этого момента спокойно выпивали и закусывали, делая вид, что происходящее их не касается, от удивления вскочили со своих мест.

— Какие еще марсиане? — удивленно спросил известный всей площади нищий Гоша, здоровенный бородатый детина лет сорока, успешно изображавший паралитика и пользующийся в криминальной среде большим авторитетом.

— Вот они, — крикнул долговязый со своего стола, указывая на спутников Севрюгина. — Вылитые марсиане! Прилетели со своего Марса нашу кровь пить! Бей марсиан!

Оперативник, который наметил себе долговязого, попытался стащить его со стола, но тот ловко пнул его ногой, отскочил на соседний стол, схватил пустой графин и запустил его в лампочку. В зале стало темнее, и атмосфера начала сгущаться.

Некоторые завсегдатаи поверили в слух про марсиан и бросились на незнакомцев, другие отнеслись к этому с сомнением.

— Ша, урки! — рявкнул на весь подвал капитан. — Вы чего — с ума посходили? Это же я, Севрюгин! Какой я марсианин? Я же каждого второго из вас арестовывал, а каждого первого штрафовал!

— Точно, это Севрюгин! — признал Гоша старого знакомого. — А кто вообще пустил пулю про марсиан?

Выяснилось, что под шумок долговязый тип все же успел благополучно скрыться.

Ящик лежал на полу с заломленными за спину руками, один из оперативников оседлал его и ловко защелкнул на запястьях стальные наручники.

Посетители постепенно успокоились, и Севрюгин с подручными покинул «Полундру», ведя захваченного в честном бою Ящика.

— Начальник, чего тебе надо? — ныл Ящик, нехотя плетясь к машине. — Чего ты ко мне привязался? За мной ничего нету... я уже давно чист, как слеза первоклассницы!

— Ага, чист он! — огрызнулся Севрюгин, вталкивая задержанного на заднее сиденье машины. — А как насчет ограбления магазина в поселке Комарово? А как насчет разбойного нападения на таксиста в Дачном?

— Ну, к магазину я вообще близко не подходил! — возмущенно воскликнул Ящик.

— Не подходил? — насмешливо перебил его Севрюгин, — Верно, не подходил! Ты к нему на машине подъехал, которую перед тем угнал!

— Лажа, начальник! — горячился Ящик. — Нет у тебя на меня ничего! Стопудово нет!

— А вот и есть. Свидетель у нас имеется, который твою квадратную физиономию там видел. У тебя же, Ящик, такая личность — раз увидишь, никогда не забудешь!

— Да не мог он меня видеть! Там же темно было, как у крокодила в желудке!

— Ага, значит, был там, раз знаешь, что было темно!

— Да не был... — скис Ящик. — Это я так, догадался... этого, начальник, к делу не подошьешь...

— А вот мы посмотрим, подошью или нет.

Ящик что-то почувствовал в интонации капитана и с надеждой в голосе спросил:

— Начальник, ты скажи, чего тебе надо. Может, договоримся?

— Может, и договоримся, — оживился Severюгин. — Если расскажешь мне, для кого машину брал, тогда я забуду про магазин и таксиста...

— Машину? Какую еще машину? — Глаза Ящика подозрительно забегали.

— Ту самую, ко́торую ты у охранника на парковке одалживал. Красивая такая машина, серебристая...

— Ничего не знаю про тот «Лексус»...

— Ага, «Лексус»! А говоришь, что не знаешь! Отпираться бесполезно, Ящик, охранник тебя сдал!

— Вот сволочь! — Ящик скрипнул зубами. — Сдал-таки! Говорил, что будет держать язык за зубами!

— Ужасные времена! Никому нельзя верить! — усмехнулся капитан. — В общем, Ящик, если скажешь, для кого брал машину, — считай, мы с тобой договорились, я забуду про те дела...

— Ладно, начальник, твоя взяла! — вздохнул Ящик. — Правда, брал я тот «Лексус». Но только брал для себя. Девушек знакомых покатать.

— Что?! — Севрюгин хрипло засмеялся. — Ящик, ты на себя в зеркало-то давно смотрел?

— А что такое? — Ящик невольно посмотрел в зеркало заднего вида.

— А ничего! Ты этому «Лексусу» так же подходишь, как кавалерийское седло корове симментальской породы! Тебя бы первый же гаишник остановил!

— Зря ты так... — обиженно протянул Ящик. — Я же ведь тоже человек... у меня своя гордость имеется...

— Ладно тебе, человек! Кончай кота за хвост тянуть! Говори, для кого брал ту машину, — или пойдешь у меня по тем двум эпизодам. Там тебе самое малое пятерик светит...

Ящик наморщил лоб, что-то про себя прикидывая.

— Что, думаешь, раньше выйдешь по УДО? — усмехнулся Севрюгин. — А вот фиг тебе, я все сделаю, чтобы тебя по досрочному не выпустили.

Ящик тяжело вздохнул.

— Пятерик — это плохо... — проговорил он наконец. — Только боюсь я того мужика... очень боюсь.

— Боишься? — Капитан пристально взглянул на Ящика. — А меня ты не боишься? А между прочим, напрасно! Знаешь, что я сделаю? Когда ты на зону пойдешь, я нужному человеку шепну, что ты со следствием добровольно сотрудничал, подельников заложил. Так что тебе на зоне веселая жизнь обеспечена...

— Ты что, начальник! — заверещал Ящик. — Это же не по понятиям! Это же беспредел!

— А меня ваши понятия не волнуют. Если ты со мной по-хорошему, так и я с тобой, а если нет, то нет...

— Да ладно, начальник... — заскулил Ящик. — Ну, брал я машину для того мужика, это что — преступление?

— Для какого мужика? — Севрюгин придвинулся поближе и приготовился записывать. — Кто такой? Как зовут? Где познакомились?

— Как его зовут — я не знаю, он мне документы не показывал. Как познакомились... да он сам ко мне подошел, говорит: хочешь заработать? А кто же не хочет? Я и согласился... он еще сказал — приведи друга, надежного, ну я и привел...

Ящик спохватился, что ляпнул лишнее, и испуганно замолчал.

— Это кого же ты привел? — осведомился Севрюгин. — Того, с кем ты был в «Полундре»?

— Ну да... — уныло протянул Ящик, — Хмыря...

— Видно, что хмыря, — капитан строго взглянул на собеседника. — А имя у этого хмыря есть? Или хотя бы кличка?

— Так это и есть его погоняло — Хмырь! Мы с ним давно корешимся, с тех пор как вместе во Владимире чалились...

— А, так вот это кто! — сообразил капитан. — Хмырь, по паспорту — Семен Семенович Хмыря! Известная личность! За ним такой хвост тянется — и грабежи, и кражи, и разбойные нападения... жаль, что не сумели мы его в «Полундре» оприходовать! Но сейчас меня больше не он интересует, а тот мужик, на кого вы с Хмырем работали. Рассказывай все, что про него знаешь!

— Так я же говорю: ничего толком и не знаю!

— Ну, Ящик, я тебе не советую меня сердить! — Севрюгин задвигал желваками. — Ты меня знаешь, со мной шутки плохи!

— Так я же правду говорю! — простонал уголовник. — Зачем мне тебя обманывать?

— Ох доиграешься ты! Ты же его много раз видел, должен был что-то узнать! Как он хоть выглядел-то?

— Как выглядел? — Ящик понизил голос. — Да как он выглядел... страшный такой. Смуглый, глаза узкие — видно, откуда-то с юга или из Средней Азии. Может, азер, а может, вообще турок. И я тебе вот что скажу, начальник, — я ведь на своем веку разных людей видал, и грабителей серьезных, и убийц. Я во Владимире самого Васю Курносого видел, а его все знают — страшный человек. Но я тебе точно скажу, начальник: этот мужик, что нас с Хмырем нашел, он пострашнее всех будет. Даже пострашнее Курносого...

Севрюгин почувствовал в голосе Ящика неподдельный страх.

— Чем же он так тебя напугал? — спросил капитан.

— Даже не знаю... — признался уголовник после недолгого раздумья. — Вроде ничего в нем особенного, ни роста в нем большого, ни силы, а только как увижу его — прямо мороз по коже! Понимаешь, начальник, даже для убийцы кровь человеческая — не вода, человека жизни лишить — это смертный грех. А этому узкоглазому — что человека убить, что муху прихлопнуть — без разницы...

— Надо же! — Капитан недоверчиво усмехнулся. — Ну а как вы с ним связывались?

— Никак, — ответил Ящик, не задумываясь. — Когда ему было надо, он нам сам по телефону звонил и говорил, куда идти и что делать.

— По телефону? — заинтересовался Севрюгин. — По мобиле, что ли?

— Ну да, он нам с Хмырем специально для этого мобилы дал и только по ним звонил, когда ему что-то нужно. И велел те мобилы больше ни для чего не использовать, никому по ним не звонить.

— Так, значит, ты его номер знаешь? Значит, ты ему тоже позвонить можешь?

— То-то и оно, начальник, что нет! Когда он мне или Хмырю звонил — его номер на телефоне не появлялся. Он нам позвонить мог, а мы ему — нет... ну что, начальник, отпустишь меня? — Ящик с надеждой посмотрел на капитана.

— Нет, не отпущу! — ответил тот.

— Да как же! Ты же обещал!..

— Я тебя отпустить не обещал. Я тебе обещал жизнь капитально испортить, если ты будешь ваньку валять, пустую пургу гнать.

— Да я же все сказал, что мог!..

— Во-первых, не очень-то много пользы от твоего разговора. Во-вторых, тебе только полезно будет маленько у нас посидеть. Для здоровья полезно. Сам же говоришь, что мужик этот страшный. Как ты думаешь, если он узнает, что мы тебя взяли, а потом выпустили, — какая у него мысль в голове заведется? Что ты его сдал с потрохами! И долго ли ты после этого проживешь?

С некоторых пор звонки на ее мобильник с неизвестного номера Марину очень пугали. Так что когда раздался звонок — именно звонок, как в обычном телефоне, так у нее были озвучены незнакомцы, — Марина вздрогнула и выронила из рук пинцет, с помощью которого пыталась добраться до порванного проводка в микрофоне. Мелькнула малодушная мысль сбросить звонок и вообще выключить телефон. Но нельзя — вдруг что-то важное? Или Георгий позвонит, возможно, ему удалось разобраться в дневниках деда.

Но звонил вовсе не Георгий. И не по делу. Предчувствия ее не обманули — звонил все тот же вкрадчивый шипящий голос:

— Ты что же это думаешь — с нами можно шутки шутить?

И поскольку Марина молчала, окаменев от страха, вкрадчивый голос продолжал:

— Говорили тебе: отдай то, что взяла у нее! Говорили: отдай по-хорошему! Ты не послушалась — сама решила воспользоваться! Ну так пеняй на себя!

— Да я... я ничего... — проговорила Марина чужими непослушными губами.

— Та тоже умная больно была. И очень жадная, сама захотела все сделать. И где она теперь, знаешь? В морге отдыхает — и то не вся, а по кусочкам!

— Не смейте меня пугать! — Марина взяла себя в руки. — Говорите: что вам нужно?

— Мне нужно, чтобы ты отдала мне то, что взяла у нее, — голос говорил теперь спокойно и деловито, — и ты это сделаешь, иначе прощайся с сыном.

— Что? Что вы сказали? — Марина с размаху села на стул, потому что ноги стали ватными и уши заложило, как в самолете.

— А ты прими эсэмэс...

Непослушными руками она нажала кнопки, и на экране мобильника возникло лицо Тимки. Ее сына. Ее единственного ребенка.

— Что вы с ним сделали? — закричала она.

Но телефон молчал. Она хотела перезвонить, но номер не определялся. Через некоторое время, когда Марина была уже в невменяемом состоянии, пришла эсэмэска:

«Сегодня после работы тебя будет ждать машина за углом. И никому про это не говори, иначе сына живым не увидишь».

Марина тупо смотрела на тускло светящийся экран мобильника, потом вышла снова на присланную фотографию. Тимка был на ней такой веселый, такой родной, в шортах, с большим ярким надувным мячом в руках.

Но как, думала Марина, как они его нашли? Значит, они все про нее знают? Значит, они внимательно за ней следят? Сыночек, родной мой... Слезы застилали ей глаза.

Так прошло минут двадцать, после чего Марина спохватилась, что нельзя терять время, нужно действовать. Надо как можно скорее найти Георгия и забрать у него проклятую флешку. Если не отдаст, Марина отберет ее силой.

Она кинула последний взгляд на фото и невольно задержалась. Ведь она хорошо помнит эту фотографию! Этот снимок сделан в прошлом сентябре, когда они ездили на две недели в Черногорию! Собирались все вместе, с папой, но его не отпустили с работы.

Как теперь Марина понимает, он все наврал. Потому что взял отпуск в декабре, они с Женькой летали в Таиланд. И вернулись оттуда довольные, сияющие... уж не таскалась ли Камилка с ними? Ох ты, господи, да какое Марине сейчас до всего этого дело! Ей нужно ребенка спасать!

Но... раз снимок прошлогодний... ну да, вот и зуба сбоку у Тимки нет, а теперь давно вырос, стало быть, они вполне могли выудить его из «Вконтакте». Были там фотки из отпуска, точно. Ну какая же она идиотка! Нужно срочно позвонить маме!

Однако мамин мобильник был выключен. И по домашнему номеру были длинные гудки. Ну куда они подевались?!

Марина набирала снова и снова и совсем пала духом. Наконец набрала номер соседей — того самого Валерки, что работает проводником, и его жена взяла трубку.

— Кать, у тебя выходной, что ли?

— Отгул за прогул, — засмеялась Катя, — вот решила, пока никого нету, уборку генеральную сделать.

— А ты не знаешь, где мои? — с замиранием сердца спросила ее Марина.

— Ой, так я же тебе и говорю! Бабушки наши с внуками поехали в Борщевку!

Неподалеку от деревни Борщевка находился дом отдыха Железнодорожников.

— Понимаешь, Валерке дали путевку, — обстоятельно рассказывала Катя, — в детский корпус. А я сейчас никак не могу, с работы не отпускают, сменщица моя Людка в декрет ушла, вообще работать некому. Ну, я маму решила отправить. А там номер на четверых — двое взрослых, двое детей, она и уговорила твою, чтобы вместе ехать. И мальчишки дружат, так что будет с кем играть, а то попадутся какие-нибудь... Твоя мать говорит, что ты ей денег оставила, можно за путевку полную стоимость заплатить. Две недели отдохнуть от плиты — это же великое дело! А мобильник свой она дома забыла, по дороге вспомнила, а Валерка возвращаться не стал — пути, говорит, не будет.

Марина слезно поблагодарила Катю, потом позвонила ее матери. И тут же напала на Тимку, который схватил телефон без спросу. Когда разобрались во всем и Марина повесила трубку, слезы радости высыхали на щеках.

Но увидев, как все еще предательски дрожат руки, она нахмурилась и решила, что свой только что пережитый ужас этим типам ни за что не простит.

Однако нужно что-то делать, а то они не отвяжутся. Похоже, что придется отдать им эту чертову флешку, Георгий небось списал с нее все в компьютер, да и материалы деда у него сохранились. Придется рассказать ему, как звонил ей противный шипящий голос, как мотоциклист отнял сумку и как по ошибке напали на Сашу.

Плохо, он не поверит. То есть поверит, но рассердится, что не сказала всего раньше. Еще заподозрит Марину в интригах и хитрости. Все-таки речь идет о его жене. А она ни за что на свете не расскажет ему, что видела тем утром, вернувшись не вовремя. И что потом делала

Камилле мелкие гадости. И самое главное — про то, что решила соблазнить его, Георгия, Камилле назло. Вот уж этого он никогда не узнает, хоть бы пытал ее каленым железом!

Тем более что ничего у нее не получилось.

Тут Марину вызвали в студию, потому что пришли гости на вечернее ток-шоу и нужно было всем срочно прицепить микрофоны. А когда она вернулась к себе через два часа, на телефоне мигали три сообщения от Георгия. «Перезвони! Перезвони!! Перезвони!!!»

— Что случилось? — крикнула она в трубку, забыв поздороваться. — Ты в порядке?

— Ох, да я-то в порядке, — сказал он, — но вот Ольга...

Далее выяснилось, что звонила ему Ольга Максимова и рассказала, что после их ухода явились к ней трое настоящих бандитов и стали расспрашивать о том, что она рассказала Георгию и Марине. А также — что она им передала. И даже стали ее пытать посредством утопления в собственной раковине.

— А Гильгамеш-то что? Защитник тоже мне! — раздраженно закричала Марина.

Георгий по рассеянности спросил, кто такой Гильгамеш, а потом сообщил, что собаку они нейтрализовали, брызнув ей в морду чем-то из баллончика.

— Ой! — Марина воочию увидела, как дог валяется на полу, откинув лапы. — Он умер?

— Да нет, жив, очухался и бандита одного здорово покусал.

В общем, все обошлось, потому что явился сосед снизу и переколотил всех бандитов, тут еще собачка помогла. Ольга почти не пострадала, только испугалась. Ну и в квартире тарарам.

— Она говорила, что люди опасные и чтобы мы были осторожнее, они за нами следят и могут причинить вред.

— Уже, — вздохнула Марина, — они звонили и требовали, чтобы я отдала им флешку. Угрожали, что расправятся с ребенком.

— Каким ребенком? — растерялся Георгий.

— Сын у меня шести лет, ты не знал, что у людей бывают дети? — рявкнула Марина раздраженно, ей этот тип не от мира сего начал уже надоедать.

— Что с ним?

— Пока ничего, — неохотно ответила Марина, — он у мамы в другом городе. Но я рисковать не могу. Так что отдай ты эту флешку, перепиши там...

— Конечно-конечно, — заторопился Георгий, — я привезу. Но ты уверена, что...

— Извини, я на работе, — прервала Марина разговор, ей не хотелось ничего уточнять.

Зато потом, когда они встретились внизу, у входа, Георгий вовсе не выглядел таким рассеянным ученым из старого советского фильма. Он задал ей кучу вполне толковых вопросов: кто такие эти люди, как она собирается встречаться с ними и что вообще происходит? Кому могли понадобиться материалы его деда, которыми лет тридцать никто не интересовался?

«Спроси у своей жены!» — хотела огрызнуться Марина, но вовремя опомнилась.

От Георгия ей удалось отвязаться с большим трудом. И когда она вернулась к себе, сжимая в кармане злополучную флешку, зазвонил мобильник.

— Ну? — спросил все тот же вкрадчивый голос, — ты убедилась, что шутить со мной не стоит? Добраться до... — он произнес название ее родного городка, — очень легко. Всего-то ночь на поезде. А на машине еще быстрее...

«Врет, что был там и видел Тимку, — поняла Марина, — а название города узнать легко. Я там родилась, наверняка в какой-нибудь базе данных мои паспортные данные есть. Похоже, этот тип всех окружающих считает дураками. Возомнил о себе, что он самый умный. Ну, это мы еще посмотрим...»

Она постаралась, чтобы голос ее звучал испуганно.

— Я согласна, согласна. Только в машину к вам все равно не сяду. Увезете куда-нибудь и убьете. Все время по телевизору такие истории показывают. Так что если вам нужно это, то будем договариваться на моих условиях, вот!

— Ишь, какая смелая выискалась. Та тоже ничего не боялась — и где она теперь?

— Знаю, знаю, в морге! — отмахнулась Марина. — Ты это мне уже говорил! Так что встречаемся сегодня в семь часов вечера в Екатерининском садике. Там книжная ярмарка сейчас, так вот, вторая палатка справа, с детской литературой. На этом закончим, мне работать надо, а то начальник вечером не отпустит.

И она нажала кнопку отбоя. Но тут же снова схватилась за телефон. На этот раз она звонила Ольге Максимовой.

После взаимных приветствий, ахов и охов она поинтересовалась, как себя чувствует Гильгамеш. Судя по басовитому лаю, дог чувствовал себя превосходно. Неизвестно, прониклась ли Ольга Марининой заботой о собаке или же просто сумела разглядеть в Марине что-то хорошее, она говорила с ней доверительно, так что Марина решилась попросить ее описать незваных гостей.

— Один такой здоровый, плечи широченные, квадратные, голова в зачаточном состоянии — ну, типичный такой браток, только очень уж крупный, — заговорила Ольга занудным учительским голосом, как будто рассказывала шестиклассникам о завоевательных походах

Александра Македонского или о восстании Спартака, — второй, наоборот, худой как жердь, и волосики на голове прилизанные, а голос высокий, как у женщины. А самый главный у них — третий, худощавый такой, смуглый, глаза узкие, голос шипящий.

— Он мне звонил... — не удержалась Марина. — Точно, голос шипящий, как у змеи...

— Девочка, это очень опасные люди! — встревожилась Ольга. — Они ни перед чем не остановятся! Хотела бы я знать: зачем им все это? Ты ведь знаешь больше, чем Георгий?

— Ненамного, — призналась Марина и подумала, что этой женщине она могла бы рассказать все. От начала и до конца. Та все поймет совершенно правильно.

Но сейчас не время, все потом, потом.

Она поскорее распрощалась.

Следующим этапом был звонок заместителю директора по безопасности фирмы «Анкор».

Марина долго искала его визитку и даже испугалась, что потеряла ее. Наконец нашла завалившийся за подкладку сумки картонный прямоугольник и долго сидела, положив его на стол.

Она вспомнила холодные глаза этого Веретенникова, его жесткий взгляд и поняла, что провести его будет очень непросто. И шутить с ним не стоит, не тот это человек. Однако другого выхода у нее нет, нужно решаться.

С замиранием сердца она набрала номер. Ответили сразу.

— Господин Веретенников? — Она уже не скрывала дрожь в голосе. — Вячеслав Петрович?

— Да, это я.

— А это... это Ершова, Марина Ершова... помните, вы дали мне визитку...

— Я помню, — холодно перебил он, — в чем дело?

— Дело в том, что я... я вспомнила...

— И что же? — Он не сумел скрыть прорвавшийся в голосе интерес.

— Тогда, когда случился взрыв... потом приехали пожарные, началась суматоха, вокруг столпились люди... но еще раньше я заметила там одного подозрительного человека... Он стоял на другой стороне улицы и смотрел на горящую машину... очень странно смотрел. Он не был похож на простого зеваку.

— Что за человек?

— Мужчина, — с готовностью отвечала Марина, — довольно высокого роста, худощавый, смуглый, глаза такие узкие... в общем, он смотрел, потом ушел. И я забыла совсем о нем, а сегодня он пришел на студию. И сказал, что он расследует смерть Борецкого. Но он не из полиции, там я уже всех в лицо знаю! — заторопилась она. — И держался как-то странно, сказал, что нам нужно побеседовать приватно... А эти, из полиции, к себе бы вызвали... И все чего-то опасался. Я тогда и спрашиваю прямо: вы из «Анкора»? А он говорит — я частный сыщик, удостоверением каким-то помахал, я ничего не разглядела.

— Частный сыщик, говорите... — пробормотал Веретенников, — кто же его нанял...

— Он не сказал, а только мы с ним встречаемся сегодня в семь часов в Екатерининском садике, говорит, я важный свидетель, он должен меня допросить. Только чтобы я про это никому не говорила... — Марина потихоньку входила в роль дурочки, — а я и думаю: что еще за тайны? Почему надо встречаться на улице и скрываться... Вот, решила вам позвонить...

— Правильно сделали, Марина Викторовна, что позвонили, — сказал Веретенников после некоторого молчания, — значит, езжайте на встречу как договорились, а мы уж вас подстрахуем. И выясним, что это за человек и какое отношение он имеет к расследованию смерти господина Борецкого.

— Вот так вот, — сказала она, глядя на темный экран мобильника, — вы все будете делать, что я скажу.

И тут же испуганно закрыла рот рукой — вдруг кто услышит? Хотя никого рядом с ней нет, но все же...

И тут же открылась дверь, на пороге стоял оператор Андрей.

— С кем это ты разговариваешь? — Он удивленно оглядел пустую комнатку.

— Микрофон проверяла, — Марина смотрела на него совершено спокойно, — тебе что-нибудь надо?

— Надо, — он улыбнулся, — слушай, такое дело... у нас помреж уволилась.

— Светка, что ли?

— Ага, точнее, Олег ее выгнал.

У Светки была на студии кличка Балаболка. Очень она ей подходила — Светка вечно болталась по коридорам и комнатам, ничего не делала, только беспрерывно болтала, отвлекая всех от работы. Наконец у кого-то лопнуло терпение.

— Маришка, помоги! Будешь вместо Светки пока...

— Слушай, у меня же своя работа... — Марина кивнула на разбросанные по столу части микрофонов, — завхоз опять же вечно привлекает.

— Этого неуловимого Джо пошли подальше! — рассмеялся Андрей. — Пускай себе новую девочку ищет. А тебя временно оформим помрежем на эту передачу.

— Ой, а я справлюсь?

— Да что там делать! Уж не глупее ты Светки! Главное — ни с кем не конфликтовать, а это ты умеешь!

Гляди, карьеру сделаешь, начальником будешь! Тогда не забудь меня! — Андрей обнял ее за плечи и повел по коридору.

В Катькином садике, как называют его жители Петербурга, в эти дни было многолюднее, чем всегда. Обычно летом там на скамеечках сидят пожилые шахматисты, мамы с детьми, болтают студенты. Теперь же вокруг стояли разноцветные палатки, заполненные яркими книжками, играла жизнерадостная музыка, сновали озабоченные люди и просто гуляющие, и на все это с олимпийским спокойствием взирала со своего пьедестала Екатерина Вторая.

Марина назначила встречу на книжной ярмарке не просто так. Именно во второй палатке справа работала ее знакомая Лара Коровина. Они были из одного города, только Ларка постарше года на два. В школе не дружили, а уж потом, здесь, перезванивались изредка.

Лариска закончила библиотечный институт и устроилась в детское издательство. Вот как раз недавно позвонила и велела приходить на ярмарку — дескать, книжки хорошие и недорогие, без наценки, она для Марины отложит. Конечно, это свинство — впутывать в свои неприятности Лариску, но Марина знает одну вещь, которая может ей помочь.

Без десяти семь она подошла к памятнику Екатерине. Было такое чувство, что за ней наблюдают сотни глаз. Хотя на самом деле обычным людям не было до нее никакого дела.

Жара спала, дул легкий ветерок, колыхая еще свежие листья на деревьях. Цветы на клумбе, душистый табак, сильно и приторно пахли.

Марина незаметно огляделась. Все как обычно — родители с детьми, влюбленные парочки. Рядом с книжными палатками торгуют сувенирами, детскими игрушками, конфетами, шоколадом и орешками. Все удовольствия, в общем.

Марина подошла к лотку и выбрала небольшую нарядную коробочку в виде пиратского сундучка. Что-то там было написано корявыми буквами и нарисован череп и кости. Незаметно она положила флешку в сундучок и выбрала у продавца воздушных шаров самый большой — зеленого цвета, с розовым Пятачком на боку. Прицепила сундучок к шарику и крепко зажала его в руке.

На часах было без пяти семь, и Марина не спеша двинулась к нужной палатке. Вот она, детская литература. Только вместо монументальной фигуры Лариски она увидела за прилавком какого-то парня. Ага, знакомое лицо.

Парень был в светлой рубашке с длинными рукавами, но зоркая Марина увидела выглядывающий из-за манжеты бинт. Так и есть, это искусанный ею в прошлый раз невезучий Геша. Марине стало весело. Она встретилась с парнем глазами и щелкнула челюстью, как волк в сказке про Красную Шапочку. Геша испуганно отшатнулся, едва не опрокинув палатку. Нет, ну каких непрофессионалов держит на службе господин Веретенников!

Снова Марина взглянула на часы, до встречи осталось всего две минуты. Тут от прилавка ее отпихнула толстая тетка в красной панаме в горошек.

— Молодой человек! — заверещала она. — У вас есть обучающая литература?

— В каком смысле? — с досадой ответил Геша. — Что конкретно вы имеете в виду?

— Ну, мне нужно, чтобы мой Вовочка не болтал за столом ногами и не кидался хлебом, а также не выражался нехорошими словами. Особенно при гостях.

— И что, вы хотите прочитать в книжке, как его от этого отучить? — вмешалась в разговор немолодая дама интеллигентного вида.

— Вот именно! — энергично подтвердила тетя в панаме. — Как раз этого я и хочу!

— Этому можно научить только на личном примере! — с апломбом проговорила интеллигентная дама.

Марина отошла от палатки чуть в сторону, поскольку там стало шумновато и беспокойно. И тут кто-то крепко взял ее за локоть.

Перед ней стоял противного вида тип с жидкими прилизанными волосиками, аккуратно разложенными по черепу. Пришлось задрать голову, потому что тип был худой и высоченный, как коломенская верста. Все ясно, этот, с шипящим голосом, сам не подошел, послал своего помощника.

— Ну, давай, что ли, это сюда... — Тип протянул руку. Другой рукой он все так же крепко держал ее локоть.

Марина оглянулась. Ясно, что тот, главный, который звонил ей, где-то здесь, прячется в толпе. А людей Веретенникова что-то не видно, кроме этого идиота Геши. Ну, тот не боец, его покупательница надолго нейтрализовала.

— Это не ты мне звонил! — прошипела Марина. — И отпусти руку, больно.

— Не умничай, — он тоже понизил голос, — давай сюда вещь, мне с тобой болтать некогда.

А сам оглянулся машинально, и Марина поняла, что тот, главный, находится вон там, справа, за группой оживленной молодежи в ярких футболках.

— Держи! — она подняла руку как можно выше и неожиданно выпустила из руки воздушный шарик с привязанным к нему игрушечным сундучком.

Шарик стремительно взмыл вверх, а Марина повисла на долговязом типе, чтобы он не успел поймать шарик. Вышло неплохо — у этого долговязого была плохая реакция. Он проводил шарик удивленным взглядом, и только когда повернулся к Марине, кое-что понял. Как видно, при таком росте доходило до него все как до жирафа.

— Ты это чего? — угрожающе начал он, но Марина со всего размаха прыгнула ему на ногу в ботинке сорок пятого размера. В это время по обеим сторонам долговязого возникли двое крепких подтянутых парней в темных костюмах, которые без лишних слов взяли его под руки и поволокли в сторону. Среди них Марина не узнала своего второго похитителя, очевидно для поимки бандита Веретенников выбрал людей посолиднее.

Долговязый вырывался и открыл было рот, чтобы заорать, но один из парней быстро нажал какую-то точку у него на шее, после чего бандит мигом заткнулся и поскучнел.

Хлоп! — внезапно зеленый шарик, который не успел еще улететь высоко, лопнул, и сундучок упал. Но не на землю, потому что кто-то поймал его ловко. Тотчас рванулись к тому месту еще два парня, но Марина поняла, что никого они не найдут.

Следовало подумать о себе. Она решительно отодвинула тетку в красной панаме и перепрыгнула через прилавок, сметя Гешу в сторону. Геша и по природе-то своей был не боец, а тут еще настырная тетка совершенно достала его своей обучающей литературой. Марина отодвинула коробки с книгами, какие-то плакаты, валявшиеся россыпью, она твердо знала, что ищет.

Где-то тут должна быть дыра. Ну да, Лариска жаловалась, что палатка у нее рваная и не хотят ее менять — дескать, после ярмарки спишем, а пока она числится на балансе. Ага, вот он, разрез, Лариска закрепила его обычными бельевыми прищепками. Марина дернула изо всех сил, посыпались прищепки, дыра стала гораздо больше, она нырнула в нее с разбегу.

— Стой! — Очухавшийся Геша попытался обхватить ее сзади.

Марина изо всех сил лягнула его ногой. Судя по сдавленному крику, удар получился отменный. Казалось бы, получил свое еще в прошлый раз, так не лезь! Ну ничему этого дурака Гешу жизнь не учит!

Она оказалась в узком проходе, образованном задними частями палаток. Валялись тут пустые картонные коробки, бумага, ломаный стул, два ящика. Марина прокралась по проходу, стараясь ступать быстро, но бесшумно. В одном месте палатки стояли не впритык друг к другу, между ними была узкая щель. Марина даже удивилась, до того легко в нее пролезла, вот как похудела из-за всей этой истории, никакой диеты не нужно.

Она выскочила совсем с другой стороны палаток, точнее, высунула голову. Рядом было небольшое кафе — несколько пластмассовых столиков под ярким полосатым тентом, напротив откровенно скучал в палатке бородатый представитель религиозно-философского издательства. Он пристально посмотрел на Марину и даже порывался что-то сказать, но тут, к счастью, его отвлекла та самая настырная тетя в красной панаме в горошек.

Это надолго, с облегчением поняла Марина.

А вот и Лариска возникла в своей палатке и опять-таки напустилась на Гешу. Ну, все шишки сегодня на него валятся. Марина зашагала прочь, стараясь не бежать. Домой, принять душ, съесть что-нибудь посытнее и спать. Телефон отключить, а то как бы этот Веретенников не стал трезвонить. Сам виноват, упустил главного бандита, а Марина-то при чем? Она свое дело сделала.

И тут мобильник тревожно зазвонил в ее руках. Слава богу, это Георгий.

— Ты где? — спросил он отрывисто.

«У тебя на бороде», — захотелось ответить ему по-детски, но она промолчала. Удивительное дело, Георгий понял, что она не собирается ему отвечать.

— Слушай, я тут читал те дневники, — начал он неуверенно, — и нашел кое-что важное... Совершенно не с кем посоветоваться... может, ты приедешь?

Вот как, ему не с кем посоветоваться, и на такой крайний случай сгодится и Марина. А что она только что рисковала жизнью, про то он и не вспомнил. Тут она сама сообразила, что не рассказывала ему всего в подробностях, потому что... потому что нельзя ему знать про то, как она следила за Камиллой и делала ей гадости. Стыдно Марине в этом признаваться, и вовсе не потому, что Камилла умерла. Просто перед Георгием неудобно.

— Хорошо, — сказала она, — приеду минут через сорок.

Георгий в недоумении поглядел на телефон. Ай да Марина! Мало найдется женщин, которые в такой ситуации согласились бы, ни минуты не раздумывая. Стали бы ломаться, спрашивать, что случилось, капризничать, отнекиваться. Кто-то просто послал бы подальше — мол, твои проблемы, ты и разбирайся.

Эта не такая. Надо — значит, надо. Хотя у нее своих забот хватает. Черт, она же должна была сегодня встретиться с главным бандитом и отдать ему флешку. А он, чурбан такой, совсем про это забыл! Увлекся дедовыми записями, время пролетело незаметно. Марина с работы, а у него даже накормить человека нечем.

Георгий охнул и всунул ноги в кроссовки, чтобы спуститься в магазинчик на углу.

Мальчики оказались перед оконцем, забранным решет-кой из орихалка. За этим окном была большая светлая ком-ната.

— *Вот она, обитель живого бога!* — едва слышно про-шептал Гар-ни, прильнув к решетке.

В первый момент Шамик ничего не увидел, но затем, перегнувшись через плечо своего нового друга, разглядел воз-ле дальней стены орихалковый трон. Трон этот был не так велик, как престол владыки атлантов, и не так роскошно украшен. Пожалуй, это был и не трон, а удобное и красивое кресло, вроде того, в каком по вечерам отдыхал отец Ша-мика. Оно, это кресло, было закругленное, с массивными подлокотниками. И на этом кресле, или троне, восседал...

Шамик не смог бы сказать, кто это был, но точно не че-ловек, хотя, как у человека, у этого существа имелись две руки, две ноги и одна голова. Но голова существа была очень велика, наверно, вдвое больше головы обычного человека, и самое непостижимое — она оказалась прозрачна, словно сделана из лучшего стекла, какое привозят с Крита. Сквозь это стекло Шамик мог видеть какие-то пульсирующие трубки и шары, по которым перетекала и переливалась гу-стая темно-фиолетовая жидкость. Движение этой жид-кости, одновременно волнующее и неприятное, странным образом притягивало взгляд Шамика, гипнотизировало его, и он с огромным трудом оторвался от этого зрелища, что-бы целиком рассмотреть удивительное создание.

Руки существа также не были похожи на человеческие руки — скорее, они напоминали паучьи лапы, намертво вце-пившиеся в орихалковые подлокотники. Шамик заметил в этих руках одну странность и, приглядевшись к ним, по-нял, что на каждой руке удивительного существа не мень-ше десяти пальцев. Ноги его мало чем отличались от рук — такие же длинные, тонкие, по-паучьи цепкие, они тоже заканчивались десятком пальцев.

Тело этого создания было маленьким и хилым, как у ребенка. Казалось, оно только почти бесполезный придаток к его огромной прозрачной голове.

— Это и есть ваш бог? — горячим шепотом спросил мальчик своего спутника.

— Да, это наш бог, живой бог, который научил нас всему, что мы знаем, подарил нам все чудеса, которым так поражаются гости Атлантиды!

Шамик был поражен.

Те боги, о которых он слышал у себя на родине, чьи изображения он видел в храмах Шумера, были гораздо больше похожи на людей. Да, у некоторых из них имелись звериные головы или птичьи клювы и крылья, но все равно в их облике было что-то родное и понятное. И те истории, которые рассказывали о них жрецы, были понятны. Боги вели себя как люди, думали как люди и чувствовали как люди. Они гневались и злились, мстили и воевали друг с другом, отнимали друг у друга стада и жен. Это же существо было настолько чужим, настолько чуждым всему человеческому, настолько непохожим на все родное и привычное, что Шамик испытал перед ним настоящий ужас. Он не мог представить, что оно чувствует, что думает, что любит.

— Этот бог много лет назад сошел к нам со звезд, — прошептал Гар-ни в самое ухо Шамика. — Он приплыл к нам по небесному океану на корабле без мачт и без весел. С ним было еще несколько богов, но остальные погибли, когда небесный корабль опустился на землю.

— Как, разве боги могут умереть? — спросил Шамик в удивлении. — Разве они не бессмертны?

— Да, так бывает. Наверно, такова была их воля. Но этот бог — самый главный из всех — остался с нашим народом, чтобы принести ему свет божественного знания...

Шамик смотрел на поразительное существо, не в силах оторвать от него взгляд. Вдруг это создание вздрогнуло, словно почуяв чужой взгляд, и прозрачная голова повернулась.

Шамик увидел лицо создания.

Пожалуй, оно было еще удивительнее всего остального. Длинное, полупрозрачное, оно чуть заметно светилось. На нем выделялись огромные бледно-лиловые глаза, в каждом из которых было два зрачка, черных и глубоких, как сгустки ночи. Кроме глаз на этом лице был маленький, почти незаметный рот. Носа вовсе не было.

И тут непостижимые глаза существа пристально уставились на Шамика.

Мальчик испуганно отстранился от орихалковой решетки, отполз в темноту, но глаза удивительного существа не отпускали его, они пронизывали насквозь и словно впитывали его душу. Шамик почувствовал, что эти лиловые глаза, словно клейкие паучьи лапы, прикасаются к его самым сокровенным мыслям и воспоминаниям, перебирают их, как перебирает женщина драгоценности в своем ларце, пробуют их на вкус и на запах.

Вдруг внизу раздался какой-то новый звук, негромкий и как бы умоляющий. Лиловые глаза божества отпустили Шамика, прозрачная голова повернулась к двери. Шамик увидел, как эта дверь открылась и в помещение вошли, низко кланяясь, два высоких атланта в длинных пурпурных одеяниях жрецов. Один из них нес хрустальный сосуд, наполненный розоватой жидкостью, второй — книгу из скрепленных вместе листов орихалка.

— Это — верховные служители божества, — прошептал Гар-ни. — Податель пищи и верховный писец. Первый из них питает бога священным нектаром, второй — записывает то, что божеству будет угодно сообщить своим слугам.

Жрецы подошли к трону божества. Тот, что нес хрустальный сосуд, опустился на колени и поставил сосуд перед ступенями трона. *Божество издало странный гортанный звук, затем склонилось над сосудом, прильнуло к нему своим маленьким ртом. Розовая жидкость стала убывать, и Шамик увидел, как усилилась пульсация фиолетовой субстанции в прозрачной голове божества.*

Через минуту или две хрустальный сосуд опустел, божество выпрямилось, откинувшись на спинку своего трона, и снова издало тот же гортанный звук.

— Тот нектар, которым питается божество, составлен из крови священных оленей, пасущихся на горных склонах, и сока плодов дерева ирм, растущего в садах дворца. Говорят, в этом нектаре таится секрет бессмертия бога. Никому из смертных не позволено выпить даже каплю этой священной влаги, наказанием для ослушника будет страшная, мучительная смерть.

Божество несколько минут пребывало в неподвижности и молчании. Затем оно снова издало все тот же гортанный звук. Подчиняясь этому звуку, к его трону приблизился второй жрец — тот, в чьих руках была орихалковая книга.

Опустившись на колени, как и его предшественник, он замер в ожидании. Божество наклонилось вперед, вперилось в жреца своими удивительными глазами и снова застыло. Тут Шамик увидел нечто необычное: словно невидимая радуга протянулась от глаз божества к склоненной голове жреца.

Шамик не смог бы объяснить то, что происходило на его глазах. Если эта радуга была невидимой — как же он знал о ее существовании, более того — о ее яркой, поразительной многоцветности?

И правда, в этой радуге было не семь цветов, как в той, что повисает в небе после дождя, — в ней были сотни, тысячи цветов, и многие из них не имели названия на человече-

ском языке, более того — были недоступны человеческому взору...

— Что это? — изумленно прошептал мальчик, не в силах отвести взгляд от незримой радуги.

— Это — речь божества! — ответил ему Гар-ни. — Божество разговаривает с верховным писцом, и тот записывает каждое слово Бессмертного!

И правда, коленопреклоненный жрец быстро записывал что-то золотым стилом на орихалковых страницах.

— Он знает язык бога? — с почтительным испугом спросил Шамик своего спутника.

— В этом нет нужды, — ответил маленький атлант. — Когда Бессмертный хочет что-то сказать человеку — он прямиком вкладывает свои слова в его голову. Но ты и сам это видишь — это похоже на тысячецветную радугу, и каждый цвет этой радуги — слово на языке богов... я не знаю, что сейчас говорит божество, никто не знает, кроме того, к кому он обращается. Но потом, после, жрецы прочтут записи верховного писца и узнают, какие новые чудеса открыл для нас Бессмертный...

Удивительный разговор продолжался.

Хмыря выволокли из машины, втолкнули в железную дверь, протащили по полутемному коридору. Потом была лестница, ведущая в подвал, еще одна железная дверь. Он машинально перебирал ногами, в голове потихоньку прояснялось. Но все равно непонятно, кто эти люди. Ясно только, что не полиция, уж больно сделали все быстро и без лишнего шума.

В конце пути Хмырь оказался в большой полупустой комнате с голым бетонным полом и белыми оштукатуренными стенами. Хмыря толкнули в железное кресло, пристегнули к этому креслу за руки и за ноги, направили в лицо яркую лампу.

Лампа превратила комнату в слепящий золотой круг, сквозь который проступали неясные человеческие силуэты. Один был, кажется, в белом халате.

Несмотря на то что, судя по всему, люди это были серьезные, Хмырь ничуть не испугался. За свою тяжелую жизнь ему пришлось повидать всякого, и главный вывод, который он сделал, был такой: собака кусает только того, кто ее боится.

Поэтому Хмырь расслабился, насколько позволяло жесткое кресло, зажмурил глаза и запел дурным голосом:

— «Сам я вятский уроженец, много горького видал, всю Россию я проехал, даже в Турции бывал...»

— Ну и как тебе там — понравилось? — раздался над ним холодный, твердый как металл голос.

— Где? — переспросил Хмырь, удивленно приоткрыв глаза и уставившись на обладателя холодного голоса.

Свет лампы слепил его, поэтому не удалось разглядеть человека — только темный силуэт на фоне яркого света. Темный силуэт, от которого он не ждал ничего хорошего.

— В Турции, — проговорил холодный голос. — Ты же говоришь, что бывал там.

— Это песня такая, — охотно пояснил Хмырь, — а из песни слова не выкинешь.

— Вот как? — холодно осведомился темный силуэт. — А ты, значит, нигде не бывал, даже в Турции. И уже не побываешь.

— Это почему же?

— Потому что в опасные игры играешь.

— Это мы еще посмотрим! Ты лампу-то убери!

— Лампу убрать можно... пока.

Лампу действительно отвернули в сторону. Глаза Хмыря постепенно привыкли к свету, и он разглядел своего собеседника.

Это был мужчина лет сорока, в хорошем дорогом костюме. Видный мужик, только глаза холодные, как две ледышки. И взгляд пронизывающий, как рентген.

— Ну что, Хмырь, — проговорил он таким же холодным голосом, — будешь говорить?

— О чем?

— О машине. О машине, которую ты взорвал. Остальные твои грешки меня не интересуют. Ну так что — будешь говорить?

— Я лучше спою. — Хмырь ухмыльнулся и снова затянул дурным визгливым голосом: — «В Турции народу много, турок много, русских нет, русских нет, и скажу я вам...»

— Полно там русских, — возразил холодноглазый, — особенно летом. Так что — не будешь говорить? Будешь со мной в игры играть? Только ты имей в виду: я такие игры знаю, какие тебе и не снились! Я тебе, Хмырь, советую даже не пытаться... лучше скажи, кто машину взорвал — и тогда у тебя есть шанс...

— Ты вообще кто такой? — проговорил Хмырь, прищурившись. — Ты ведь не мент. На мента ты не похож!

— Не мент, — кивнул мужчина. — Это ты правильно догадался. А знаешь, какой для тебя из этого следует вывод?

— Какой?

— А такой... — холодноглазый наклонился над Хмырем, пристально уставился на него своими ледышками, — такой, что я могу нарушать любые правила. Например, запросто могу тебя закатать в бетон, и никто тебя не хватится. Потому что ты никто и звать тебя никак. Искать тебя никто не станет — ни менты, ни подельники твои. Так что будет лучше, если ты расскажешь мне все, что знаешь про ту машину. Для тебя же будет намного лучше.

На этот раз Хмырю стало страшно. Он понял, что этот тип не блефует. Что он и правда может сделать то, о чем говорит. В самом деле — кто его тут найдет? Но он вспомнил свой жизненный вывод — что собака кусает только того, кто ее боится. И он снова запел:

— «Турки думали — гадали, догадаться не могли и собрались всем шалманом...»

— Крутой, значит... — протянул холодноглазый с интересом, — ну, это ничего. Для крутых у нас тоже кое-что имеется.

Он протянул руку в сторону, и кто-то, кого Хмырь не видел, вложил в эту руку шприц, наполненный светло-золотистой жидкостью.

— Это метилгидробромбутал, — проговорил холодноглазый, снова наклоняясь над Хмырем. — Ты, конечно, химией никогда не интересовался, разве что перегонкой спирта, но в народе это вещество называют сывороткой правды.

С этими словами холодноглазый закатал рукав Хмыря, вонзил в его руку иглу и медленно надавил на поршень.

— Осторожнее! — послышался голос справа, — не надо сразу всю дозу!

Но тот, в костюме, только отмахнулся.

Хмырь отстраненно наблюдал за тем, как золотистая жидкость постепенно исчезала, уходя в его руку.

Он слышал байки про сыворотку правды, но не очень-то в них верил. С чего это вдруг он начнет выкладывать этому типу свои секреты? Он вообще по жизни не болтливый...

— Я вообще по жизни не болтливый, — неожиданно услышал Хмырь свой собственный голос, — с чего это я стану выкладывать тебе свои секреты?

— С того, что это такая хитрая сыворотка... — удовлетворенно пробормотал холодноглазый и приподнял левое веко Хмыря. — Смотри-ка, как быстро подействовало!

«И ничего на меня не подействовало!» — подумал Хмырь и снова с удивлением услышал собственный голос, который произнес ту же фразу, которую он только что подумал.

И тут до него дошло, что от этой чертовой сыворотки он произносит вслух каждую свою мысль!

«Значит... — мелькнула у него спасительная мысль, — значит, нужно ни о чем не думать...»

И тут же Хмырь произнес это вслух.

— Ни о чем не думать? — повторил за ним холодноглазый. — Думаешь, это так просто? А ты попробуй! Например, попробуй для начала не думать о том, как взорвал машину Борецкого...

— Да я и не взрывал ее, — услышал Хмырь свой голос. — Я только прилепил блямбу металлическую... кругляшок такой... он сразу прилип к днищу...

— Не взрывал, значит, — насмешливо повторил холодноглазый, — прилепил, значит, бомбу, а твоей вины нет!

— Да я и не знал, что это бомба, — продолжал Хмырь. — Он мне велел прилепить, я и прилепил...

— Он? — резко бросил холодноглазый. — Кто это — он?

— Тот смуглый мужик... — пролепетал Хмырь заплетающимся языком. Он вдруг жутко захотел спать.

— Какой мужик? — холодноглазый наклонился над ним, тряхнул за плечо. — Говори! Говори! Не засыпай! Говори немедленно! Что за человек дал тебе бомбу?

— Говорю тебе, смуглый, глаза узкие, как у змеи... похож на азера или на турка...

И он снова затянул:

— «В Турции народа много, турок много, русских нет, русских нет, и скажу я вам по чести, с Алехой жил я словно Магомет...»

Глаза у него слипались, он засыпал. Подошел человек в белом халате, похлопал Хмыря по щекам, а тот, с ледяными глазами, дернул за жидкие волосы.

— Говори, кто такой тот тип!

— Я не знаю... он денег дал, велел прицепить... машина дорогая, хорошая... а как водителя хозяин отпустил, я и ухитрился...

— Где это было?

— На перекрестке... там... а он говорит — стой напротив той двери, где студия телевизионная, и как выйдет баба такая... еще в новостях что-то говорит и передачу ведет про путешествия, в общем, из себя интересная такая, да как в машину к тому карасю сядет, так ты рукой сделай вроде как причесываешься...

Тут Хмырь всхлипнул и опустил голову. Глаза его были закрыты, из угла рта свисала ниточка слюны.

— Дай еще сыворотки! — Холодноглазый повернулся к человеку в белом халате. Тот покачал головой:

— Больше нельзя, загнется от передоза. Мы и так вкололи ему слишком много... Я предупреждал, что нужно сперва половину.

— Мне наплевать, загнется он или нет! Мне нужно, чтобы он сказал все, что знает! Ведь ясно же, что это — простой исполнитель, а главный — тот, кого мы упустили! Мы должны узнать, где его можно найти!

— Мы больше ничего от него не узнаем, — покачал головой медик. — Просто сожжем ему мозг. Вторую инъекцию он не выдержит, я это говорю ответственно.

— Черт! — Веретенников раздраженно пнул кресло ногой.

Тело Хмыря безвольно качнулось.

— Разберись тут! — бросил Веретенников и пошел к себе в кабинет.

Путь был длинный, и за это время он немного успокоился и систематизировал ту информацию, которую узнал от Хмыря.

Велено было ждать, когда в машину Борецкого сядет Камилла Нежданова. Значит ли это, что акция была направлена против нее? Или же они должны были погибнуть обязательно вместе? Что же их связывало? Но тогда нужно снова допросить эту Ершову. Для чего-то с ней хотел встретиться тот, кто, как выяснилось, имеет самое непосредственное отношение к взрыву? А может, она все наврала? Девчонка явно не так проста, как хочет казаться...

Георгий открыл Марине дверь и посторонился, пропуская ее в квартиру.

— Ну, как все прошло? — спросил он озабоченно.

— Нормально, — отмахнулась Марина. — Во всяком случае, я надеюсь, что от меня все отстанут. А что ты тут нашел?

— А вот посмотри. — Георгий оживился, направился в кабинет. На полпути остановился, оглянулся на Марину: — Слушай, ты, наверное, голодная, а я тебя сразу гружу своими проблемами, вместо того чтобы накормить...

Ну надо же, оказывается, он не настолько не от мира сего, представляет примерно, что человек после работы да еще после таких приключений устал и хочет есть. Однако Марина не стала выказывать по этому поводу бурную радость. Она теперь вела себя с Георгием все более сдержанно. Откровенно говоря, она вообще не представляла, как себя с ним вести.

— Ладно, ничего, — сказала она, — покажи, что ты там нашел, а потом, может, и правда перекусим.

— Ну, хорошо...

Георгий вошел в кабинет, взял со стола тетрадь деда и открыл ее на самой последней странице.

— Посмотри, вот эта надпись явно сделана гораздо позднее остальных.

Действительно, на последней странице дневника было написано несколько строк более яркими чернилами и другим почерком — неровные, дрожащие буквы словно наползали друг на друга.

— А ты уверен, что это писал твой дед? — с сомнением проговорила Марина. — Почерк же совсем другой!

— Это его почерк, — уверенно ответил ей Георгий. — Видишь, эта характерная петелька у буквы «В», и такая необычная «Р». Просто эту запись дед сделал в самом конце жизни, когда у него стали дрожать руки. Точно таким же почерком он писал свои последние распоряжения. Но ты послушай, что здесь написано.

И Георгий начал читать, с трудом разбирая почерк деда:

«...Расшифровка этих надписей — несомненно, самое важное, что я сделал в своей жизни. Однако то, что я прочел на Пятой скрижали, заставляет задуматься, можно ли кому-то доверить эту информацию. На всякий случай я оставлю ее текст и свои комментарии подвыпившему танцору, которому не нужна никакая обувь. Мне всегда хотелось потянуть его за бороду, особенно в детстве. Помню, как я дважды потянул ее справа налево, а потом наоборот. Он тогда очень удивился и чуть не откусил мой палец. Надеюсь, что этого достаточно, ведь тайна Пятой скрижали не должна быть похоронена навсегда».

— И что, по-твоему, значит весь этот бред? — удивленно спросила Марина, когда Георгий замолчал.

— Сам не пойму, — ответил тот. — Но меня не оставляет чувство, что в этой записи скрыт какой-то важный смысл.

— А вообще, — проговорила Марина осторожно, — извини меня, но у твоего деда в конце жизни все было в порядке с головой?

— Еще как! — не задумываясь, ответил Георгий. — Он мог любому молодому дать сто очков вперед!

— Ну, не знаю... как-то странно все это звучит... какой-то пьяный бородатый танцор...

— У меня такое чувство... — неуверенно проговорил Георгий, — такое чувство, что разгадка у меня перед самым носом... поэтому я хотел показать эту надпись тебе, думал, что свежий взгляд поможет тебе догадаться, в чем тут дело.

— Ну, уж если ты не смог понять, что имел в виду твой дед, где уж мне! Я же его вообще в глаза не видела. Тем более, когда я голодная, я плохо соображаю...

— Ой, извини! — спохватился Георгий. — Я же тебя так и не покормил... обрушился на тебя со своими загадками, а ты умираешь с голоду... пойдем на кухню, если не возражаешь...

— Ничуть не возражаю!

Они отправились на кухню.

С тех пор как Марина была здесь последний раз, Георгий успел навести на кухне порядок, отчего стало гораздо светлее и даже, кажется, еще просторнее. Кухня в квартире Георгия была под стать остальным комнатам — такая большая, что в ней вполне поместилась бы вся Маринина квартира. Ну не вся, так половина.

Значительную часть этой кухни занимал огромный старинный буфет, густо покрытый тонкой изящной резьбой — резные цветы и фрукты, стада овечек и танцующие фигурки. Теперь резьба была аккуратно вычищена, не было на ней ни пылинки, так что Марина уверилась, что Георгий не сам наводил здесь порядок, нанял уборщицу.

Марина села за стол. За него вполне можно было усадить десять человек. Кроме того, стол был очень прочный, он опирался на толстые дубовые ножки в форме звериных лап.

Имелись в этой кухне и приметы нового времени: большой холодильник, микроволновая печь и вполне современная электрическая плита, сегодня вымытая до блеска.

Георгий открыл холодильник, достал оттуда ветчину, масло, сыр, маринованные огурчики, положил все это на стол, вынул из хлебницы свежий итальянский хлеб.

Марина почувствовала зверский голод, сделала себе большой бутерброд и откусила от него чуть ли не половину.

Георгий заправил кофеварку.

— Кофе ты будешь с молоком?

Марина не ответила, и он удивленно повернулся к ней.

Она сидела, отложив недоеденный бутерброд и уставившись на стенку буфета.

— Пьяный танцор, которому не нужна обувь! — проговорила Марина странным тихим голосом.

— Что? — переспросил Георгий. — О чем ты?

— Да вот же он! — Марина ткнула пальцем в одну из украшавших буфет резных фигурок.

Георгий проследил за ее взглядом.

На стенке буфета был искусно вырезан хоровод танцующих нимф. Среди них был сатир, или фавн, — ухмыляющийся деревянный божок с козлиной бородкой и маленькими копытцами на ногах.

— Вот уж кому точно не нужны ботинки! — повторила Марина. — Это о нем написал твой дед!

— Господи, ты права! — радостно воскликнул Георгий. — Конечно, пьяный танцор — это сатир! Я же чувствовал, что разгадка у меня под носом! Но я настолько привык к этому буфету, что перестал его замечать и не понял, о чем писал дед! А ты, со своим свежим взглядом, сразу поняла, в чем дело! Какая же ты умница!

Он посмотрел на нее с нежностью, выбежал из кухни и через минуту вернулся с тетрадью деда.

— Так... что здесь написано... дважды потянуть бороду справа налево, а потом наоборот...

Георгий дважды потянул козлиную бородку фавна справа налево, потом один раз — слева направо. Внутри буфета что-то негромко скрипнуло, и деревянная фигурка открыла рот. При этом выражение лица сатира стало удивленным. Впрочем, ничего больше не произошло.

— Ну да, как там и сказано, он очень удивился, — задумчиво проговорила Марина.

— А что делать дальше?

— Ну-ка, прочитай еще раз, что написал твой дед...

Георгий снова открыл заветную тетрадь.

«...дважды потянул ее справа налево, а потом наоборот. Он тогда очень удивился и чуть не откусил мой палец...»

— Чуть не откусил палец! — повторила Марина. — Значит, твой дед сунул палец в открытый рот сатира. Наверное, и нам нужно это сделать, только на твоем месте я использовала бы не палец, а что-нибудь другое, что не так жалко...

— Да вот хоть это! — Георгий взял со стола карандаш и ткнул в открытый рот деревянной фигурки.

Видимо, при этом он нажал на потайную пружину и привел в действие скрытый внутри буфета механизм. Рот сатира с громким щелчком закрылся, едва не откусив кончик карандаша, а стенка буфета отодвинулась в сторону, открыв небольшой тайник.

— Здорово! — восхитилась Марина. — Обожаю старинную мебель, она всегда таит в себе столько загадок! Ну, и что там, внутри?

Георгий осторожно запустил руку в тайник и вынул из него стопку листков, исписанных ровным аккуратным почерком.

— Это все? — спросила Марина с легким разочарованием. — Только исписанные бумажки? Никаких древних украшений? Никаких таинственных артефактов?

— Больше ничего нет, — проговорил Георгий, тщательно обшарив тайник. — Но я думаю, что дед не зря спрятал здесь эти листки. Он считал, что они очень важны, важнее всего остального, что было в его квартире. Ведь он не положил в тайник ни деньги, ни драгоценности, ни старинные редкости, а только эти записки!

— Ну так прочитай, что он там написал! — нетерпеливо потребовала Марина.

Георгий расчистил место на столе, тщательно протер его, разложил перед собой листки и начал читать:

«Я, Георгий Успенский, нашел и расшифровал эту древнюю запись во время раскопок на острове Дильмун. Эта запись, которую я назвал Пятой скрижалью, несомненно, проливает яркий свет на историю шумерской цивилизации, а вместе с тем — на древнейшую историю всего человечества. К сожалению, из-за зависти и косности моих коллег мне не удалось продолжить раскопки, и все, чем я располагаю, — фотография каменной плиты с древней надписью. Я имею основания полагать, что это — самая древняя надпись, сохранившаяся до наших дней. Надеюсь, что со временем историческая справедливость восторжествует, моя расшифровка будет по достоинству оценена, а Пятая скрижаль займет свое законное место в ряду выдающихся памятников древнего человечества».

На этом предисловие закончилось, и дальше следовала сама расшифровка древнего текста.

«В четвертый день месяца нимера девятьсот одиннадцатого года от начала правления Третьей династии мы, Ам-ди-Набон, жрец храма Великой Звезды, и Шу-аш-Архан, советник Высокого двора, составили эту надпись в память о страшных и трагических событиях, случившихся по воле великих богов.

Семьдесят дней назад, в двадцатый день месяца абнура, мы, Ам-ди-Набон и Шу-аш-Архан, и с нами еще восемь благородных жрецов и тридцать воинов отплыли на последнем корабле от берегов благословенной Атлантиды...»

— Атлантиды! — как эхо, повторила Марина. — Значит, она все же существовала!

— По крайней мере, так здесь сказано, — осторожно проговорил Георгий и продолжил читать:

«В тот день благословенная Атлантида была разрушена пламенем пробудившегося вулкана и морскими волнами. Должно быть, великие боги отвернулись от нас, из-за нашей непомерной гордыни и прочих грехов. Страшен был гнев богов. Раскаленная лава стекала по склонам горы, безжалостно пожирая дома и сады, храмы и рынки. Стекая к берегу моря, лава встречалась с морской водой, и воды моря закипали от ее непомерного жара. Тысячи людей погибли в тот день — одни были сожжены лавой, другие убиты огромными камнями, падающими с неба, третьи утонули в морской пучине.

Нам повезло — наш корабль успел выйти в море прежде, чем гнев богов уничтожил благословенный остров.

Отплывая из разрушенной Атлантиды, мы увезли ее величайшее сокровище — Орихалковую книгу, тысячу лет назад дарованную великими богами нашим благочестивым предкам. Перед отплытием мы поклялись, что не пожалеем своих жизней, чтобы величайшая святыня Атлантиды была сохранена для потомков.

Двадцать дней наш корабль скитался по бескрайним просторам моря. Страшный шторм сломал его мачты и смыл за борт двадцать воинов и пятерых жрецов, а сам наш корабль выбросил на одинокую скалу посреди моря. К счастью, нам удалось сохранить великую святыню Атлантиды — Орихалковую книгу.

Еще двадцать дней провели мы на этой пустынной скале, питаясь рыбой и морскими гадами, которых нам удавалось поймать. Почти все наши спутники умерли от голода и болезней, только мы двое остались в живых, и тогда великие боги смилостивились над нами: к нашей скале приблизился корабль шумеров, варваров с далекого Востока, которые не раз бывали в благословенной Атлантиде.

Шумеры с почтением приняли нас на свой корабль, утолили наш голод и жажду. На этот же корабль мы перенесли и свою священную реликвию — Орихалковую книгу.

Через десять дней мы достигли берегов острова Дильмун, где располагается Ашур, большой город шумеров. Здесь нас встретили с почетом и уважением, правитель Ашура принял нас и воздал нам все подобающие почести, особенно когда узнал, что с нами прибыла и величайшая святыня Атлантиды.

В благодарность за хороший прием мы поклялись научить шумеров всему, что умеем, всему, чему самих нас тысячи лет назад научили великие боги: строить большие дома и храмы, создавать быстрые колесные повозки, выращивать ячмень и пшеницу, устраивать каналы и водохранилища. Правитель города Ашура приставил к нам молодых жрецов, отличающихся острым разумом и хорошей памятью, дабы они переняли от нас наши искусства и науки.

Шумеры — способные ученики, но они еще не проникли в таинства великих богов, они неразумны, как дети, и как нельзя вручать детям острые мечи и боевые копья, так и шумерам нельзя доверить великую тайну Атлантиды — Орихалковую книгу.

Поэтому сегодня, в четвертый день месяца нимера девятьсот одиннадцатого года от начала правления Третьей династии мы, Ам-ди-Набон и Шу-аш-Архан, поместили Орихалковую книгу в надежное вместилище — Ключевой камень.

В этом вместилище великая святыня Атлантиды будет пребывать до тех пор, пока это будет угодно великим богам.

Когда же великие боги возжелают открыть людям тайну Орихалковой книги — они сделают так, чтобы Священный ключ попал в нужные руки, и тогда Ключевой камень раскроется, и великая тайна Атлантиды будет прочитана...»

Георгий поднял глаза на Марину:

— Ну вот, на этом перевод закончен. Здесь есть еще какие-то примечания моего деда... эти примечания сделаны намного позднее — тем же неровным, сбивчивым почерком, каким он писал в последние дни своей жизни.

— И что же он там пишет?

— Сейчас, попробую разобрать...

Георгий придвинулся ближе к свету и прочел:

«Кажется, я знаю, где находится Ключевой камень. Возможно, для того, чтобы найти Орихалковую книгу, не нужно ехать на Дильмун. Она близко, совсем близко, если верить В. М. Беда только в том, что у меня нет сил для того, чтобы закончить дело всей моей жизни».

Дальше стояла размашистая подпись «Г. Успенский» и чуть ниже был нарисован странный значок — палочка с перекладиной наверху, вроде буквы Т, а над этой перекладиной — кружочек.

— Что это за знак? — спросила Марина.

— Это так называемый коптский крест, или анк, — ответил Георгий, — к чему он здесь, не понимаю...

— И все... — протянула Марина, — что же все это значит? Что же такое нашел твой дед, если через тридцать лет оно так понадобилось разным людям?

— Но ведь это же научная сенсация... невероятного масштаба! Ведь если это открытие и правда имело место, то меняется вся мировая история...

— Возможно, — осторожно прервала его Марина, — но те люди, что за ним охотятся, они, знаешь, совершенно не похожи на ученых. Они не станут суетиться из-за старых записей и научных сенсаций. Уж извини, но для них они ничего не значат. Им подавай нечто конкретное. И очень ценное. Если не веришь мне, спроси у Ольги, она видела всех троих. Двое — совершеннейшие бандиты, главный — такой злодейский тип, ни перед чем не остановится. И...

— Ты хочешь сказать, что моя жена, что Камилла... что она тоже не из тех людей, которые стали бы просто так копаться в старых бумагах? Что у нее была совершенно конкретная цель?

— Ты сказал, не я... — Марина отвернулась.

— Но ты именно это имела в виду... Думаешь, я не знаю, что дело нечисто? Думаешь, я не знаю свою жену?

«Разумеется, не знаешь, — подумала Марина, — понятия не имеешь, какой она была на самом деле. Но если ты это когда-нибудь узнаешь, то не от меня».

Она постаралась придать лицу самое отстраненное выражение.

— Уже поздно, я пойду. Завтра на работу рано вставать.

— Прости... — Георгий помолчал, потом предложил неуверенно: — квартира большая... я нашел бы для тебя место... уже и правда очень поздно...

— Нет! — резко сказала Марина и добавила помягче: — Мне и правда нужно домой.

«Черт бы их всех побрал, — думала она, — надоели все. Еще муж дома торчит. Бросить все и уехать к маме с Тимкой...»

Георгий шагнул к краю тротуара, призывно махнул рукой, и рядом с ним тотчас же остановилась невзрачная, старая машина, явно не раз побывавшая в авариях. Левое крыло ее было помято, один подфарник треснул.

— Куда едем, хозяин? — спросил небритый тип в надвинутой на глаза кепке. В полутьме салона тускло сверкнул золотой зуб.

Марина назвала адрес, села на заднее сиденье.

— Позвони мне, когда приедешь домой! — проговорил Георгий, прежде чем захлопнуть за ней дверцу машины.

Внутри машина была не лучше, чем снаружи: обивка сиденья пропорота ножом, по полу перекатывалась пустая пивная бутылка, пахло бензином и пивом. Но Марину сейчас не беспокоили такие мелочи, она дико устала за день и сейчас мечтала только об одном — скорее добраться до дома и лечь в постель.

Она прикрыла глаза, и перед ней тотчас же побежали удивительные картины: цветущий остров посреди моря, красивые дворцы и храмы, утопающие в зелени садов, гавань, полная кораблей с яркими разноцветными парусами...

Вдруг остров содрогнулся, будто под землей пробежала мучительная судорога, будто остров ожил и захотел сбросить с себя людей.

От этого толчка Марина резко вздрогнула и открыла глаза.

Она поняла, что машину тряхнуло на выбоине асфальта, и выглянула в окно.

Они ехали по какому-то незнакомому спальному району. По обе стороны от машины проносились пятиэтажные дома, давно нуждающиеся в ремонте, светящиеся аквариумы круглосуточных магазинов и торговых центров.

— Где это мы? — озабоченно спросила Марина водителя.

— Ты не волнуйся, хозяйка! — ответил тот, бросив на нее взгляд в зеркале заднего вида. — Довезу тебя в лучшем виде!

— Но что это за место? Как мы здесь оказались? Мы должны были ехать совсем иначе! Через Светлановскую площадь или через площадь Мужества, а потом по проспекту Тореза...

— Не волнуйся, красавица! — повторил тот. — Я хорошо еду, правильно еду! На Тореза пробки, а Светлановская закрыта...

— Какие пробки в такое время? — раздраженно проговорила Марина.

— Ты, главное, не волнуйся, — повторил водитель, и Марина перехватила в зеркале его взгляд — быстрый, подозрительный. — Не волнуйся, довезу в лучшем виде! Вот ты, к примеру, кем работаешь?

— Какое вам дело? — огрызнулась Марина, беспокойно оглядываясь по сторонам.

— Ну вот, к примеру, ты зубной врач. Я же тебя не учу, как зубы сверлить? Вот и ты меня не учи, как мне ехать!

— Вот интересно! — возмутилась Марина. — Ты же меня за мои деньги везешь, и я не должна...

— Обожди, красавица! — перебил ее водитель, и машина затормозила. — Я сейчас друга одного подберу, ему с тобой по дороге...

К машине уже шагнул здоровенный детина с колючим взглядом черных глаз.

Марина ахнула, рванула левую дверцу и выскочила из машины на дорогу, чуть не под колеса проезжавшей мимо иномарки. Резко взвизгнули тормоза, раздался изумленный мат, но Марина уже зигзагами неслась через дорогу, уворачиваясь от машин.

Через минуту, с трудом переводя дыхание, она шла по другой стороне улицы. Руки тряслись, в голове крутились злые мысли.

Хорош Георгий! Посадил ее в первую попавшуюся машину, к какому-то уголовнику! Чудом спаслась!

Впрочем, спаслась ли? Она одна ночью в незнакомом районе, не представляет, как добраться до дома, общественный транспорт уже не ходит, а ловить такси — спасибо, она только что с трудом сбежала из одного не для того, чтобы тут же сесть в другое...

Отдышавшись, Марина огляделась по сторонам и поняла, что район этот не то чтобы совсем незнакомый. Она бывала здесь по крайней мере один раз — неподалеку отсюда живет Ольга Максимова, аспирантка и подруга покойного академика Успенского.

И тут ей пришла в голову спасительная мысль.

Марина достала из кармана мобильный телефон. Телефон был выключен. Она включила его, набрала номер Ольги.

Та ответила почти сразу.

— Ольга Валерьевна, — проговорила Марина слегка задыхающимся после вынужденной пробежки голосом. — Это Марина, я у вас была вместе с Георгием Успенским...

— Да, я, конечно, помню вас, — отозвалась женщина. В голосе ее прозвучало плохо скрытое удивление.

— Простите, что беспокою вас в такое позднее время, но так вышло, что я оказалась неподалеку от вашего дома. Нельзя ли зайти к вам... а то, простите, мне просто страшно!

— Конечно, Марина. — Голос Ольги стал сочувственным и озабоченным. — Где вы находитесь?

Марина завертела головой и сообщила:

— Я около отделения Сбербанка. Тут такой скверик, две скамейки и песочница...

— Хорошо, я поняла. Никуда не уходите, сейчас мы с Гильгамешем придем за вами.

— Не стоит, я сама дойду, только скажите как...

— Никаких разговоров! У нас район неспокойный, идти дворами одной вам нельзя. Стойте где стоите! Мы будем через несколько минут...

И из телефона понеслись гудки отбоя.

Марина снова огляделась по сторонам.

После разговора с Ольгой район ей и самой показался очень нехорошим. Во мраке проходили какие-то темные фигуры, и сам воздух дышал тревогой и агрессией.

Вдруг зазвонил Маринин мобильный телефон.

Она схватила его, поднесла к уху, думая, что это звонит Ольга.

Но из трубки донесся мужской голос — тихий, шелестящий, похожий на змеиное шипение.

— Почему ты выключила телефон?

— Я что — должна отчитываться перед тобой? — отозвалась Марина, пытаясь за резкостью скрыть свой страх перед этим голосом, перед этим человеком. — Выключила, потому что так было нужно! И вообще — зачем ты мне звонишь? Я же отдала то, что ты хотел!

— Что? Ты отдала мне вовсе не то!

— Как — не то? Я отдала тебе флешку Камиллы!

— Флешку? Зачем мне эта флешка! Я и так знаю все, что на ней записано!

— Черт знает что! — взорвалась Марина. — Ты сказал — отдать то, что принадлежало Камилле, я и отдала эту флешку! Больше ничего у меня нет! Ничего — можешь ты это понять? Достали уже все!

— У тебя есть еще кое-что! — перебил ее свистящий шепот. — У тебя остался ключ!

— Какой еще ключ? — переспросила Марина удивленно.

— Ключ! — повторил ее собеседник с раздражением. — У Камиллы был ключ — и ты его взяла! Отдай мне ключ — и тогда я не трону ни тебя, ни твоего ребенка!

— Прекрати меня пугать! — выкрикнула Марина в трубку. — Не смей даже заикаться о моем ребенке!

Она хотела было сказать, что Тима в безопасности, совсем не там, где думает этот мерзавец, но вовремя прикусила язык, поняла, что ему нельзя говорить ничего лишнего, нельзя давать никакой информации. Вместо этого она резко, зло выкрикнула в трубку:

— Пошел к черту! Больше не звони мне! — и снова отключила телефон.

— Поссорилась? — раздался из темноты насмешливый голос. — С хахалем поссорилась?

Марина подняла голову и увидела в нескольких шагах двух наглых подвыпивших парней.

— Слышал, Толик, девушка с хахалем поссорилась, — сказал один из них другому. — Девушка теперь одинокая. Одиночество — это очень плохо, правда, Толик?

— Но она недолго будет одинокой, мы ее быстро утешим, — подхватил второй. — Ты не переживай, детка, мы тебя очень хорошо утешим. Долго не забудешь!

— Отвяжитесь, — зло бросила Марина. — Только вас мне еще не хватало! Шли своей дорогой — и идите дальше!

— Ты слышал, Толик, что говорит эта сучка? — снова вступил в разговор первый. — По-моему, она нас не любит!

— А это дело поправимое! — отозвался второй. — Сейчас мы ее отведем к себе, и она нас полюбит! До самого утра будет любить!

— Я сказала — отвяжитесь, подонки! Проваливайте! — процедила Марина и попятилась.

— Нет, ты слышал, что она сказала? — в глазах первого парня вспыхнула злоба. — Она нас подонками обозвала! Это ей так не сойдет!

— Это ей так не сойдет! — повторил за ним Толик и шагнул к Марине.

Марина метнулась в сторону, замахнулась сумкой, но парень схватил ее за руку. Марина вскрикнула от боли...

И вдруг рука, сжимавшее ее запястье, разжалась, перекошенное злобой лицо парня вытянулось и побледнело.

Марина проследила за его взглядом — и увидела выступающую из темноты огромную светло-песочную голову, приоткрытую пасть и сверкающие клыки.

Чудовище сделало шаг вперед и тихо, грозно зарычало.

Никогда ни одному человеку Марина не была так рада, как этому бордоскому догу!

— Гильгамеш! — воскликнула она радостно. — Гильгамеш, это ты! Слава богу!

Два подонка побледнели как полотно, отступили к стене и смотрели на Гильгамеша, как кролики смотрят на голодного удава.

— Это что у нас тут за герои? — раздался женский голос, и рядом с Гильгамешем появилась Ольга Максимова. — А, это Витя с Толиком! Известные личности! А ну быстро, чтобы я вас в обозримом пространстве не видела, а то Гильгамеш сегодня не ужинал!

Марина невольно рассмеялась, глядя, как улепетывают двое мерзавцев.

— Располагайтесь, — Ольга кивнула на диван, — вижу, что вы едва на ногах держитесь, вам надо прилечь.

Марина на негнущихся ногах прошла в комнату. Там было чисто и тихо, воздух свежий. Она опустилась на диван и закрыла глаза. Кажется, и правда сегодняшнего дня ей хватит надолго, уж слишком много неприятных событий случилось.

Через некоторое время в комнату, громко цокая когтями, вошел Гильгамеш и положил свою огромную голову рядом на диван.

— Ты молодец, — сказала ему Марина ласково, — мне бы такого надежного друга.

Пес понял ее слова, он рыкнул тихонько что-то приветливое. Ольга вкатила в комнату столик на колесиках.

— Выпьем чаю здесь, тут не так жарко.

Чай был сладкий, ароматный. Выпив чашку, Марина почувствовала, как к ней возвращаются силы.

— Ну, так что случилось? — спросила Ольга, когда Марина отдала ей пустую чашку, и Гильгамеш аккуратно умостил свою головищу у нее на коленях. — Вы не беспокойтесь, — добавила Ольга, видя, что Марина колеблется, — если вы не скажете ничего, я не выгоню вас глубокой ночью. Но мне кажется, что у вас такая ситуация, когда надо выговориться, а поговорить не с кем. Мама у вас далеко, а...

— Вы правы, — вздохнула Марина, — а с мужем у нас отношения отвратительные. Да мне и раньше не пришло бы в голову раскрывать перед ним душу...

И замолчала, заметив, как удивленно подняла брови Ольга. Ах да, она же никогда не была замужем, ей трудно это понять...

Тут же огромный дог весьма ощутимо боднул ее головой в живот — дескать, встретили тебя как родную, пригрели, чаем напоили, так и веди себя соответственно. Ольга права, пора Марине обо всем рассказать, честно и подробно.

— Это долгая история... — начала она.

— Ничего, у нас времени много, — улыбнулась Ольга.

— Я вышла замуж, потом почти сразу забеременела...

И Марина, не щадя себя и не стесняясь, рассказала Ольге все, что случилось с ней с того проклятого утра, когда она вернулась не вовремя с поезда и увидела в собственной гостиной своего мужа с Камиллой.

— А потом она погибла... И теперь этот тип требует, чтобы я отдала ему какой-то ключ, а я понятия не имею, что это такое! Не было у нее в косметичке ничего такого, никакого ключа! — В голосе Марина послышались слезы. — Господи, ну как же мне все это надоело!

— Может, спросить у Георгия? — неуверенно предложила Ольга и тут же осеклась. — Да нет, тогда ему придется все рассказать... А он и так сейчас расстроен смертью жены...

Марина хотела сказать, что, по ее наблюдениям, Георгий не слишком-то расстроен смертью Камиллы, а полностью погрузился в изучение записок своего деда, но вовремя прикусила язык. Но Ольга, похоже, поняла про нее что-то, что и самой Марине было пока неясно.

— Ты успокойся... — Она погладила Марину по плечу. — С ними, с Успенскими, трудно. Кому это знать, как не мне? А Георгий ведь очень похож на деда.

— Да при чем тут Георгий? — по инерции начала Марина.

Но тут Гильгамеш поднял голову и посмотрел на нее укоризненно — не глупи, мол, не притворяйся, говори все честно.

Марина опустила голову, потому что сказать-то было нечего.

— Он ведь тебе нравится, я вижу, — гнула свое Ольга, — с этим ничего не поделаешь, такие уж они люди... Я вот всю жизнь только те два года счастья и вспоминала. Замуж не вышла, хотя могла. И не раз.

Марина подумала, что между ними все же есть большая разница. Ольга так всю жизнь и прожила одна, а она, Марина, все же замужем, и у нее есть Тимка. И слушать в данной ситуации Ольгиных советов она не собирается.

Тут же она едва не вскрикнула от боли, потому что Гильгамеш сильно прикусил ее палец. Не примериваясь, она ткнула кулаком его в морду — не вмешивайся, без тебя разберемся. Дог обиженно рыкнул и вышел из комнаты.

— А почему вы с ним, с Георгием Андреевичем, не остались? — спросила Марина, видя, что глаза Ольги затуманились и руки бездумно теребят покрывало.

— Я бы с радостью! — Ольга очнулась от воспоминаний. — Но когда его начали травить, он твердо сказал, что нам не стоит встречаться, чтобы не усугублять и без того трудное положение. Еще он сказал, что думает обо мне: у меня, мол, вся жизнь впереди, а эта история может пагубно отразиться на моей карьере. Так и оказалось, но я никогда его в этом не винила!

«Работа была ему важнее тебя, и ты это поняла», — подумала Марина и наклонила голову низко-низко, чтобы Ольга ничего не сумела прочитать в ее глазах.

— А потом у него погибли сын с невесткой... — продолжала Ольга, — и я... как я хотела его утешить! Но... он был... очень гордым человеком, он не хотел показывать никому своей слабости. Никому и никогда... В общем... так мы и разошлись...

«А мне-то что с того, — зло подумала Марина, — и как мне это поможет в дальнейшей жизни? Тоже еще, учить меня вздумала, как с мужиками себя вести...»

Она тут же устыдилась. Ольга помогла ей, прибежала ее спасать ночью, а кто они друг другу? Хотя бы из благодарности нужно ее выслушать.

Но что-то Марине подсказывает, что Георгий в области чувств не слишком похож на деда. Тот бы ни за что не допустил, чтобы собственная жена наставляла ему рога, да еще так мерзко.

— Но он же не знал... — возразила Ольга, оказывается, последние слова Марина произнесла вслух. — Знаете, — продолжала Ольга, — характеры у них очень сложные. Георгий Андреевич, он... с одной стороны он был известным ученым, очень образованным, знающим человеком, серьезным и ответственным, а с другой — иногда вел себя... как мальчишка-студент.

Она ненадолго замолчала.

— Мы как-то встретились... месяца за два до его смерти. Не стану врать, что случайно, просто я узнала, что его бывший ученик защищает докторскую диссертацию, ну и пришла. Я не ошиблась — академик Успенский сидел там в первых рядах. Хоть и не он являлся руководителем, будущий доктор наук был в свое время хорошим парнем и Георгия Андреевича очень уважал, поэтому тот и пришел.

Я хотела тихонько посидеть в уголке и посмотреть на него, но он заметил меня и так обрадовался... — В Ольгином голосе послышались слезы. — Он сказал, что скучал по мне и назначил свидание — как вы думаете где? В Казанском соборе!

— В жизни не слыхала, чтобы в церкви назначали свидание, — фыркнула Марина.

— Тогда Казанский собор не был действующим, — усмехнулась Ольга, — в нем находился Музей религии и атеизма.

— Был такой музей? — удивилась Марина.

— И сейчас есть, только его перевели в другое помещение и из названия убрали атеизм. Надо сказать, музей был довольно интересный: множество экспонатов, все подлинные, экскурсии тематические проводились. Но больше всего ходила в него молодежь — студенты, старшеклассники, — а знаешь почему? Потому что туда пускали бесплатно, — рассмеялась Ольга. — Вот пригласил мальчик девочку на свидание, гуляют они по Невскому, у него денег только на две порции мороженого. А тут дождь. Они раз — и в музей. И не промокли, и время культурно провели, и на мороженое осталось.

Тем более что было в том музее два экспоната, пользовавшихся большим успехом. Это лаборатория средневекового алхимика и пыточная камера инквизиции. Все в натуральную величину, все орудия подлинные, как глянешь — мороз по коже. К тому же все расположено в подвале, в полутьме, свет тусклый — полная иллюзия.

Ну вот, и тут вдруг приглашает меня Георгий Андреевич в этот музей. Я думала — пошутил он так, юные годы вспомнил. Хотя в его юные годы музея того еще не было.

Ну, встретились мы дня через два, ведет он меня в этот музей очень целенаправленно. Хочу, говорит, тебе что-то показать.

Ну, думаю, неужто и вправду перед камерой пыток целоваться будем, как школьники? Чудно все... Нет, в другую сторону свернул, прошли один зал, а там сидит женщина такая — маленькая, худенькая, издалека посмотришь — ребенок. А как ближе подошли, так видно, что не такая и молодая. Георгий ей — здравствуй, Валечка! А она ему щебечет — здравствуй, Герочка, что-то ты зачастил к нам. Только я, говорит, тебя всегда рада видеть. А голос такой звонкий, молодой... Ну, он ей меня представил, а это, говорит, старинная моя приятельница, когда-то жили по соседству. И пошли мы дальше. Спустились ниже, по лестнице, эта Валечка нам дверь какую-то открыла, еще по коридору долго шли и приходим в очень большое помещение, а там — огромный камень, прямо скала. Спереди плоский, на нем вырублены значки какие-то и рисунки. Я удивилась, а Георгий Андреевич и говорит:

«Запомни, Ольга, это место. И камень этот запомни. Сейчас ничего спрашивать не надо, после все поймешь. А если не поймешь, значит, так тому и быть. А пока посмотри на него...»

Я смотрю — камень явно с Востока. Говорю про это, а он мне рот рукой закрыл — потом, говорит, все потом. Прощения попросил за то, что жизнь мне сломал, и за то, что перетрусил тогда, раньше. Нужно, говорит, было тебя не отталкивать, это все гордыня наша, успенская... Я заплакала, говорю, что, может, еще не поздно... Нет, он так твердо говорит, поздно, все поздно. Но я, говорит, жизнь прожил не напрасно, и если судьбе угодно будет, то это выяснится.

Ольга уже не вытирала слезы, они свободно лились по щекам.

— Потом мы еще раз встретились, он мне те дневники отдал — пускай, говорит, будут у тебя, и обо мне память. И все, через какое-то время звонят мне и говорят, что академик Успенский умер.

Хотела я на похоронах подойти к внуку его и сказать про дневники, да там толпа такая была, яблоку негде упасть. У нас ведь как — пока человек жив, ему от коллег только критика. А как умер, так те, кто гадости делал, первыми на похоронах о его заслугах кричат! — в сердцах закончила Ольга и тут же удивилась: — Марина, что вы на меня так смотрите?

— Я? — Марина встрепенулась. — Ольга, вы должны поговорить с Георгием. Причем как можно скорее, завтра утром. Понимаете, он нашел у себя в буфете тайник... но сначала он прочитал в дневниках, в самом конце...

— Неужели он понял? — перебила Ольга.

— Да, его дед расшифровал те записи.

— Так речь идет...

— Об Атлантиде.

— Господи! — Ольга рухнула в кресло. — И ничего мне не сказал... Ни слова...

— Теперь это уже неважно, — мягко сказала Марина. — Я не хотела вам рассказывать — что уж, через третьи руки, нужно, чтобы вы сами прочитали эти записи. Там говорится, что от атлантов осталось величайшее сокровище, священная реликвия, и не надо искать его так далеко... что оно может быть ближе, чем все думают...

это Ключевой камень, только нужен ключ, чтобы его открыть...

— И этот бандит требовал от вас какой-то ключ... — заметила Ольга, — что это может быть?

— Там не сказано, только рисунок, вот такой... — Марина нарисовала по памяти.

— Это анк, коптский крест. Слушайте, а я ведь видела его! Тогда, в последнюю нашу экспедицию в Бахрейне, Георгий Андреевич пытался вывезти какие-то артефакты... Но все отобрали в аэропорту, тогда там были беспорядки, и мы вообще боялись, что не выпустят из страны.

Ольга замолчала, припоминая.

— Стоят такие типы с автоматами, страшные, лица замотаны, одни глаза горят. И орут по-своему, оружием машут — туда, мол, проходи, не стой! По-английски ни слова не знают, совсем дикие. Хорошо, что я за это время немножко научилась их языку, пока с проводниками да рабочими общалась. Объяснила им, что мы ученые из России. С большим трудом удалось отстоять записи, а эту маленькую штучку Георгий Андреевич сунул в карман рубашки, ее не заметили. Она ведь небольшая, всего сантиметра четыре в длину. Анк точно был у него, когда мы прилетели. Неужели это и есть ключ? Думаю, он хранил его все это время.

— А Камилла его нашла, — протянула Марина, — но вот куда она его спрятала?

— И откуда она узнала, что нужно искать? — добавила Ольга.

— *Нам пора уходить*, — едва слышно прошептал Гарни, — *иначе скоро нас хватятся*.

Мальчики начали бесшумно отползать от забранного решеткой окошка. Шамик бросил последний взгляд на уди-

вительное создание — и в этот миг с божеством что-то произошло. Прозрачная голова вздрогнула, пульсации внутри нее участились, паучьи лапы сильнее вцепились в подлокотники кресла, а в незримую радугу, переливающуюся в голову верховного писца, вплелись черные и багрово-красные струи, струи тревоги и страха.

— Что это? — испуганно спросил Шамик, почувствовав нарастающую тревогу, и схватил своего спутника за руку.

— Не знаю, — ответил Гар-ни. — Я никогда прежде не видел божество испуганным. Чего может бояться Бессмертный? Все в этом мире подвластно ему...

Верховный писец тоже почувствовал беспокойство божества.

Он поднялся с колен, отступил назад. Незримая радуга натянулась, поблекла и, наконец, вовсе погасла.

И в то же время где-то внизу, под самыми глубокими, самыми потаенными подземельями дворца, раздалось глухое утробное гудение, басовое урчание, словно там недовольно заворочался какой-то огромный зверь.

— Бежим! — испуганно прошептал Гар-ни и пополз обратно по темному проходу.

Несколько минут мальчики ползли в темноте, навстречу бесшумному дыханию, освежающему воздух в покоях бога. Но это дыхание уже не было столь свежим и благоуханным, как раньше. С каждым новым вздохом воздух в трубе становился суше и жарче.

Наконец Гар-ни дополз до выхода из трубы, отодвинул плиту, и мальчики оказались в комнате, где ритмично и безостановочно раскачивалось опахало бога.

— Бежим, скорее! — воскликнул Гар-ни.

— Что случилось? — растерянно спросил его Шамик.

— Не знаю... — пролепетал Гар-ни, в его голосе не было прежней самоуверенности. — Наверное, бог почувствовал, что мы проникли в его покои, и разгневался... Бежим, бе-

жим скорее отсюда, пока нас не застали в запретной части дворца!

Он распахнул дверь и побежал по знакомому коридору. Шамик едва поспевал за ним, не узнавая помещения, по которым они проходили совсем недавно. Больше всего он боялся отстать от Гар-ни и остаться в одиночестве в запутанном лабиринте этого огромного дворца, но пугало его и другое.

Снова где-то глубоко под землей раздался низкий утробный рев, рев огромного зверя, рев самой земли.

Шамику становилось все жарче, капли пота стекали по его разгоряченному лицу. Сперва он подумал, что виной тому усталость от быстрого бега, но потом почувствовал, что воздух вокруг него, еще недавно свежий и благоуханный, с каждой минутой становится все более сухим и горячим.

Вдруг Гар-ни остановился, схватил Шамика за руку и оттащил в стенную нишу. Теперь Шамик и сам услышал приближающиеся быстрые шаги и тревожные голоса.

Мальчики прильнули к стене и затихли.

Мимо них быстрым шагом прошли несколько жрецов, за ними поспешали рабы, нагруженные тяжелыми тюками. Все они казались напуганными, все то и дело оглядывались, словно их преследовал кто-то опасный.

Как только люди прошли мимо, Гар-ни выскочил из своего укрытия и бросился вперед. Шамик едва поспевал за ним.

Они миновали несколько дверей, которые Гар-ни открывал своим ключом. Наконец миновали и дверь, отделявшую запретную часть дворца, дверь, перед которой прежде стоял часовой. Но теперь его не было на месте.

Гар-ни ничего не сказал, только еще больше помрачнел.

Вскоре мальчики оказались в коридоре, по сторонам которого стояли клетки с неприрученными махайродами.

На этот раз огромные звери не обратили на посторонних никакого внимания. Они то метались по своим клеткам, прижав уши, то катались по грязному полу, жутко подвывая, то пытались грызть прочную бронзовую решетку.

— Махайроды тоже чего-то боятся! — растерянно проговорил Гар-ни.

— Чего могут бояться такие огромные звери? — удивленно отозвался Шамик.

И словно в ответ на его слова, снизу, из подземелий дворца, снова донесся могучий басовый рык, голос зверя, куда более страшного, чем все махайроды.

— Чей это голос? — прошептал Шамик, схватив своего друга за руку.

— Я не знаю... — отозвался Гар-ни. — Я думал, что это голос бога, но теперь я и в этом не уверен. Мне кажется, даже бог был испуган, когда услышал это рычание...

И в этот миг здание дворца содрогнулось, и по его стенам зазмеились глубокие трещины.

— Бежим! Скорее бежим отсюда! — воскликнул Гар-ни, — Ты чувствуешь? Сама земля содрогается, будто огромный слон, который хочет сбросить своего седока!

Спала Марина на раскладушке на кухне. Рядом устроился Гильгамеш и ужасно храпел всю ночь. И хоть встали рано, домой перед работой она уже не успевала. Было ужасно противно надевать после душа несвежее белье, к тому же платье оказалось порванным в двух местах — это когда она пролезала в дыру в палатке — и залапанным грязными пальцами — не иначе те два урода, Толька с Витькой, постарались, чтоб им пусто было.

— Да, — решительно сказала Ольга, — надевать такое нельзя, тебя за бомжиху примут, еще на бедность подадут.

— А что делать-то? — буркнула Марина, — У меня передача сегодня в эфир идет, опаздывать никак нельзя.

— Ну... мое ты не наденешь, хотя мы и одного размера... — протянула Ольга, — вот разве только джинсы...

Джинсы оказались приличной фирмы. Но были куплены, похоже, еще до Марининого рождения. К джинсам предлагались две самых простых майки — зеленая и желтая.

«Повеситься», — подумала Марина, напяливая майку поновее, цвета яичного желтка. Мысль эта, надо думать, отразилась у нее на лице, потому что Ольга неуверенно предложила:

— Косыночку можно повязать...

— Лучше не надо! — взмолилась Марина.

И вышла, не глядя на себя в зеркало, чтобы не расстраиваться.

У нее была одна мысль — как бы проскользнуть к Лильке и попросить у нее хоть какую-нибудь одежду, чтобы перекантоваться денек. Но не тут-то было.

— Ершова! — настиг ее голос режиссера, — пойдем со мной к руководству!

— Но я... — растерялась Марина, — мне бы...

— Потом, все потом...

— Ой, Маринка, а ты что, на работу прямо из леса приехала? — спросила, увидев ее, непосредственная Саша.

Марина только рукой махнула.

— Вот, Никита Андреевич, привел, — сказал Олег, вталкивая Марину в кабинет.

— Это кто? — прищурился шеф.

— У вас постоянная ставка освободилась? Вот и оформляйте Ершову помрежем на новый проект. С ней буду работать.

— Да? — в сомнении спросил шеф. — Ну, под твою ответственность, сам с ней разберешься, если что. Пиши заявление, потом в бухгалтерию бумаги отнесешь.

— Олег... — очухалась Марина только в приемной, — что это было? Я же ничего не умею!

— Станешь делать что я скажу, не забудешь, не перепутаешь — и все будет в порядке! Надоели мне эти гламурные девки, одна фанаберия у них, никто работать не хочет! А ты — скромная, тихая, работящая. — Он одобрительно похлопал Марину по плечу и ушел.

Марина не поняла — комплимент это или оскорбление.

— С тебя причитается, — пискнула Сашка, оглянувшись на дверь кабинета.

Дальше началась обычная производственная суета, так что закрыться в своей комнатке она смогла только во второй половине дня. И то завхоз крикнул ей в дверь, чтобы выметалась поскорее, у него, дескать, на примете есть новая девушка на Маринино место. Ну, флаг ей в руки, барабан на шею...

Марина вытащила из неисправного плафона косметичку Камиллы и перебрала ее содержимое. Ничего необычного: пудреница, тушь для ресниц — черная, объемная, антиаллергенная — и золотистый тюбик губной помады. Марина осмотрела и пустую косметичку. Ничего не завалилось за подкладку — ни чек, ни квитанция, ни бумажный носовой платок, ни салфетка. Чего же хочет от Марины тот жуткий тип, если в косметичке ничего нет?

Марина открыла тушь — ничего особенного. Тушь как тушь, подсохла немного, а так пользоваться можно. То же самое и с пудрой. Камилла пользовалась компактной, чтобы не чихать.

Оставалась только помада. Марина осторожно открыла тюбик. Первое, что бросилось ей в глаза: цвет был совсем не Камиллин. Она была женщиной яркой и помаду использовала соответствующую — темно-красную, оттенок, что и говорить, весьма вызывающий, но ей подходил. А тут, в тюбике, что-то отвратительно розовое, цвета взбесившегося молочного поросенка. Да Камилла в жизни бы таким безобразием губы не накрасила! Это уж совсем надо дальтоником быть! Однако видно было, что тюбик основательно смазан.

Марина пригляделась к помаде. Вот именно смазана, когда губы красят, то срез ровный, гладкий, а тут будто кто-то нарочно ковырял... Ага...

Боясь поверить самой себе, она схватила пинцет и вонзила его в помаду. Пинцет почти сразу наткнулся на что-то твердое. Что говорила Ольга? Анк в длину сантиметра четыре, вполне войдет в тюбик от помады...

Руки сами вовсю шуровали пинцетом. И вот через некоторое время, перемазавшись жуткой розовой субстанцией, она вытащила из тюбика что-то похожее на анк. Пыталась оттереть его салфеткой, но помада оказалась очень жирной. Марина завернула анк в носовой платок и понеслась в туалет.

Горячая вода и мыло понемногу сделали свое дело. Хорошо, что был конец рабочего дня и никто не увидел, чем она занимается.

В конце концов у Марины в руке лежал коптский крест красновато-золотого цвета. Он тускло блестел.

«Вот что искал тот тип, — подумала Марина, — вот что Камилла утащила из вещей академика Успенского. Вот за что ее убили. Ну, я ему это не отдам...»

Она вышла из туалета и побрела по темному коридору. Внезапно подступил страх — а вдруг сейчас появится тот шипящий тип и набросится на нее? Коридор пустой, куда все подевались-то, вроде еще не поздно...

Марина убыстрила шаги, как вдруг ближайшая дверь отворилась и прямо на нее выскочил какой-то человек.

— Ой! — крикнула она. — Пом...

— Маришка, ты чего? — удивился оператор Андрей. — Какие-то вы, девчонки, пугливые стали. Ты домой собираешься?

Она только качнула головой, не в силах ответить.

— Тогда я отвезу, нам ведь по пути.

И Марина не смогла сказать ему, что собиралась ехать вовсе не домой, а к Георгию, чтобы показать ему ключ. Совершенно ни к чему Андрею знать, что она не ночует дома, этак пойдут на студии сплетни...

Она открыла дверь своим ключом и тут же наткнулась на мужа. Он стоял посреди прихожей, сложив на груди руки, как Наполеон перед Ватерлоо.

— Где ты была? — громко вопросил он.

— На работе, — буркнула Марина, — меня, знаешь, повысили, теперь работать буду дольше.

— И по ночам? — загремел он. — Где ты была этой ночью?

— Тебе и правда интересно? — прищурилась Марина. — Или так просто спрашиваешь, для порядка?

— Шляешься по ночам... — начал он неуверенно, но Марина не стала слушать и захлопнула дверь ванной перед его носом.

Ох, какое блаженство было стоять под горячими струями воды и смывать с себя все заботы и страхи!

Когда она вышла, муж сменил гнев на милость — видно, дошло, что, устроив сейчас скандал, еды он точно не получит. Марине совершенно не хотелось готовить. Как было бы здорово, если бы по возвращении домой ее ожидал простой, но горячий ужин! Чем в прихожей отираться, лучше бы омлет пожарил. Или пельменей сварил!

Так и есть, в гостиной на диване (выбросить его совсем, что ли?) крошки от чипсов, и бутылки от пива рядом валяются. Спокойненько расслаблялся перед телевизором, и еще недоволен!

Марина ушла на кухню. Хорошо, что у нее полная морозилка готовой еды. Она разогрела что-то мясное, нарезала овощи для салата. Муж топтался в дверях, пристально наблюдая.

— Слушай, я так руку порежу! — не выдержала Марина. — Хоть бы на стол накрыл!

Он ел жадно, с хрустом и чавканьем, как будто не валялся целый вечер на диване, а с утра работал в поле. Марина поглядывала на него незаметно. Вид был неприятный, даже когда не чавкал.

Раньше все сходились на том, что муж у нее не красавец, но по-своему мужик интересный. Здоровый, сильный, накачанные мышцы. Теперь он весь как-то обрюзг, явно просматривался намечающийся живот, щеки обвисли, как у бульдога, и даже волосы поредели. Да когда же они успели или раньше Марина просто не замечала? Весь он был какой-то бесформенный, будто вытащили изнутри стержень.

Неужели этим стержнем была Камилла? А теперь, когда ее не стало, муж оказался совершенно другим человеком. Во всяком случае, если бы семь лет назад Марина встретила такого, она и не посмотрела бы в его сторону...

— Конь в больнице, — сказал муж, отодвинув тарелку, — в психушке.

— Какой конь? — Марина с трудом поняла, что речь идет о Косте Рябоконе. Тоже еще, взрослые люди, а называют друг друга детскими кличками.

— Ну, нервный срыв у Костика, — ухмыльнулся муж. — Понимаешь, захотел с жизнью расстаться, вылез на карниз на пятнадцатом этаже, но не прыгнул. Хорошо, люди напротив увидали, МЧС вызвали, его и сняли. Ну, отправили прямиком в психарню, теперь колют успокоительным.

— Ты откуда знаешь? Навещал его, что ли? — Марина недоверчиво прищурилась.

— Да нет, я Жуку позвонил, он и сказал.

— А что ты лыбишься? — закричала Марина. — У тебя друг в больнице, плохо ему, а ты сидишь тут, пиво пьешь и радуешься чужому несчастью! Ведь вы же сто лет знакомы!

Он смотрел на нее тупо, как баран на новые ворота, как видно, ее слова упали в пустоту, до него просто не доходило. После еды муж был сытый и спокойный, она знала, что ему сейчас лень ругаться. Поэтому заговорил он вроде бы спокойно:

— Послушай, что ты такая нервная? Это еще до того было, как Камилка... В общем, у нас же был разговор — ты беременна, что ли?

— Твое какое дело? — буркнула Марина.

— А такое, что чужого спиногрыза кормить не намерен! — загремел муж. — Один-то надоел хуже горькой редьки!

Вот как он о собственном сыне думает. Что ж, это только подтолкнет Марину к ответственному решению.

— Какая же ты скотина, — устало сказала она, заправляя посудомойку, — и дурак к тому же...

Проснувшись утром, Марина осознала, что сегодня суббота. Это очень кстати, не нужно идти на работу. Она встала и, закрывшись в ванной, тихонько поговорила с Георгием, который так взволновался, что Марина решила ехать немедленно, прямо без завтрака. А то Георгий грозился приехать к ней домой, этого еще не хватало, муж и так на взводе. А если до драки дойдет, Георгий все-таки против него слабоват.

Все же следовало хоть что-то быстренько набросать на лицо и причесаться.

— С кем ты разговаривала? — Муж стоял в дверях спальни.

— С работы звонили, у них там полный затык, нужно ехать, — спокойно ответила Марина, влезая в джинсы и кроссовки, — а тебе вообще-то не все равно?

— Никуда ты не поедешь, нам нужно серьезно поговорить! — с пафосом изрек муж. — Что, в конце концов, с тобой происходит?

— Да отстань ты! — буркнула Марина, схватив с вешалки легкую куртку, потому что на улице было пасмурно. — Некогда мне!

— Какой необычный артефакт, — проговорил Георгий, внимательно разглядывая анк. — С одной стороны, он прекрасно сохранился, с другой — от него веет глубокой древностью.

— Это золото? — спросила его Марина.

— Нет, — Георгий поднес анк к свету, — конечно, я не ювелир и не химик, но этот металл даже на ощупь кажется совсем не таким, как золото. Он легче и тверже.

— Что же это тогда?

— Мне кажется... — Георгий выглядел смущенным, — я не уверен, но мне кажется, что это — орихалк...

— Орихалк? — недоверчиво переспросила Марина. — Та самая легендарная златомедь, которую выплавляли в Атлантиде? Ты не шутишь?

— Конечно, я не уверен...

— Ну, я тем более ни в чем не уверена. Только в одном я не сомневаюсь: это и есть ключ, о котором говорил тот человек, который пытался меня запугать. Тот человек с глазами и голосом змеи... Гера, ты извини, что была с тобой не до конца откровенна, — Марина зажмурила глаза, как будто входя в холодную воду, — но понимаешь... в общем, я нашла эту вещь в косметичке Камиллы... Она... она ее выронила, а я... не смогла отдать... ну не стала я бегать за ней... не те у нас были отношения...

— Значит, она нашла анк в вещах моего деда, — похоже, Георгий услышал в ее словах только то, что считал важным, — рылась в них тайно, а я ничего не замечал...

— Ты многого не замечал... — согласилась Марина, и снова он не почувствовал подтекста в ее словах.

— Если это ключ, — продолжал Георгий, — то где тот замок, который он должен открыть?

— Ключ... — повторила Марина, задумчиво глядя перед собой. — Совсем недавно мы читали про ключ... помнишь, в тех листках, что мы нашли в тайнике?

Георгий торопливо вышел и через минуту вернулся с записями своего деда.

— Вот она, расшифровка «Пятой скрижали»! — проговорил он, разложив листы на столе. — Кажется, это было в самом конце...

Просмотрев записи, он нашел нужное место и громко прочитал:

— «Мы... поместили Орихалковую книгу в надежное вместилище — Ключевой камень... Когда же великие боги возжелают открыть людям тайну Орихалковой книги — они сделают так, чтобы Священный ключ попал в нужные руки, и тогда Ключевой камень раскроется и великая тайна Атлантиды будет прочитана...»

— Ты хочешь сказать, что это — тот самый Священный ключ? — с замиранием сердца проговорила Марина.

— Я не уверен, но судя по тому, как страстно тот человек хочет завладеть этим ключом, — очень похоже на то.

Марина почувствовала необыкновенное волнение и по-новому взглянула на красно-золотой анк. Неужели в ее руках — ключ от величайшей тайны человечества?

— Но даже если это тот самый ключ, о котором говорит Пятая скрижаль, мы все равно не знаем, где Ключевой камень, который можно этим ключом открыть, — проговорила она, взяв себя в руки и справившись с волнением. — Наверняка он покоится где-то на Востоке, под многометровой толщей земли... Хотя...

— А может быть, и нет! — возразил Георгий.

Глаза его лихорадочно блестели.

— Помнишь, тут есть приписка деда? — Он достал из стопки последний листок и прочитал: — «Кажется, я знаю, где находится Ключевой камень. Возможно, для того, чтобы найти Орихалковую книгу, не нужно ехать на Дильмун. Если верить В. М., она близко, совсем близко...»

— Ну и как это понимать? — протянула Марина. — И кто такой этот В. М.?

— Если бы я знал... — вздохнул Георгий.

И вдруг Марину осенило.

— Кажется, я знаю, куда нам нужно пойти... — проговорила она тихо, словно боясь спугнуть свою мысль. — В Музей истории религии!

И она пересказала ему то, что поведала ей Ольга Максимова — о посещении этого музея с дедом Георгия.

— Понимаешь, он специально повел ее туда незадолго до смерти! Потому что знал, что она запомнит это навсегда!

— А что, там у меня есть знакомые! — Георгий явно оживился, почувствовав себя в своей стихии. — Поехали прямо сейчас, этот музей находится совсем недалеко, на Почтамтской улице.

Через полчаса они уже подошли к зданию на Почтамтской.

Георгий не пошел к главному входу, а открыл неприметную дверь сбоку, предназначенную для персонала музея.

— Вы к кому, молодые люди? — строго осведомилась пожилая вахтерша в сползающих на нос очках. — Вы в курсе, что это служебный вход, не для посетителей?

— В курсе, — ответил Георгий, — мне нужно поговорить с Еленой Ивановной Кочержинской.

— Ваша фамилия? — Вахтерша взглянула на Георгия поверх очков.

— Успенский. Георгий Успенский.

— Одну минутку! — Вахтерша, исполненная чувства собственного достоинства, сняла трубку местного телефона.

«Что еще за Елена Ивановна? — подумала Марина с удивившей ее саму неприязнью к незнакомой женщине. — С виду этот Гера тихий такой, а везде у него женщины знакомые...»

— Тут к Елене Ивановне пришли, — проговорила вахтерша в трубку, — Успенский... да-да, Георгий Успенский... пропустить?

Она положила трубку, снова пристально взглянула на Георгия и сухо проговорила:

— Проходите! Третий кабинет слева!

При этом весь ее вид говорил, что будь ее воля — она бы не пропустила Георгия и его спутницу дальше проходной.

Первое, что Марина увидела, вслед за Георгием войдя в третий кабинет, была грубо вытесанная деревянная статуя, изображающая получеловека, полумедведя. Статуя была хоть и примитивная, но очень выразительная и невольно внушала робкое почтение к этому странному персонажу.

Только оторвав взгляд от этого чудища, Марина заметила обитательницу кабинета.

Это была блеклая особа лет тридцати пяти с забранными в жидкий хвост рыжеватыми волосами и большими глазами грустной птицы, прячущимися за толстыми стеклами очков. Единственное, что было в ней несомненно красивым, — это удивительно белая, словно светящаяся кожа. Но при появлении посетителей женщина залилась краской. Она вскочила из-за стола и шагнула навстречу Георгию:

— Гера! Какой сюрприз! Какая приятная неожиданность!

«Кому приятная, а кому не очень, — подумала Марина, разглядывая хозяйку кабинета с ног до головы. — И что это со мной происходит? Я никак ревную? Господи, вот уж нашла время!»

— Познакомься, Лена, — в голосе Георгия прозвучало смущение, — это Марина, она...

— Очень приятно! — Елена весьма сухо взглянула на Марину и снова повернулась к Георгию. — Ты к нам по делу или как?

«Нет, на твою неземную красоту полюбоваться!» — ехидно подумала Марина.

— Да, по делу, — отозвался Георгий. — Понимаешь, я разбираю материалы своего деда и там наткнулся на упоминание некоего Ключевого камня. У меня есть основания полагать, что он находится в коллекции вашего музея. По крайней мере, когда-то находился...

— Ключевой камень? — Елена задумалась. — Нет, не припоминаю... ты же понимаешь, в нашем собрании более ста восьмидесяти тысяч экспонатов, относящихся к самым разным культурам и эпохам — от шестого тысячелетия до новой эры и до наших дней...

— Это очень древний объект, — ответил Георгий, — скорее всего, он должен находиться в разделе «Религии ранних цивилизаций», там, где памятники культуры народов Месопотамии...

— Нет, не припоминаю ничего похожего. Но я, конечно, не специалист, ты же знаешь, моя область исследований — традиционные верования коренных народов Сибири... — Елена покосилась на человекомедведя, словно ожидая, что он подтвердит ее слова. — Если хочешь, мы позвоним в отдел ранних цивилизаций...

— Это должен быть крупный объект, возможно, весом в несколько тонн, его трудно не заметить, если он находится в вашей коллекции.

— А он в ней должен быть?

— По крайней мере, раньше, когда ваш музей находился в Казанском соборе, мой дед его видел.

— Ах, если это было еще в те времена, тебе лучше всего обратиться к Валентине Михайловне.

— Валентина Михайловна! — воскликнула Марина, переглянувшись с Георгием. — В. М.!

— Совершенно верно. — Елена покосилась на нее неодобрительно. — Она работает в музее очень давно и знает его лучше кого бы то ни было! Кроме того, она наверняка должна помнить твоего деда и очень рада будет тебе помочь.

Она упорно обращалась только к Георгию, делая вид, что Марины вообще не существует.

— Очень хорошо! А где ее найти?

— В отделе традиционных верований народов Азии. Это через две комнаты от моей.

Георгий поблагодарил свою знакомую, и они отправились дальше.

Следующая комната, в которую они попали, походила на большой антикварный магазин. По стенам — стеллажи и полки, на которых красовались сотни китайских фарфоровых безделушек и японских фигурок нэцке. На свободных от полок стенах висели цветные гравюры.

За столами, заваленными книгами и рукописями, сосредоточенно работали несколько мужчин и женщин.

— Скажите, могу я поговорить с Валентиной Михайловной? — проговорил Георгий, остановившись на пороге.

На него обратились несколько неодобрительных взглядов — должно быть, здесь не любили нарушителей тишины. Но тут из-за дальнего стеллажа появилась маленькая изящная женщина с темными волосами, забранными в сложную прическу.

Эта прическа, тонкие черты лица и изящество миниатюрной фигуры делали эту женщину похожей на китайскую фарфоровую статуэтку. В первый момент она показалась Марине молодой, однако, когда подошла ближе, стала видна сетка тонких морщинок, покрывающих кожу, и Марина поняла, что этой женщине под восемьдесят.

Остановившись перед Георгием, женщина улыбнулась не без кокетства и проговорила удивительно молодым голосом, звонким и мелодичным, как фарфоровый колокольчик:

— А вы на него очень похожи!

— На кого?

— На вашего деда, конечно! Вы ведь — внук Георгия Андреевича Успенского?

— Да, это я. Как и деда, меня тоже зовут Георгий. А вы — Валентина Михайловна?

— Да, и я хорошо помню вашего деда. Он был замечательный человек, настоящий интеллигент! Сейчас таких почти не осталось... — Женщина печально вздохнула, но тут же снова улыбнулась: — Познакомьте меня с вашей очаровательной спутницей!

— Ах да, извините, это Марина... она работает на телевидении...

— Вот как? — Тонкие брови женщины поднялись то ли с удивлением, то ли с насмешкой. — Телевидение сейчас — это так престижно! Вы хотите сделать передачу о нашем музее?

— Нет, — вступила в разговор Марина, — и вообще, моя работа на телевидении чисто техническая, и пришла я к вам сюда вместе с Георгием...

— И что же вас в таком случае привело ко мне?

— Дело в том, что мой дед видел в вашем музее некий очень древний артефакт, который он называет Ключевым камнем. Это было давно, когда ваш музей находился еще в Казанском соборе. Так вот, я хотел бы выяснить, где сейчас находится этот камень. И мне сказали, что если кто-то и знает это, то это вы.

— Ключевой камень... — повторила Валентина Михайловна, словно пробуя это название на вкус. — Да, я хорошо помню этот артефакт. Он поступил в наш музей из коллекции знаменитого дореволюционного археолога Иванова-Памирского. Кажется, он привез его из экспедиции на Ближний Восток, это территория теперешнего Ирака. В те времена это была, разумеется, Османская империя.

— Разумеется, — машинально подтвердил Георгий. — Так какова же судьба этого камня? Где он сейчас? Это ведь огромный камень, не иголка в стоге сена...

— Совершенно верно, не иголка, — Валентина Михайловна чуть заметно улыбнулась. — Когда наш музей переселили из Казанского собора в это здание, с тем камнем возникла проблема. Он весит несколько тонн, сама перевозка камня составила бы большую сложность, кроме того, он не прошел бы в двери этого здания...

— И как же с ним поступили?

Валентина Михайловна огляделась по сторонам и понизила голос:

— Его просто оставили на прежнем месте. Решили, что так будет меньше проблем.

— Так он по-прежнему находится в Казанском соборе? — В голосе Георгия прозвучало недоверие. — Но я его там не видел и ни от кого не слышал о его существовании!

— Понятное дело. — Женщина снова улыбнулась мимолетной, едва заметной улыбкой. — Мы оставили камень не на виду, а в потайном подвале под собором... мы думали тогда — и думаем сейчас, — что там он будет в безопасности...

— В крипте собора?

— Нет, и не в крипте, там тоже часто бывают люди. Дело в том, что в соборе, помимо крипты, есть еще одно подвальное помещение, о котором почти никто не знает... постойте, я покажу вам план подземной части собора. Вы ведь — внук Георгия Андреевича Успенского, и я просто обязана помочь вам всем, что в моих силах!

С этими словами Валентина Михайловна исчезла за стеллажом и через минуту снова появилась. В руках у нее был свернутый в трубку чертеж.

— Вот этот план. — Женщина развернула чертеж на столе. — Видите, здесь вход в крипту, а здесь, левее, — второй вход, замаскированный. О нем не знают даже служители собора. Если открыть потайную дверь, можно попасть на лестницу, которая ведет в подземелье... нужно пройти вот по этому коридору, спуститься еще на один уровень, и вы попадете в помещение, где мы оставили Ключевой камень.

Георгий внимательно разглядывал чертеж, пытаясь отложить его в своей памяти.

— Впрочем, — спохватилась Валентина Михайловна, — все это довольно трудно запомнить, я лучше сниму для вас копию с этого чертежа, к счастью, современная техника это позволяет.

Она подошла к копировальному аппарату и через минуту протянула Георгию копию чертежа.

— Ну вот, пожалуй, это все, чем я могу вам помочь!

Георгий рассыпался в благодарностях, и они с Мариной покинули музей.

— Ну что, посмотрим на этот камень? — проговорил он, направляясь к своей машине. — Отсюда до Казанского собора рукой подать!

Меньше чем через час они шли среди стройных колонн из розового гранита с золотыми капителями. В соборе, как всегда, было многолюдно, хотя на этот день не приходилось никакого церковного праздника. Кто-то вполголоса молился, кто-то ставил свечи к иконам, возле главного алтаря шла заупокойная служба.

Вдруг Марина почувствовала чей-то пристальный, неприязненный взгляд. Она завертела головой, и в какой-то момент ей показалось, что среди участников заупокойной службы она увидела смуглого человека с узкими холодными глазами. Она привстала на цыпочки, вгляделась, но смуглый человек исчез, словно растворился в толпе молящихся. И вместе с ним исчезло беспокоившее ее чувство.

— Что с тобой? — насторожился Георгий.

— Да нет, ничего... мне просто что-то померещилось...

Стараясь не привлекать внимания, Георгий сверился с планом и направился к стене за одной из колонн неподалеку от могилы великого полководца Кутузова. Он остановился посреди восьмиконечной звезды, выложенной в полу цветным мрамором.

— Это должно быть здесь! — проговорил он вполголоса. — Видишь, куда указывает этот луч?

Георгий подошел к выступу стены, облицованному розовым камнем, и снова огляделся.

В нескольких шагах от него женщина лет шестидесяти в темном платке старательно протирала основание колонны.

— Как бы ее отвлечь? — вполголоса пробормотал Георгий.

— Попробую... — так же тихо ответила Марина.

Подойдя к уборщице, она спросила ее:

— Вы мне не подскажете, где похоронен Барклай-де-Толли?

— Чего? — женщина уставилась на Марину исподлобья. — Какой такой Толя?

— Не Толя, а Барклай-де-Толли, генерал-фельдмаршал, который воевал с Наполеоном.

— С Наполеоном Кутузов воевал! — раздраженно возразила уборщица. — А никакой не фельдмаршал! Надо, девушка, историю знать!

— Ну как же, ведь перед собором два памятника стоят — один Кутузову, а другой Барклаю!

— Мало ли где что стоит, а только с Наполеоном воевал Кутузов, и он здесь похоронен, в этом соборе. Вон его могила...

— Как же так, такой человек, с самим Наполеоном воевал, а на могиле у него беспорядок.

— Какой беспорядок? Нет никакого беспорядка!

— Да как же, там мусор рассыпан...

— Где? Не может быть! Я же там только что подметала! — И уборщица устремилась к могиле полководца.

Марина быстро вернулась к Георгию.

— Ну, как дела?

— Это должно быть здесь... — бормотал Георгий, ощупывая узорный мрамор стены. — Это место помечено на плане крестом...

— Скорее! — Марина оглянулась. — Я отвлекла уборщицу, но ненадолго... она скоро вернется...

— Не говори под руку! — отмахнулся от нее Георгий. — Я должен сосредоточиться, а ты меня отвлекаешь... тут еще нарисовано что-то круглое, но что это — не пойму...

— Вот так всегда, никакой благодарности... — Марина отошла в сторону и случайно наткнулась на медный канделябр, стоящий в двух шагах от стены. Канделябр качнулся, Марина придержала его и при этом слегка повернула вокруг оси. В то же мгновение раздался негромкий скрежет, и часть стены сдвинулась с места.

— Что ты сделала? — удивленно проговорил Георгий.

— Я... ничего... я не хотела... — забормотала Марина.

— Да нет же, ты привела в действие потайной механизм... вот что здесь за рисунок — это канделябр! Это он приводит в действие механизм двери! Попробуй еще!

Марина снова повернула канделябр, на этот раз сильнее.

Часть мраморной стены отъехала в сторону, открыв нишу и уходящие в темноту ступени.

— Вот он, этот вход в подземелье! — радостно воскликнул Георгий. — Пойдем скорее, пока нас никто не заметил!

Они быстро проскользнули в темную нишу и задвинули за собой потайную дверь, оказавшись в кромешной темноте.

— Хорошо, что я взял зажигалку... — пробормотал Георгий, пошарил в кармане и щелкнул колесиком. Зажигалка выбросила язычок синеватого пламени, едва осветив мрачные стены и стоптанные ступени, уходящие в подземелье.

— Идем! Мы на верном пути! — И Георгий начал спускаться в неизвестность.

Марина медленно шла за ним, на ощупь находя ступени.

— Да здесь запросто можно шею сломать! — бормотала она. — Такая темень... послушай, наверняка здесь должно быть предусмотрено какое-то освещение! Ведь тут ходили люди, когда в этом помещении был музей...

— Ну, не знаю... — бормотал Георгий, спускаясь все ниже и ниже, — потерпи еще немного, кажется, лестница кончается...

Действительно, ступени кончились, и Георгий с Мариной оказались на круглой площадке, от которой в разные стороны расходились три коридора.

И еще на этой площадке стоял железный ящик, в котором лежало десятка два восковых свечей.

— Ура! Да будет свет! — воскликнула Марина. Она взяла одну из свечей и зажгла ее от синего пламени зажигалки. Георгий зажег вторую свечу и погасил зажигалку, чтобы поберечь газ.

— Ну, куда нам теперь нужно идти? — спросила Марина, заглядывая по очереди во все три коридора.

— Одну минутку... — Георгий сверился с планом и указал на левый коридор:

— Сюда!

Прежде чем продолжить путь, он положил в карманы еще несколько свечей. Марина посмотрела на него недоуменно и спросила:

— Ты что, собираешься провести в этом подземелье целый день? Зачем тебе столько свечей?

— На всякий случай, мало ли что... — Георгий пожал плечами и пошел вперед по коридору.

Идти при свете свечи по ровному коридору было легко, и через несколько минут Георгий дошел до следующей развилки.

— Куда теперь? — спросила Марина, поравнявшись с ним.

Он снова сверился с планом и показал на средний коридор:

— Туда!

На этот раз коридор шел с заметным уклоном, все глубже и глубже опускаясь под землю. Пол стал сырым, и по стенам сбегали тонкие струйки воды. Марина буквально физически чувствовала, как на нее давят тонны земли и гранита, однако не жаловалась и не отвлекала Георгия своими эмоциями.

Тут и там на глаза ей попадались заржавленные цепи, крючья и железные кольца вроде кандалов, должно быть предметы, оставшиеся с тех пор, как в здании собора и в его подвалах размещался Музей истории религии и атеизма. Она представляла, что совсем рядом, в десятке метров над ней, движется по Невскому проспекту оживленная толпа горожан, едут машины и автобусы. А здесь, под землей, они словно перенеслись даже не в девятнадцатый век, когда был построен собор, а в гораздо более ранние времена, во времена замковых подземелий, во времена алхимиков и инквизиции.

Миновав очередную развилку, Марина и Георгий прошли еще метров двадцать. На этот раз коридор шел прямо, на одном уровне, без подъема и спуска. Вдруг Георгий, который шел впереди, остановился.

— В чем дело? — спросила Марина, догоняя его.

— Дальше нет пути. Мы попали в тупик.

Марина шагнула вперед, подняла свою свечу над головой, разгоняя темноту.

Георгий был прав: перед ними была сплошная стена, в которую упирался коридор.

— А что здесь на плане?

Георгий развернул свой план, поднес к нему свечу и показал Марине:

— Вот, смотри, на плане коридор продолжается дальше, хотя в этом месте его пересекает какая-то пунктирная линия.

— Наверное, так изображена перегородка, но вот как ее обойти или сдвинуть...

Марина поднесла свечу к преграждающей путь стене, провела ею справа и слева.

Когда она поднесла свечу к левому краю стены, к тому месту, где эта стена смыкалась со стеной коридора, пламя отклонилось от вертикали, словно сквозняк тянул ее в стык между стенами.

— Кажется, здесь есть щель... — неуверенно проговорила Марина и нажала рукой на самый край стены.

И вдруг эта стена слегка сдвинулась со скрипом, какой издают несмазанные ворота, пришла в движение и повернулась. Теперь она стояла не поперек, а вдоль коридора, а по обе стороны от нее можно было протиснуться вперед.

Колебание воздуха, вызванное повернувшейся стеной, погасило свечу Георгия. Он чертыхнулся, свернул план в рулон и сунул в карман, чтобы освободить руки.

Затем достал зажигалку и снова зажег свою свечу, прежде чем продолжить путь.

За подвижной перегородкой коридор снова раздвоился.

— Куда сейчас — налево или направо? — спросила Марина, повернувшись к своему спутнику.

— Сейчас посмотрю... — Георгий, одной рукой держа свечу, другой достал из кармана свернутый в трубку план и попытался расправить его. У него ничего не выходило. Марина хотела помочь ему, взялась за свободный край плана и потянула на себя. Вдруг мимо нее промелькнула какая-то маленькая серая тень. Марина вскрикнула и отшатнулась. При этом все еще свернутый в трубку план упал на землю и покатился по левому коридору.

Марина бросилась за ним.

Коридор пошел под уклон, к тому же пол здесь был сырым и скользким, поэтому рулон все не останавливался. Марина побежала, держа перед собой горящую свечу. Наконец она нагнала катящуюся бумажную трубку, схватила ее, но вдруг поскользнулась, упала и покатилась вперед, как с детской ледяной горки. Свеча при этом погасла, и Марина почувствовала настоящий ужас: она все быстрее скользила вперед, в темноту и неизвестность...

Выронив бесполезную свечу, она все же сжимала свернутый в трубку план подземелья. Сунув его за пазуху, Марина попыталась ухватиться за пролетающие мимо стены — но из этого ничего не выходило. Вдруг ее словно кто-то дернул за плечо и скольжение в темноту прекратилось.

Ничего не понимая, Марина ощупала стены и пол вокруг себя и поняла, что зацепилась полой ветровки за выступ стены.

Откуда-то издалека до нее донесся голос Георгия:

— Ты жива?

— Жива, жива, со мной все в порядке! Кажется...

— Сейчас я приду...

— Только осторожно, не поскользнись!

В темноте возникло пятно колеблющегося света, затем она различила свечу в руке Георгия, а уже потом — его самого. Георгий медленно, осторожно шел к ней, придерживаясь свободной рукой за стену.

Наконец он подошел совсем близко и помог Марине встать на ноги.

Оглядев коридор при свете свечи, Марина увидела, что впереди, не больше чем в метре от нее, в полу был глубокий провал, яма глубиной метров пять.

— О, господи! — прошептала она испуганно. — Если бы не ветровка, я бы сейчас валялась на дне этой ямы!

— А что с тобой случилось? — спросил ее Георгий. — Отчего ты вдруг так запаниковала?

— Крыса, — ответила Марина с дрожью в голосе. — Там была крыса, а я их очень, очень не люблю!

— Ну ладно, теперь нужно отсюда выбираться...

И пошел вперед. Вот так они все: ни тебе утешить, ни по плечу погладить, ни ласкового слова сказать — дескать, не бойся, милая, я с тобой... Ага, дождешься от них, как же...

— Ну, ты идешь? — В голосе Георгия слышалось нетерпение.

Осторожно, придерживаясь за стены и помогая друг другу, спутники вернулись к развилке.

— Ну, теперь хотя бы не нужно думать, куда дальше идти, — проговорил Георгий и уверенно свернул в правый коридор.

Они прошли по этому коридору метров двадцать — и на этот раз он действительно кончился и Марина увидела перед собой просторное подземное помещение, больше всего похожее на кладбищенский склеп.

— Кажется, мы пришли, — проговорила она вполголоса.

— Да, это он — Ключевой камень!

В глубине грота покоился огромный валун, передняя сторона которого была гладко отшлифована. На этой поверхности были нанесены ряды клинописных значков, знакомых Марине по рукописям Георгия Андреевича Успенского.

— Да, это тот самый камень, — проговорила она взволнованно. — А вот и ключ...

Она достала из кармана заветный ключ, точнее, красно-золотой анк, коптский крест.

— Вопрос только, как этим ключом открыть заключенный в камне тайник, — отозвался Георгий. — Что-то я не вижу в этом камне никакой замочной скважины...

Марине пришлось признать его правоту. Осмотрев камень при свете свечей со всех доступных сторон, она не нашла ничего, хотя бы отдаленно напоминающего замочную скважину.

— Вот что действительно обидно, — проговорила она, отступив в сторону, — мы преодолели множество препятствий, нашли ключ, нашли камень, и в итоге оказались так же далеко от древней тайны Атлантов, как в самом начале нашего пути!

— Может быть, дед ошибался и это вовсе не тот камень, в котором заключена орихалковая книга?

— Я не верю, — возразила Марина, не сводя глаз с древнего камня. — В этом камне есть что-то такое удивительное, что-то такое древнее... я не сомневаюсь, это он, тот самый камень!

Георгий стоял перед загадочным камнем, глядя на него как на упорного, неуступчивого противника, как будто этот камень противопоставил ему свою злую волю.

Марина тем временем расставила на полу по сторонам камня несколько зажженных свечей и отступила назад, любуясь. Теперь это помещение было похоже не на подземный склеп, а на древнее языческое святилище. И камень возвышался посреди него как величественный алтарь.

— Посмотри, какой он красивый! — воскликнула девушка, повернувшись к Георгию. — Я представляю, как тысячи лет назад жрецы шумеров или даже атлантов вот так же зажигали вокруг него огонь и молились своим древним богам!

— Посмотри! — перебил ее Георгий.

— Я говорю тебе то же самое...

— Да нет, посмотри теперь, при свете свечей, на надпись!

Марина снова повернулась к камню и проследила за взглядом Георгия.

При боковом освещении один из значков, высеченных на камне, стал гораздо заметнее, чем все остальные, и засветился красно-золотым светом, цветом орихалка. И значок этот был — крест с кругом на конце, коптский крест, анк.

— Вот она, замочная скважина! — радостно воскликнула Марина, шагнула к камню и приложила свой анк к тому, что был высечен на каменной плите. Орихалковый крест в точности совпал с высеченным в камне значком, лег в него плотно, как влитой.

И в ту же секунду ровная трещина пробежала по поверхности Ключевого камня, камень раскрылся, как раковина моллюска, и в его древней глубине Марина увидела тусклое красно-золотое свечение. Это была массивная книга, переплет и все страницы которой были сделаны из древнего металла атлантов.

— Вот она, — проговорила Марина испуганно и восхищенно, — вот она, орихалковая книга!

— Я просто глазам своим не верю! — отозвался Георгий и шагнул вперед. — Значит, дед был совершенно прав! И это ты, ты смогла доказать его правоту!

— Браво! — раздался в темноте тихий холодный голос, похожий на шипение змеи. — Я восхищен вашим упорством и находчивостью! Вы сделали даже больше, чем я надеялся! Вы нашли не только ключ — вы открыли для меня тайник, вы сами вложили сокровище в мои руки! Я восхищен!

Марина и Георгий резко обернулись.

В арке, соединяющей коридор с подземным святилищем, стоял смуглый человек с узкими змеиными глазами. И в руках его тускло отсвечивал пистолет.

Мальчики бросились бежать дальше по коридорам дворца.

Вскоре они оказались в том коридоре, где было окно, выходящее во внутренний дворик. Диковинные звери, которых атланты содержали в этом дворике, не находили себе места от страха и беспокойства. Они метались в своих клетках и издавали страшные и удивительные звуки — рев и мычание, блеяние и визг...

Мальчики не задержались возле этого окна. Дальше, дальше, дальше бежали они по дворцовым коридорам.

Наконец они очутились в тронном зале, но здесь никого не оказалось, только морские чудовища плавали под мостиками из орихалковых плит — и они были так же напуганы и разъярены, как все другие звери, которых мальчики встречали на своем пути.

Снова раздался глухой подземный рев — и кровля дворца задрожала, от нее начали отваливаться огромные куски.

Мальчики стремглав выбежали из дворца, бросились прочь по ступеням. На обычных местах не было охранников и стражей, только один из прирученных махайродов попался на их пути, но он пробежал мимо, прижав уши, как перепуганная кошка, и скрылся в зарослях. И тут позади раздался ужасный, невообразимый грохот. Шамик оглянулся — и увидел, что кровля дворца обрушилась и стены разваливаются, как песчаный замок. Шамик как зачарованный смотрел на это ужасное зрелище. Наконец Гар-ни потряс его за плечо и что-то прокричал. Шамик не сразу расслышал его слова — он оглох от треска и грохота. Наконец он скорее понял по губам, чем расслышал, что друг торопит его: оставаться возле дворца очень опасно. Мальчики побежали по аллее к выходу из парка.

Дворцовый парк был безлюден.

Мальчики выбрались из него через открытые ворота.

Город за пределами дворца был охвачен безумием. Некоторые дома были уже разрушены, стены других покрыты трещинами, как лицо дряхлого старика — морщинами. На ступенях одного дома лежала мертвая женщина с широко открытыми глазами, в другом доме явно хозяйничали мародеры.

Теперь мальчикам все чаще попадались люди. Все они спешили вниз, к морю. Кто-то бежал в сторону порта налегке, кто-то тащил на спине нищенские пожитки, кто-то катил тележку, на которой грудой была навалена домашняя утварь, а на самом верху восседал пятилетний ребенок.

Вдруг Гар-ни остановился и показал Шамику куда-то назад и вверх. Шамик остановился и обернулся.

Высоко над городом, над руинами дворца, царила покрытая зеленью гора. Но сейчас эта гора была окутана дымом и пылью, а на самой ее вершине клокотало и ярилось темно-багровое пламя. И вдруг это пламя выплесну-

лось и потекло вниз по склону, будто вылизывая его кровавым языком.

Люди закричали от ужаса и еще быстрее побежали вниз. И мальчики бросились следом, стараясь не оказаться на пути обезумевшей толпы.

Вскоре Шамик увидел внизу порт.

Море кипело и пенилось, словно, как и люди, оно было охвачено ужасом. Недалеко от пирса лежал на боку опрокинувшийся корабль, возле него виднелись барахтающиеся в воде люди.

Несколько кораблей уже выходило из гавани, еще несколько стояло возле причала, на них пытались пробиться отчаявшиеся люди. Матросы сталкивали их с мостков, чтобы отплыть от пирса, пока толпа не опрокинула корабли.

Наконец среди других Шамик увидел знакомый силуэт шумерского корабля, корабля своего отца.

— Не отставай! — крикнул он своему спутнику и бросился к пирсу.

Обезумевшие люди едва не затоптали мальчиков, однако, пользуясь своим малым ростом, они сумели протиснуться на причал.

Знакомый матрос отвязывал веревку от каменной тумбы, за спиной у него стоял отец Шамика, вглядываясь в толпу.

— Отец, я здесь! — крикнул Шамик, проскользнув под ногами у толстого египтянина.

Несколько рук протянулись к нему с борта, Шамик оттолкнул их и показал на Гар-ни:

— Я сам! Возьмите и его тоже! Без него я никуда не поплыву!

Мальчиков втащили на борт, и корабль, раскачиваясь на волнах, медленно двинулся к выходу из гавани.

Только что Марина чувствовала душевный подъем, радость от того, что довела до конца важное и удивительное дело, — а теперь, при виде этого безумца с пистолетом, ее охватило отчаяние.

— Кто ты такой? — проговорила она, шагнув ему навстречу. — Что тебе от меня нужно? Зачем ты меня преследуешь?

— Стоять! — злобно крикнул он и нажал на спуск пистолета.

Выстрел оглушительно прогремел в замкнутом пространстве, пуля срикошетила от Ключевого камня и ушла в стену. Марина попятилась.

— Я вовсе не преследую тебя, — прошипел смуглый человек, криво усмехнувшись. — Ты слишком много о себе возомнила. Ты была нужна мне, чтобы получить от тебя ключ. Я — наследник древней цивилизации, в моих жилах течет кровь шумеров, а может быть, даже атлантов. Великие жрецы моего народа, хранители древней, тайной мудрости, доверили мне важную и почетную задачу — вернуть нашу священную реликвию, Орихалковую книгу.

«Сумасшедший, — подумала Марина, разглядывая смуглого типа. — Самый настоящий безумец!»

Вслух же она проговорила совсем другое.

— Не слишком ли долго вы ждали? Пять тысяч лет! А может, и того больше?

Смуглый человек не слышал ее, он говорил все громче и громче, возбуждаясь от собственных слов:

— Вместе с этой реликвией мы вернем нашу былую славу, возродим величие нашего древнего народа, и я займу почетное и заслуженное место среди верховных жрецов...

«Точно, псих! — думала Марина. — Но что может быть опаснее вооруженного сумасшедшего? Кто знает, что придет в его больную голову?»

— А при чем тут Камилла? — проговорила она, пытаясь потянуть время в надежде, что она или Георгий придумает какой-то выход. Хотя на Георгия, похоже, рассчитывать не приходится. Он стоял, морщась и мучительно потирая лоб.

На этот раз смуглый безумец услышал ее слова.

— Камилла... она мно-ого знала, — проговорил он тихо. — И еще больше она могла узнать, ведь она жила в квартире покойного профессора Успенского. Я назначил ей встречу и, конечно, не рассказал ей всей правды, только маленькую ее часть, и обещал хорошо заплатить за любую информацию, особенно — если бы ей удалось найти орихалковый анк, ключ от тайника...

Марина покосилась на Георгия, он нахмурился еще больше, но ничего не сказал.

— И она нашла анк, но кроме него она нашла еще записи профессора и слишком много узнала...

Лицо смуглого человека перекосилось от ненависти, руки его затряслись, ствол пистолета заходил ходуном.

— Жадная, честолюбивая стерва! Но сообразительная, нечего сказать. Она решила меня обмануть, решила ничего мне не отдавать, а вместо этого использовать найденные материалы, чтобы создать на их основе фильм о древних тайнах Атлантиды! Такой новый проект — расследование в процессе. Она — главная ведущая.

— Ну надо же... — тихо пробормотала Марина, — вот чем она занималась... Если бы удалось, возможно, этот проект купил бы Первый канал...

— Но я сразу ее раскусил! — заорал смуглолицый. — Сразу почувствовал перемену в ее поведении. Она перестала отвечать на мои звонки, не приходила на место назначенных встреч, и я понял, что произошло. К тому времени она уже нашла богатого спонсора, готового финансировать этот проект...

— Борецкого! — догадалась Марина.

— Совершенно верно, Борецкого. — Смуглый человек взял себя в руки, понизил голос и продолжил: — Я никак не мог этого допустить, не мог допустить, чтобы наши тайные знания стали достоянием случайных людей, достоянием невежественной массы. Я следил за Камиллой, прослушивал все ее звонки и узнал о ее встрече с Борецким. На эту встречу она должна была принести все свои находки, чтобы заинтересовать спонсора своим проектом. Тогда я заминировал машину Борецкого, чтобы одним выстрелом убить двух зайцев — получить анк и наказать Камиллу.

— Но при взрыве могло погибнуть все, что удалось найти Камилле!

— Ерунда! — Смуглый человек пренебрежительно махнул рукой. — Записи мне не были так уж нужны, а ключ не пострадал бы — орихалк не боится огня. Однако когда я оказался на месте взрыва и осмотрел то, что осталось от машины, анка там не нашел. И тогда я понял, что это ты его украла...

— Как ты это узнал? — Марина по-прежнему старалась тянуть время.

— Ты забываешь, что я следил за Камиллой. Благодаря этому я узнал о том, как ты пыталась отомстить ей за интрижку со своим мужем. Влезла в дело, которое тебя совершенно не касалось. Мне оставалось только сложить два и два. А потом, когда я связался с тобой, ты сама дала мне понять, что материалы Камиллы у тебя... я стал за тобой следить...

— Ты пытался угрожать моему ребенку! — с ненавистью выпалила Марина.

— Цель оправдывает средства! — оборвал ее смуглый. — И, как видишь, эта тактика оправдалась — ты привела меня сюда и открыла для меня камень...

Марина открыла рот, чтобы что-то ему возразить, но вдруг заговорил Георгий, который до этой минуты молчал, удивленно слушая смуглого безумца.

— Максудов! — проговорил он удивленно. — Я вспомнил, как его зовут, — Тенгиз Максудов!

— Ты его знаешь? — Марина покосилась на Георгия. — Откуда?

— Он был учеником моего деда, его аспирантом... а потом, когда началась вся эта травля, быстро отмежевался от своего учителя, ушел в кусты, даже подписал какое-то клеветническое письмо... затем, я слышал, он попал в психиатрическую клинику...

— Я так и думала! — вполголоса проговорила Марина. — Он, несомненно, сумасшедший!

— Точно, псих, у него и справка небось есть...

— Это ложь! — выпалил смуглый тип и бросился на Георгия.

Тот, однако, был к этому готов. Отступив в сторону, Георгий сделал подножку. Максудов потерял равновесие и упал бы, но каким-то чудом уцепился за Ключевой камень и удержался на ногах. Георгий ударил его по руке, пытаясь выбить пистолет. Но смуглый безумец был невероятно силен, он развернулся и ударил рукояткой пистолета по голове Георгия.

Георгий охнул и без чувств рухнул на каменный пол.

Марина, которая в момент короткой схватки словно окаменела, бросилась на помощь своему спутнику...

Но наткнулась на кулак смуглого бандита.

Боль пронзила все ее тело, в глазах потемнело, на мгновение она потеряла сознание, а когда пришла в себя — поняла, что сидит на каменном полу спина к спине с Георгием, а смуглый узкоглазый безумец связывает веревкой их локти.

Георгий не подавал никаких признаков жизни.

— Вот так, — проговорил Максудов, завязав последний узел и с удовлетворением оглядев дело своих рук. — Засим позвольте откланяться! Меня призывают неотложные дела!

Он поднял с пола тяжелую орихалковую книгу, зажал ее под мышкой и шагнул к выходу из подземного грота.

— Стой! — крикнула вслед ему Марина. — Ты не можешь нас так оставить!

— Отчего же? — Максудов обернулся, по лицу его промелькнула усмешка. — Не понимаю, чем ты недовольна. Я оставляю вас в живых, возможно, кто-нибудь найдет вас здесь и освободит. Кроме того, я оставил вам горящие свечи. По-моему, ты должна быть мне благодарна.

— Благодарна?! — Марина задохнулась от возмущения. — За что? За то, что ты оставляешь нас здесь на медленную, мучительную смерть? Кто нас здесь освободит? Сюда уже двадцать лет никто не заходил!

— Все, мне некогда с тобой беседовать! — отрезал Максудов и скрылся в коридоре.

— Чтоб тебе провалиться! — крикнула Марина ему вслед.

Наступила глухая, мертвая тишина, нарушаемая только тихим шипением свечей, горящих по сторонам Ключевого камня.

Марина представила, как через час, самое большее — через два свечи догорят и она останется в полной темноте рядом с оглушенным, лишившимся чувств Георгием... да жив ли он вообще?

Она пошевелилась, толкнула Георгия локтем — и он негромко застонал, пошевелился, а потом проговорил чужим, хриплым голосом:

— Что случилось?

— Случилось то, что бывший аспирант твоего деда оглушил тебя, связал нас обоих и оставил в этом подземелье. И если мы ничего не придумаем — мы умрем здесь от голода и жажды... если, конечно, нас никто тут не найдет. А нас наверняка никто не найдет — потому что никто не знает, что мы сюда пошли.

— А где орихалковая книга?

— А ты попробуй сам догадаться! Конечно, этот Максудов унес ее с собой! Но это — не то, что меня сейчас заботит! Меня гораздо больше заботит, как бы выбраться отсюда!..

Она не успела договорить, потому что откуда-то издалека до них донесся вопль, полный ужаса и отчаяния.

— Что это было? — испуганно прошептала Марина, когда эхо этого вопля затихло.

— Я не знаю, — так же тихо отозвался у нее за спиной Георгий. — Могу только догадываться.

— И какие же у тебя догадки?

— Кричал наверняка Максудов, больше здесь никого нет. И я подозреваю, что он заблудился в подземелье, свернул не в тот коридор и свалился в ту яму, в которую едва не загремела ты.

— Приятно, конечно, сознавать, что ему воздалось, — проговорила Марина, осознав эти слова, — но наше положение от этого не становится лучше.

Еще несколько минут они сидели молча, обдумывая свое безрадостное положение. Георгий попытался разорвать веревку, напрягая локти, но у него не хватило для этого сил, веревка только глубже врезалась в кожу, причинив Марине резкую боль. Наконец Георгий прекратил свои бесплодные попытки и проговорил:

— У тебя нет ничего острого, чем можно было бы перерезать веревку?

— Откуда! — фыркнула Марина. — Да если бы и было, я рукой не могу пошевелить, так крепко он нас связал... постой, а что, если попробовать пережечь веревку?

Георгий сразу понял ее мысль.

Туго связанные локтями, они начали переползать к краю камня, где стояла одна из горящих свечей. Добравшись до нее, развернулись таким образом, чтобы пламя свечи оказалось точно под веревкой. Но тут случилось ужасное: неловко двинув локтем, Марина уронила свечу. Свеча зашипела и погасла.

— Черт! — прошипел Георгий.

— Прости... — отозвалась Марина.

Ее душу захлестнуло отчаяние.

— Ладно, у нас есть еще одна попытка!

И они поползли к другому краю камня — туда, где горела вторая свеча, их последняя надежда.

На этот раз они действовали очень аккуратно, перемещались миллиметр за миллиметром — и наконец замерли, чувствуя, как язычок пламени касается веревки.

Скоро Марина ощутила, как жар пламени коснулся ее кожи. Боль становилась все сильнее и сильнее, но она терпела, боясь неосторожным движением снова уронить свечу. Но боль стала просто нестерпимой, Марина дернулась, свеча упала, и грот погрузился в кромешную темноту.

— Ну вот и все! — проговорила Марина голосом, полным отчаяния.

— Подожди... — Георгий напряг руки, дернул их в стороны — и на этот раз наполовину перегоревшая веревка лопнула.

Они были свободны.

Конечно, нужно было еще развязать ноги, найти зажигалку, зажечь свечи, но с развязанными руками все это уже просто.

— Господи, как хорошо! — проговорила Марина, растирая онемевшие руки. — Много ли человеку надо для счастья?

— Жаль, конечно, что мы потеряли орихалковую книгу... — протянул Георгий.

— Черт с ней, с книгой! Пойдем к выходу! Я больше не могу находиться под землей, кажется, еще немного — и сойду с ума! Где твой план?

Георгий вытащил из-за пазухи свернутый в трубку чертеж, разгладил его и показал Марине маршрут, который должен был вывести их из подземелья.

Они уже прошли часть маршрута, как вдруг из-за поворота до них донесся приглушенный человеческий голос.

Марина и Георгий переглянулись.

— Это он, — вполголоса проговорила девушка, — Максудов!

Вдруг она увидела, что Георгий разматывает веревку. Ту самую веревку, которой они только что были связаны.

— Что ты собираешься делать?

— Я только посмотрю, что с ним, — отозвался Георгий, закрепляя конец веревки за выступ стены.

— Посмотришь? — удивленно переспросила Марина. — Он же нас оставил умирать!

— Я только посмотрю! — повторил Георгий.

— Ну, тогда и я с тобой...

Они медленно, осторожно двинулись по наклонному коридору. Георгий обмотался веревкой и придерживал Марину.

С каждым шагом голос Максудова становился все громче.

Наконец они добрались до края ямы и заглянули в нее.

При слабом свете свечи они увидели Максудова, который свернулся на дне ямы.

Левая нога его была отставлена в сторону и согнута под неестественным углом. Он держался за нее и время от времени испускал полный страдания стон.

Орихалковой книги не было видно.

— Кажется, он жив, но сломал ногу, — вполголоса проговорил Георгий.

Максудов тем не менее услышал его голос, заметил пламя свечи и поднял голову.

— Вытащите меня отсюда! — крикнул он жалким умоляющим голосом.

Георгий молчал, и Максудов, по-своему истолковав это молчание, взмолился:

— Неужели вы оставите меня здесь умирать? Я не верю! Вы не способны на такую жестокость!

Георгий переглянулся с Мариной. Вдруг Максудов вытащил пистолет, направил его на Георгия и выкрикнул совсем другим голосом, полным ненависти и презрения:

— А ну, вытащи меня или получишь пулю!

Георгий отшатнулся от края ямы, и тут же прогремел выстрел, разбудив глухое подземное эхо. Посыпались отбитые от потолка кусочки камня.

— Вот сволочь какая! — проговорила Марина в сердцах. — Как змея из притчи, которая жалит черепаху, перевозящую ее через реку. Ну, не может ничего с собой поделать!

А из ямы снова доносился жалкий, умоляющий голос:

— Неужели вы бросите меня здесь на страшную смерть?

— Не беспокойся, — ответила Марина, не приближаясь, однако, к краю ямы, — скоро за тобой приедут! Тебя оттуда вытащат, но за свое спасение тебе придется дорого заплатить! Ты расскажешь все об убийстве господина Борецкого! Только не надейся выкрутиться, там, знаешь, люди серьезные, это не полиция, они тебе, если нужно, вторую ногу сломают, но до правды докопаются!

Максудов замолчал, переваривая ее слова, а Георгий удивленно взглянул на Марину:

— О ком это ты? Что за люди?

— А, это долгая история... — отмахнулась Марина. — Может быть, потом, на досуге, я тебе все это расскажу, а сейчас пойдем-ка назад, очень хочется увидеть солнечный свет!

— Пойдем, — согласился Георгий и развернулся, крепко ухватившись за веревку. — Одно плохо — мы так и не знаем, куда делась орихалковая книга... наверное, он потерял ее где-то по пути... Осторожно, здесь скользко!

Его предупреждение запоздало: Марина упала и заскользила к краю ямы.

— Держись! — крикнул Георгий и бросил ей свободный конец веревки.

Но Марина уже успела ухватиться за тот же выступ стены, который спас ее прошлый раз. Она поднялась на четвереньки, протянула руку за веревкой — и вдруг застыла, пораженная.

За каменным выступом, тускло отсвечивая в темноте, лежала орихалковая книга. Георгий снял куртку и бережно завернул в нее бесценное сокровище.

Через несколько минут спутники поднялись по ступеням, открыли потайную дверцу и выбрались в просторный придел Казанского собора. После темноты и тесноты подземелья яркий дневной свет, свежий воздух и свободное пространство собора буквально потрясли их. Георгий бережно прижимал к груди сверток с книгой. В нескольких шагах от них группа экскурсантов направлялась к могиле полководца Кутузова.

— Господи, как хорошо! — воскликнула Марина. — Свет, воздух, живые люди!

— Поедем домой, — проговорил Георгий, настороженно оглядываясь по сторонам. — Я не чувствую себя в безопасности с этой книгой в руках!

— Да, конечно, только я должна сделать один звонок! Марина достала телефон, набрала номер.

— Господин Веретенников? Это Марина Ершова... да-да, та самая! Вы хотите поставить точку в деле господина Борецкого? Хотите найти его убийцу? Тогда приезжайте в Казанский собор... записывайте: третья колонна слева от могилы Кутузова...

«Вот и все, — подумала Марина, глядя, как комья сырой земли падают в могилу Камиллы, — на этом можно поставить точку в этой истории. Теперь у нас всех начнется другая жизнь. Не знаю уж, лучше или хуже, но без Камиллы она будет другая. Кому-то она жизнь освещала, кому-то портила, этих было больше, но теперь ее нет и многое изменится».

Она оглянулась по сторонам. Народу было немного. Школьные друзья, вон они стоят, кое-кто со студии. Не любили Камиллу, ох не любили, да еще и погода сегодня ужасная, как пошел с утра дождь, так и льет — мелкий, нудный... Но велено было сделать репортаж, так что кое-кто пришел по работе, кому по должности положено, а кто-то просто из любопытства.

Могильщики споро делали свое дело, люди начали потихоньку переговариваться и отходить. Георгий сказал, что поминок не будет, не хочет он никакого вечера воспоминаний, тем более что и вспомнить-то нечего. А все будут врать, какая Камилла была замечательная и как ее все любили, зачем это слушать?

С Мариной они так и не поговорили. Георгий как вцепился в орихалковую книгу, так все на свете забыл. Это, говорит, такое везение, что мы ее отыскали. В этой книге рассказана история древней Атлантиды — о том, как прилетели люди с далеких звезд и принесли атлантам зачатки цивилизации. Эта книга полностью перевернет всю историческую науку. Я, говорит, теперь все брошу и только ею буду заниматься. Это, говорит, мой долг перед памятью деда. Раньше, мол, был я дураком молодым, не стал в той же области работать, думал, все скажут, что дед меня продвигает. Да кому какое дело? Вот и получилось, что такой псих, как этот Максудов, возле деда крутился. Теперь уж такого не будет.

Ну и ладно, а Марине нужно свою жизнь устраивать. На работе все теперь хорошо, квартиру разменять да маму с Тимкой сюда привезти. С мужем жить она точно больше не будет, только он об этом еще не знает. Но догадывается, наверно.

Вон они стоят все рядком, друзья школьные. Уж Марина знает, какие это были друзья. И кончилась у них эта, с позволения сказать, дружба, теперь и не увидятся больше. Женька Плавунец стоит мрачный, но, как всегда, вид у него приличный. Не сильно изменился, похудел чуть-чуть, щеки ввалились, глаза запали, а так ничего себе. Девочку свою не привел — как ее — Леночка, Людочка... не вспомнить.

Рябокони чуть в стороне. Костю из больницы выписали, весь бледный, худой до прозрачности. Вера хоть и загорелая, а все равно видно, что душа не на месте. Этим двоим эта история здорово жизнь сломала, время поможет ли...

Могильщики насыпали холм, устелили его цветами, и люди собрались уходить.

— Ну что, — Антон подошел к Рябоконям, — если поминок не устраивают, так, может, закатимся куда-нибудь в кабак? Посидим, пообщаемся...

Костя поднял на него больные глаза и промолчал. Зато Вера больно ткнула его кулаком в живот и прошипела:

— Отвали! И чтобы я тебя больше рядом не видела! И телефон наш выброси!

Антон повернулся к Плавунцу.

— Жук, но ты ведь не откажешься? Помянем Камилку, вспомним, какой она была...

Евгений смотрел на него и удивлялся: как он так долго мог общаться с таким противным мужиком? Наглый, пошлый, глупый — в общем, ужасно противный. Разговоры только о бабах и футболе, из всех летних развлечений — лишь шашлыки и рыбалка. Да это бы еще ладно, он и сам не прочь так провести время. Но только чтобы люди приличные были, а не этот... Ох, Камилла, до чего ты нас ослепляла своим присутствием... Но все кончилось.

— Извини, старик, — холодно сказал он, — у меня деловая встреча. Клиент важный, отложить никак нельзя.

Он раскрыл зонт и пошел вперед. Остальные тоже ускорили шаги, обтекая Антона, стоявшего столбом посреди дорожки. Он опомнился, когда почувствовал, как холодные капли затекают за шиворот.

Марина поскользнулась на мокрой траве, ее подхватил Плавунец.

— Хотел тебя спросить, — заговорил он вполголоса, — адвокат у меня есть по гражданским делам. Ты пригласи его в передачу, он вроде как рекламу себе сделает, а за это тебе поможет. Тебе ведь, я так понимаю, адвокат вскоре понадобится?

— Верно, — Марина посмотрела на него внимательно, — это кстати будет.

— Ну и ладно. Тебя подвезти?

— Я сам ее подвезу! — Их догонял Георгий.

— Женя, я позвоню, — сказала Марина и пошла за Георгием по тропинке. Он подождал ее и крепко взял под руку.

Литературно-художественное издание

АРТЕФАКТ & ДЕТЕКТИВ

Александрова Наталья Николаевна

ЗОЛОТО АТЛАНТИДЫ

Ответственный редактор *О. Рубис*
Редактор *Т. Другова*
Художественный редактор *Н. Кудря*
Технический редактор *И. Гришина*
Компьютерная верстка *Е. Зарубаева*
Корректор *А. Комарчева*

В оформлении обложки использована иллюстрация: Regissercom / Shutterstock.com
Используется по лицензии от Shutterstock.com

ООО «Издательство «Эксмо»
123308, Москва, ул. Зорге, д. 1. Тел. 8 (495) 411-68-86, 8 (495) 956-39-21.
Home page: **www.eksmo.ru**   E-mail: **info@eksmo.ru**

Өндіруші: «ЭКСМО» АҚБ Баспасы, 123308, Мәскеу, Ресей, Зорге көшесі, 1 үй.
Тел. 8 (495) 411-68-86, 8 (495) 956-39-21
Home page: www.eksmo.ru   E-mail: info@eksmo.ru.
Тауар белгісі: «Эксмо»
Қазақстан Республикасында дистрибьютор және өнім бойынша
арыз-талаптарды қабылдаушының
өкілі «РДЦ-Алматы» ЖШС, Алматы қ., Домбровский көш., 3«а», литер Б, офис 1.
Тел.: 8 (727) 2 51 59 89,90,91,92, факс: 8 (727) 251 58 12 вн. 107; E-mail: RDC-Almaty@eksmo.kz
Өнімнің жарамдылық мерзімі шектелмеген.
Сертификация туралы ақпарат сайтта: www.eksmo.ru/certification

Өндірген мемлекет: Ресей
Сертификация қарастырылмаған

Сведения о подтверждении соответствия издания согласно законодательству РФ
о техническом регулировании можно получить по адресу: http://eksmo.ru/certification/

Подписано в печать 19.08.2014.
Формат 84×108 $^1/_{32}$. Гарнитура «NewtonC».
Печать офсетная. Усл. печ. л. 16,8.
Тираж 3000 экз. Заказ № 9382.

Отпечатано в ООО «Тульская типография».
300600, г. Тула, пр. Ленина, 109.

ISBN 978-5-699-75266-9

16+